The GREAT BOOK of Sudoku

Packed with over 900 brilliant puzzles

This edition published in 2020 by Arcturus Publishing Limited
26/27 Bickels Yard, 151–153 Bermondsey Street,
London SE1 3HA

AD006831NT

Printed in the UK

Contents

How to Solve Sudoku

There is no mystique about solving sudoku puzzles. All you need are logic, patience and a few tips to get you started. In this book the puzzles are graded at different levels, indicated by stars. The process for solving them is exactly the same, however.

Each puzzle has 81 squares formed into nine rows, nine columns, and nine boxes each of nine squares which are shown heavily outlined:

Each puzzle begins with a grid in which some of the numbers are already in place:

	9	6			8		3	
		1		4	2			
5						8	1	9
4		7	1	2				3
		8	7		6	5		
2				9	4	6		1
8	7	2						5
			3	5		1		
	3		2			4	6	

How to Solve Sudoku …

You need to study the grid in order to decide where other numbers might fit. The numbers used in a sudoku puzzle are 1, 2, 3, 4, 5, 6, 7, 8 and 9 (0 is never used).

For example, in the top left box the number cannot be 9, 6, 8 or 3 (these numbers are already in the top row); nor can it be 5, 4 or 2 (these numbers are already in the far left column); nor can it be 1 (this number is already in the top left box of nine squares), so the number in the top left square is 7, since that is the only possible remaining number.

The grid now looks like this:

7	9	6			8		3	
		1		4	2			
5						8	1	9
4		7	1	2				3
		8	7		6	5		
2				9	4	6		1
8	7	2						5
			3	5		1		
	3		2			4	6	

Alternatively, you could look to see where the 5 might be in the top right box. It cannot be in the seventh or ninth columns of the grid (there are 5s already in these columns), so it must be in the eighth column, in the only space available, as shown here:

7	9	6			8		3	
		1		4	2		5	
5						8	1	9
4		7	1	2				3
		8	7		6	5		
2				9	4	6		1
8	7	2						5
			3	5		1		
	3		2			4	6	

How to Solve Sudoku ...

A completed puzzle is one where every *row*, every *column* and every *box* contains nine different numbers, as shown below:

Column

Row ——→

Box ——→

1

					8	2		7
9		7	5	3				1
1	2			4			3	5
3	5	6	2		4		7	
	8			7			4	
	7		8		6	3	2	9
7	1			8			6	3
6				2	7	8		4
8		5	9					

2

9	5		6			8		7
	7		1	3			6	4
1			7		8		3	
		7	3	4		9		
5		2		8		4		3
		4		7	5	1		
	6		5		2			8
4	3			9	7		2	
8		1			3		9	5

	5	3						2
9		7		5			1	8
			2	7	4			
3	9	4	5				8	
		5	7		9	2		
	1				8	9	6	5
			9	6	7			
2	4			8		7		1
8						5	3	

4

9	4	1		7		2		6
	3		9		2		1	5
			8	6				4
5		4	6	1		8		
2			5		7			9
		3		8	4	6		7
4				2	3			
6	5		1		8		3	
3		2		5		9	7	8

5

7		3	9				5	
		1	6	3				8
	6				8		4	7
4	2	9	3	7				
8								1
				5	9	4	7	2
6	9		1				2	
2				4	6	5		
	7				5	8		3

6

	9		7	6	8			4
	7			3		5	1	6
	2				5			
2		9	8		4	7		5
	6	8		9		1	4	
1		5	2		6	9		3
			4				3	
4	1	7		2			5	
3			6	8	7		9	

	9	5	3			2		4
	3	7		1			6	9
6	1			4	8			
		8			6		5	
9		3	4	8	1	7		6
	2		7			3		
			8	2			9	7
5	8			7		1	3	
2		4			3	6	8	

6			9	4	3			8
1	2			6		4	7	
	9					5		6
8	6	7			2			1
		9	4	1	7	6		
2			6			3	5	7
5		6					2	
	1	4		2			9	3
9			7	8	4			5

9

		8	2	5				
		4			7			
		9		1		6	7	2
8	4		3		1		6	9
6		7				3		5
2	9		7		5		1	8
9	3	6		4		2		
			9			1		
				3	2	8		

10

	4				9			3
3		8		6		5		4
		5	8	3		2	7	
4	3	2	9		1			7
6	8			7			2	9
7			4		6	3	1	8
	9	6		4	7	1		
1		3		9		7		5
5			2				8	

9		4		1		2		
	2	1	9			3	6	
6		5			7	9		4
				3	5		8	1
5		3		4		6		7
8	4		6	2				
3		8	4			1		9
	5	9			8	7	3	
		2		9		8		6

12

				8	5	4	2	
	7		6		9	3		
	6	8			4		7	
8			4	2				5
2	4						6	9
1				5	6			2
	5		3			6	8	
		4	5		7		1	
	2	3	1	4				

13

9			1	4		8	5	6
1	2						7	
4			6		9			3
	9	2	8	1				
	4	3	9		7	6	8	
				5	6	9	4	
3			2		8			7
	5						2	8
2	6	8		3	5			4

14

	5				4	2		
3	7			1			8	6
	9	1	8	5			3	
8			9		5	3	7	2
9				8				1
5	4	7	3		1			8
	6			7	2	8	4	
7	2			9			6	5
		5	1				2	

15

4	7			2		6		3
9	6					8	2	5
	2	1	3	8				
3			1				9	
7		6	2	3	8	1		4
	5				4			7
				5	3	4	6	
8	4	5					3	1
6		9		4			7	2

16

	6	8			7	9	1	
1		2	9		8	6		4
		9		6		5		
9	8		4	1				6
	2			7			4	
6				5	3		9	7
		5		8		7		
3		1	7		6	8		5
	7	6	2			4	3	

17

5	8	6			4			7
2					5	1		4
		1		3	9		5	2
3			4			7	2	
	6		7	2	1		9	
	2	4			6			8
1	3		5	8		6		
9		7	1					5
6			9			3	7	1

18

3	9	7			5			
	2			3		1		5
1		4	8	7				6
				6	4		8	
	6	9				4	5	
	8		2	9				
5				4	7	9		2
6		3		2			4	
			1			7	3	8

★

19

9		5			8			1
			2	9				5
4	2	8		3				7
	7	4	6		3	1	5	
6	9			5			4	8
	5	3	8		9	7	2	
2				1		6	7	4
5				6	2			
3			7			5		2

20

5				1	7	9		
			8			5	7	4
	3	2			5		6	
2		7		8			5	
	9		1		6		4	
	4			5		8		1
	7		2			3	8	
9	2	8			3			
		1	4	6				7

21

8		5		2			4	3
7		4		9			6	1
	9	2		6	3			
3					9	7		
5	4		6	3	2		9	8
		1	8					5
			3	1		4	8	
6	1			4		3		9
4	7			8		5		2

22

7		8		6	3	2		9
	5				9	1		7
	2	3	4				8	
			9	2		8	5	6
		7		3		4		
2	8	6	1	5				
	3				7	5	6	
1		5	2				9	
4		9	3	1		7		8

5	8	7		2			4	3
	3		5		4		6	
			7	3	1		8	
		8	3		5			6
	9	2		7		3	5	
1			6			2	8	
	1		8	4	7			
	2		1		9		3	
8	4			6		7	1	9

	8				4	6	9	7
		9	7	2			8	
3	1		9					5
6	3			9		2	4	
8			5	1	2			6
	7	1		4			5	9
7					1		3	4
	2			5	6	7		
1	4	8	3				6	

4		6	5			7		1
7	3			8	4		6	9
2				7				4
				6	3	1	4	
	1	3		5		9	2	
	5	4	8	2				
5				1				2
1	2		7	3			8	6
3		8			9	5		7

5		6	8				4	7
	3	7	5					9
1		4		6	7			5
7	4			1		9		
	8		7	2	5		1	
		5		8			6	2
9			6	3		2		4
2					4	5	8	
4	7				2	3		6

27

	2	8	9			5	4	3
	6			2			8	
5	7	4			1		9	6
				4	7	3		2
7			3		9			1
3		6	5	8				
4	3		6			7	2	9
	8			9			3	
6	9	7			3	4	1	

28

		1		2		7	5	4
4		6			5		8	
		9	1	4				
7	5		6		4		9	2
	8	4		9		3	7	
6	9		8		3		1	5
				8	1	9		
	4		3			2		1
3	1	7		6		5		

3		2		6			7	9
	4			1	5	6	3	
8		1					5	4
5			4				2	
7		3	9	5	8	4		6
	1				6			7
2	3					8		1
	9	4	5	8			6	
6	7			9		3		5

8	4	6	9					3
3				2	4	8		
	1	9			8		7	5
	8			9		5		4
	6		2	5	1		3	
9		2		8			6	
7	9		5			6	4	
		4	6	1				2
6					7	3	5	9

31

4				9			2	7
	7	3	5		2	4		
	6	9	4		8	3	1	
9			2	4	7			6
	2	5		1		8	4	
6			8	5	9			2
	9	7	1		6	2	5	
		2	9			4	7	6
3	4			2				1

32

9			7	8	3			5
5	6		2		4			
4				1		2	7	9
		5	8		2		9	
2	8			7			1	6
	9		5		1	3		
3	7	6		5				4
			3		6		5	1
1			9	4	7			3

33

5			4	6	7		2	3
4		9			2	1		5
	7				9	4		
		4	9		8		6	
6		3		4		2		8
	1		6		3	7		
		6	2				3	
2		8	1			5		7
9	5		3	8	4			2

34

6	1	8			3	2	9	
		2	8	6	5	7		
5					1		8	4
	8		1					6
	7	6		8		4	3	
9					7		5	
8	6		3					7
		1	7	4	8	3		
	4	3	9			5	2	8

35

	9			8	6	4		5
8		1	5		2	3		
	6		4	3		8	1	
		9		1			4	8
1			6		4			2
3	7			2		6		
	8	7		5	3		9	
		5	7		1	2		4
2		6	8	4			7	

36

3			8	5		2		6
8			6			3		7
1	9	6		7			5	
	3	1	2	6			8	
		9	1		7	5		
	6			4	3	7	2	
	5			1		9	4	2
4		7			9			8
9		2		3	6			5

37

2		5	7	8			6	1
	3		6					
6				9	1	3		7
8		9	2		5	1		4
	7			4			9	
4		2	3		9	6		8
5		3	4	6				9
					8		5	
7	1			5	2	8		3

38

4		6	1		7	8		
	1			2		6	7	
8	7			5			3	2
5	6		9		2		4	7
		7	5	4	6	2		
2	9		7		3		1	6
6	8			9			2	3
	4		3	6			5	
		3	2		1	4		8

39

6		3				7	8	2
2	1			8	9		4	
4		5		2			6	1
7			5			4		
	6	4	8		2	5	1	
		9			1			3
9	3			5		2		4
	4		9	7			5	6
5	7	8				1		9

40

7			8		1		4	6
6	2		5					8
		1	7	4			5	3
		3	9	8	2	7		
2		9				3		4
		8	4	3	7	6		
3	4			6	8	5		
1					4		6	2
8	5		2		9			1

41

	3	9			4		8	5
6		5		2			7	4
			1	9		6		2
	4				7			3
	7	6	2	1	9	5	4	
8			6				1	
5		7		3	1			
4	2			7		8		1
1	6		4			3	9	

42

3			8	4	1			6
9	6			2		8		5
2						3	7	
	5		2			1	4	3
		3	1	5	8	9		
7	1	6			3		2	
	3	7						9
1		8		3			5	2
5			6	8	9			1

43

4		8		9	3	5		2
	1				2	6		
2			7	5	1			9
		4	1		6		3	
5		2		7		1		6
	6		5		9	7		
1			4	6	7			8
		7	9				4	
8		3	2	1		9		7

44

8	2				1		3	6
3			8	6		9		
	5		9			7		4
			2	9		6	5	3
7		5		8		2		1
6	3	2		5	4			
5		4			2		9	
		1		4	8			7
2	8		7				6	5

45

5	7	3		8				1
			6	1	3		4	5
	6		5		7			9
		6	8		9		5	
2		4		3		9		7
	8		4		2	6		
8			2		1		9	
6	9		3	4	5			
1				9		3	2	6

46

8					1			7
	2	7		8		3	6	
9	4		6	3			2	
		9	1		5	7	4	3
		1		9		8		
5	3	6	7		8	9		
	5			7	9		8	1
	9	2		1		5	3	
6			4					9

47

6			2	4			3	8
2		4		1		5		6
	5				9			
		3	5		1	2	7	4
	2	1		3		9	8	
8	4	5	9		7	3		
			8				2	
4		7		9		6		3
1	9			5	3			7

48

9	7			4			1	3
	8	5	1	3			7	
					6	9		
1	3	2	9		4			5
6		8		5		1		4
5			6		2	3	8	9
		1	8					
	2			9	5	6	4	
7	5			6			3	2

49

	3	9	8		1		4	
		4	7		9		5	
5				6		2		9
3		6	9		5		1	
	7			1			3	
	2		4		7	9		8
8		3		7				4
	5		2		3	8		
	6		1		8	5	7	

50

6		5	3		8	9		7
	8			1			3	
9	3			7			4	1
7	5		1		2		6	3
		3	5	6	7	1		
1	2		4		3		8	5
5	9			2			1	4
	6			5			7	
2		4	8		1	6		9

51

	8		5		6		2	7
4	9	5		1			6	
			4	8	3		9	
		3	2		1			9
1	7			4			5	8
9			8		5	2		
	3		9	6	4			
	6			2		7	3	4
2	1		3		7		8	

52

2	3			6			1	
	8	4			3	5	6	
6	7		9				3	4
7		3	8	4	5			
8				9				5
			2	1	7	9		3
9	6				8		5	2
	4	2	6			1	7	
	1			7			9	6

53

	5			1		3	9	8
	9		3	5	6			
3	2		8		9		7	
		6	4		7			1
	8	2		3		7	4	
9			2		1	6		
	7		5		4		1	3
			9	7	3		6	
4	6	3		2			5	

54

3		7			6		4	8
	2		4		3			
		1	5	8		2		7
8		3	7			5		6
	1			5			9	
4		5			2	3		1
7		9		1	4	8		
			8		5		7	
5	8		9			6		2

55

	7			4			9	6
1			2		5			3
	8	4		3	6			2
	3	2	5	8				
6		5	7		2	1		8
				6	4	9	2	
3			8	1		4	5	
7			4		9			1
4	9			5			8	

56

6		4			5	1		2
	7	2			1		8	
3			2	9	8			6
		8	9		3		4	
7		5		2		3		9
	9		1		7	2		
5			3	7	2			1
	3		5			9	2	
8		6	4			7		5

34

57

	7		1		5		9	
8			7				6	2
3		4		9	6		1	
7				6	4	2		1
		5	8		1	7		
9		1	5	3				8
	9		3	7		4		5
2	4				9			3
	8		4		2		7	

58

6		7		5			3	1
			2	9	3			
9	5			7		8	4	
2	6	5			7	4		
7			5		9			3
		8	4			1	7	5
	3	2		4			8	9
			9	1	5			
5	4			2		6		7

		1			7	3		5
5	7	9				1	2	6
6				9	5			8
	1	7			4			9
	6		2	8	1		5	
8			3			6	1	
1			7	4				3
7	2	6				5	8	4
3		4	8			2		

5	7			9			8	3
	8		7	5		4	1	
		3			6			
3	1	5			2	8		4
9				4				6
4		8	3			2	5	7
			1			7		
	9	6		3	4		2	
2	5			6			4	8

61

7	2		6		9			
	9	8	1	5	3			
	5			7		6	9	1
3			4		8	7		
2	6			1			4	8
		9	2		7			3
1	3	4		2			5	
			9	8	1	2	3	
			5		4		7	6

62

8	2		4			7	6	
9					1	3	4	
		6	7	8		5		1
	7				6	9		
5	3		2	7	4		1	6
		8	1				3	
6		4		2	7	1		
	1	3		4				5
	9	5			1		8	2

63

	5	6			7	4	8	
7		9		2		5	6	
8		1	6			2		9
3	2			1	4			
	7			5			4	
			8	9			3	5
1		7			3	6		4
	8	3		6		9		7
	6	2	5			3	1	

64

	5		1	2			6	8
9	6		5		8	3		
		8			4	7		1
8	2	3	7	5				
4				1				6
				3	9	8	7	2
3		2	6			1		
		5	2		7		9	3
6	8			9	1		4	

65

4	3	1	2				9	
		9		8	7			5
	5		9		3	2	1	
	7			6		1		9
	4		8	3	9		7	
3		5		1			6	
	2	3	6		4		8	
6			5	9		4		
	8				1	6	5	7

66

		6			7		9	
1	9	5			4	7		6
3			6	8	9			1
		9	8		3		5	
2		4		6		3		8
	8		7		2	6		
4			3	2	6			7
9		1	5			2	3	4
	3		4			8		

67

	6		4	1			8	3
2		5	9		3			1
	3				8	2		7
7				2		4	3	
		2	5	3	7	9		
	5	8		9				6
5		1	7				6	
4			2		1	8		9
8	9			4	5		7	

68

6			9		7			8
	2	3			4			7
		7	1	5		4	6	
	3	9	5		6	8	7	
4				9				5
	5	8	2		3	9	1	
	6	2		7	9	5		
1			3			6	8	
3			8		1			2

40

69

8				9	3	1	6	
	3	4	7	2			8	
9					8			4
	5	7	1		6	2	9	
2				5				3
	9	8	2		4	6	5	
1			9					6
	2			8	5	4	1	
	4	9	6	1				7

70

	8	9		5				7
	3	2			9		1	6
5		4	2	6			8	
	9		5			6		
3	5		1	2	8		9	4
		7			3		2	
	7			1	2	8		3
1	6		9			4	7	
4				8		9	5	

71

6		3	5		7	4		
		7	9	3			6	8
	2	9			4		1	
				6	5		3	7
4	3		7		1		8	5
2	7		8	9				
	6		3			8	2	
8	5			4	6	3		
		4	2		8	1		6

72

9	5			9	1		7	
9		6			3	4		
2	7	4				9	1	3
		7	6		9		5	
1			2	5	4			7
	9		1		8	3		
5	8	1				7	3	2
		2	5			8		9
	6		3	8			4	

7		9	5	8			6	
	4	1	9			8		2
6					7		5	3
2	6	8	3	9				
	7			5			1	
				2	4	3	8	6
8	2		1					5
9		7			3	4	2	
	1			4	5	7		8

9		7		8		6		4
	3	6	4			2	8	
5		8			6	9		3
4	6		1	7				
	5			4			9	
				3	5		2	6
7		2	8			3		1
	1	5			9	8	4	
6		4		2		7		9

75

4		1			5	6		3
	9			2	6	5		7
6			9		3	2		
	3			7	2		4	
1	8			9			7	2
	7		1	3			6	
		5	8		1			9
7		2	3	4			5	
9		8	2			4		1

76

4		3			8	5		7
6	1			5				4
5	9		4				3	1
	5		9	3		7	4	
		9		8		1		
	8	4		6	2		5	
7	6				5		2	3
8				7			1	6
9		2	1			8		5

77

		5			7	9		1
7	8	3	4			2	6	
				6	5			4
3	1			7	4		5	
8		4	9		3	1		6
	7		1	2			4	9
4			7	1				
	6	7			9	4	2	8
9		2	8			5		

78

1		3	2	4		6		5
	7				5	1		9
			7		9		3	
6		9	5		3	2		7
	8			2			6	
5		2	1		6	9		4
	1		4		2			
3		5	8				4	
9		4		6	7	8		1

79

	3		1			5	4	7
		6		8	4	3	9	
	7	2		3				8
		4		2	8			5
2	9			5			8	6
5			3	9		4		
3				7		6	1	
	8	1	5	4		2		
9	4	7			6		5	

80

	4					1		6
3	2			4		8	7	
			5	9	8			2
5	6	3	1		9			4
		1	8	7	5	2		
7			3		4	5	1	9
9			2	8	3			
	5	8		1			4	7
1		6					2	

81

4			6		8		1	9
	8		5	7		6		3
5	6	2			3			
6				3		1	5	
2			4	1	7			8
	3	7		6				2
			9			8	3	1
8		5		4	2		7	
3	9		7		1			5

82

7		2		1		4		3
	5		9		3		2	
1		8		6		9		5
9		6	7		5	3		1
	7		4		1		9	
4		1	6		9	2		7
8		7		4		5		9
	1		3		7		8	
5		3		9		7		2

83

5	2		9		3		4	8
9				4		3		5
4		6	5			2		7
			6	2		5	8	
	6			3			7	
	5	3		9	1			
8		9			4	1		2
3		5		8				9
6	1		7		9		3	4

84

8		1			3	2		4
				7	4	9		3
		4	6		2			7
1	9		8	2			4	
	5	8		6		7	9	
	2			9	7		1	8
3			5		8	6		
7		9	2	1				
5		6	7			8		1

85

9		8	3		1	2		6
6	5		7	4	2			9
	1			9			5	
	3		6	7	9		2	
4		7				9		8
	9		2	8	4		3	
	6			2			7	
7			9	3	8		1	5
5		1	4		7	3		2

86

5		8		9			2	7
	4		3	2	1			
1						9	4	
2		5			9	7	3	4
	1		7	8	2		9	
9	7	6	5			8		2
	9	4						5
			2	6	7		8	
8	2			5		3		1

87

3		5	1		8	7		6
	8	7	2		9	5	3	
6				5				9
2			8	3	4			5
	5	3				4	1	
8			7	1	5			2
1				8				7
	2	8	4		1	6	9	
9		6	5		3	1		4

88

9			5		2		6	1
			7	9	3		5	
3	5	2		1			9	
7			1		6	5		
4	8			3			2	6
		1	4		8			7
	9			6		8	7	3
	7		3	4	5			
2	1		8		9			5

89

1	8				9		7	6
9			7	2		4		
	3		6			2		1
			2	1		6	5	8
4				7				9
5	1	8		3	6			
2		9			3		1	
		3		8	7			5
8	5		4				6	7

90

		7	9		8	3	6	
6	5			2				4
		4	6		1		7	
8	6				7	5		9
		3		9		1		
5		9	4				2	3
	8		3		5	4		
7				1			3	8
	4	1	8		9	2		

91

1		2	6			9		3
8	3		9				2	
5			2	7		6	8	
3	1		4			8		
	9		3	1	6		5	
		7			5		1	4
	2	1		8	9			6
	8				4		7	5
6		4			2	1		8

92

7		8	2		3	9	4	
		4	5		1		2	
	5			9				7
5	8		4		6	3		
		9		3		5		
		1	9		7		6	2
4				8			1	
	7		6			9	4	
	6	5	3		2	7		9

93

4	1			6	8			7
	6		1			3	9	
	5	9	4		7			1
	7			2		4		3
		2	5	1	3	9		
1		8		9			5	
7			2		5	6	3	
	2	4			9		8	
5			3	8			4	2

94

7	8			1			3	5
9			7		4			8
	6	1		5		9	7	
	5	7	2		9	1	4	
2			3	8	1			7
	1	3	5		7	2	8	
	2	6		3		7	9	
1			4		2			6
3	4			7			2	1

95

3			9			8	7	2
9		2			8	5		
	5			4	3			1
		6		2			8	5
		3	4	8	1	7		
2	1			6		3		
7			5	1			6	
		4	6			9		8
6	3	5			2			7

96

2	3		1			8		
	9		7	3			6	5
		7			5	4		2
4	1	6	3	2				
5		8		7		3		9
				8	1	2	4	6
7		1	9			6		
6	5			4	7		8	
		2			8		5	3

97

2			8		4		9	7
8	4			5	1		2	
	5		3		2			1
		7		8	5	2		
5		8		3		6		9
		1	9	2		8		
3			6		9		4	
	6		2	7			5	8
9	7		5		8			3

98

	2		9		3			7
		1	4	7		5	6	
7		4		8		1		2
2	7	5			9			6
8				6				3
6			2			7	9	4
9		7		3		6		1
	3	8		2	6	9		
1			5		7		4	

9					3	7	8	6
	7		6	1		5		
4		2	7					9
	2	6		3				7
5			9	2	1			8
8				7		3	1	
6					2	4		3
		1		9	8		6	
2	5	3	4					1

3	9	6	5					8
	8			1	2	7		
7					3		5	9
2		1		4		8	9	
6			1	3	8			2
	7	3		9		6		4
5	3		4					1
		4	7	8			6	
1					9	2	4	7

101

				4	3		2	
			6				8	
4	9	6		5			3	
5		2	4		8	6		9
	7	9				1	4	
6		3	7		1	2		8
	6			8		3	9	7
	5				7			
	2		3	1				

102

	2	3		6	8			7
7		1			2	3		
					1		9	4
		9			4		3	1
	8		5		7		4	
5	3		1			6		
6	5		8					
		2	7			8		5
4			2	9		7	6	

103

	6	8	7		2	1	3	
		2	4		9	8		
5				1				2
4			1	9	7			3
	2	7				9	4	
3			5	2	4			1
6				4				8
		5	2		1	4		
	9	4	3		6	5	1	

104

7			6				5	4
	8		7	2		1		6
	1	5	4					
	5	9	3					1
		4	5		6	8		
2					8	9	3	
					3	2	8	
9		7		1	4		6	
3	6				7			9

105

9	5			2	4			
	4	8				7		2
	3	1		9				6
	6		8			4		
8		9	1		7	3		5
		3			9		2	
5				1		9	3	
7		2				6	5	
			4	7			1	8

106

	6	8	9				7	
			2	3		9	1	
	2		7		5	3		
1				7	8			2
4	8						3	1
7			3	1				6
		9	8		4		5	
	1	3		6	7			
	5				3	6	8	

107

	9		4	8	1			
	3		7		9			
	8			6		4	9	7
9			3		6	1		
	7	3				2	5	
		1	5		2			6
5	1	4		3			8	
			8		5		6	
			9	2	4		1	

108

			9	7		1		
8	3	4					7	
9			4			6		5
	6	8	1	4			9	
		3	8		5	7		
	4			2	6	5	1	
2		5			3			9
	7					3	2	1
		1		6	4			

109

6	5			7			9	2
		9			4			
2			6	5		1		3
3	9	5			8		1	
	7						4	
	1		9			8	6	5
7		4		9	1			8
			3			6		
5	8			4			2	1

110

7						2	4	
			1	9	6			
5	8			7		6		3
4	1	8	2				7	
		2	6			1	5	
	3				7	1	9	2
1		6		2			3	7
			5	6	8			
	2	4						5

111

1		6		2			9	
					1	3	4	2
5			7	3		8		6
			9	4			7	
	1	8				4	5	
	7			5	8			
9		4		8	3			1
7	2	3	6					
	8			9		2		5

112

6	7	9					8	
		5	6			4		1
			5	8				2
9	1		2	6			5	
7			9		4			8
	6			3	1		2	4
2				1	6			
4		3			7	5		
	8					2	3	7

113

		3		8		5		
8		7		6		3		9
	9		5		3		4	
3		2	1		8	4		6
	8		6		4		3	
4		5	3		7	1		8
	2		8		5		7	
7		8		1		9		4
		6		4		2		

114

			6	1				4
	6		7				9	8
7	2	5				1		
		7		3	8	4		9
5			2		9			1
2		8	4	7		6		
		1				3	4	5
9	3				5		6	
4				8	7			

★★

115

					6	8	7	4
8	9			3		5		
	2		4	5			3	1
		7		1	3			
1		9				2		5
			5	9		7		
5	6			4	7		9	
		3		8			2	6
4	8	1	2					

116

3					6	4	1	
6			4	9		2		5
	2				8	9		
7	9			8		6		
	5		6		4		8	
		3		5			2	4
		1	7				4	
2		7		1	9			3
	8	6	2					7

117

★★

	1				2	7		4
					4		6	
7		6	9	5		8		
8		4			6	9		1
	3			9			8	
2		9	7			4		5
		5		8	1	3		7
	7		5					
6		2	3				5	

118

9				6		5	3	
	6	8	4	9			1	
5	7	4			2			
				8	6			7
1		9				8		3
7			9	3				
			1			4	5	8
	3			4	7	9	2	
	1	2		5				6

119

	5	8			7			
4					1	5		7
		9		3	4		8	1
3			9			2	6	
	7		1		5		9	
	6	5			2			8
6	4		7	8		1		
2		1	4					6
			2			9	3	

120

4			2	8	6			1
		5	1				2	
1		8	7			9		3
	7				2	3		
5		2				1		8
		6	4				5	
6		4			1	7		9
	3				4	6		
9			6	5	3			2

121

	7			5	9	2	4	
		3	1					
5	9			8			7	3
3	4	5	6					2
8								1
2					3	6	5	9
6	5			1			2	7
					4	9		
	8	1	2	3			6	

122

	2	5			6	1	8	
7	1		2				4	5
	3			1			2	
6		2		3	9			
		7				4		
			7	5		8		2
	6			8			3	
3	8				1		5	9
	7	9	4			6	1	

★★

123

	2	9		4	1	5		
			8				3	
3		5		6		1		4
1	7	4			3			2
8								6
2			7			9	4	3
5		2		8		4		7
	1				9			
		7	2	3		6	8	

124

		1	7		6		9	
	4	6	5		2		1	
9				3		8		
	8		1			6		5
	7			2			4	
4		3			9		2	
		4		7				1
	3		2		5	9	7	
	9		8		4	5		

125

6			9				8	
3	7		2			9		
9		2		6	1	4		
	1	9		7				3
	5		3		8		7	
4				5		8	2	
		3	8	1		5		2
		4			3		6	8
	2				7			1

126

9			1	4			3	
		3	6			5		8
5	7	6			8			
		1		2			9	5
		7	9		4	1		
3	6			5		2		
			5			3	1	2
6		8			2	4		
	2			9	3			7

127

	1	6	7	9			2	
					5	8		
2	3			6			7	4
7					9	2	3	8
1								6
9	5	3	2					7
3	8			1			4	9
		9	6					
	4			3	8	7	5	

128

			5		4	7		
			3	9	6	2		
5	3	2		8		4		
6			7		8		2	
	8	1				5	9	
	2		9		5			7
		4		7		6	3	1
		6	2	4	3			
		8	6		1			

129

	3	6	7				4	
2						7	5	3
		5	8	9				
8			9	3		6		5
		7	6		1	2		
9		1		8	5			4
				2	4	5		
7	1	8						2
	4				8	9	6	

130

		4			3		5	
	8	6			7			3
7		3	1	4				2
3	1			8		6		
	9		5		6		8	
		2		9			7	5
6				1	5	7		9
2			6			5	4	
	7		8			1		

131

	2				3	7		8
3		4	9	6				2
					2		4	
1		2			4	8		5
	6			5			3	
5		9	7			6		1
	7		1					
6				2	5	4		7
4		1	8				9	

132

	2				5		4	9
9				7	1	5	2	
6		8			4			
	7		4			2		3
		6	3		9	1		
4		2			6		8	
			1			3		7
	9	7	5	8				6
3	1		9				5	

133

		1	3		2	8		
	5	8	9		1	7	6	
4				7				1
6			4	1	3			7
	1	9				2	3	
3			7	2	9			6
5				3				8
	2	3	6		5	4	7	
		4	1		7	3		

134

			1	7	6		2	
			2		5		3	
5	2	6		4			7	
4			9		8	1		
	8	9				3	5	
		1	4		3			2
	7			3		6	1	8
	4		8		7			
	1		6	9	2			

★★

135

		1	6	7				5
	2		5			8	4	
3	6	5			9			
	5			9		6		8
	3		2		7		1	
7		9		5			3	
			4			9	8	1
	9	4			8		6	
6				2	3	7		

136

1		2			4	5		
	8	4		3	5			6
					2		1	8
		8			9		7	1
	6		4		1		2	
9	7		6			3		
6	3		9					
4			2	8		7	5	
		7	5			9		4

137

	1		8		2		3	
9		4		7		1		2
3				4				5
7		2	1		6	4		8
	6		4		5		2	
4		5	2		7	6		3
8				2				6
6		9		5		2		1
	4		6		8		9	

138

		3	6			2		5
6		9	7	4				
4			3		8	7		
	2		4	9			3	
	9	4				5	1	
	7			3	5		9	
		8	5		1			6
				2	3	9		4
2		5			4	8		

139

					1	7	9	
4	7			5	6	3		
1		9			4			6
7					8	9	2	
	3		4		9		1	
	2	8	3					5
2			6			4		8
		4	1	7			6	2
	5	3	8					

140

			3	8		1		5
	6	8					7	3
		9		1			2	4
8			1				4	
	4	5	6		2	7	1	
	3				7			9
4	1			2		5		
5	9					6	8	
2		7		6	3			

141

4			9		5			8
	3			1			4	
	5	8		2		1	7	
	4	6	5		2	3	1	
5			1		3			6
	9	1	8		6	5	2	
	8	5		3		7	6	
	6			5			9	
7			6		9			1

142

6		8		2		9		3
	3		5					
		9		6	8	4	7	
3	6	4	1					7
2								5
7					3	6	1	8
	5	2	7	3		1		
					4		8	
1		6		5		7		9

143

			9			5	4	2
	2			6	5			8
1		3			2	7		
		4		2			6	9
		8	6		7	4		
5	1			9		2		
		5	1			9		3
6			4	7			5	
9	8	1			3			

144

	1			3		2		
6			8		7		9	3
9			5		1		7	
	6	1			9			8
3				8				1
5			2			7	4	
	2		3		4			9
1	4		7		8			2
		9		6			5	

145

5	8				6		2	
				4	3		9	6
	3		1		2			4
		2		9	4	8		
	5	7				9	4	
		9	5	2		3		
6			7		5		1	
4	9		2	8				
	1		4				5	8

146

		9		8		7		
1		6			4	5		9
	7	8	5			3	1	
2	9		1	7				
6								4
				3	6		2	8
	6	5			2	4	3	
3		2	9			8		5
		7		5		2		

★★

147

1		4			8	3		9
	9	7	3			1	5	
		3		1		6		
				6	2		8	3
7								5
4	3		5	9				
		6		4		8		
	2	9			1	4	6	
8		1	7			5		2

148

4				9		5		
		2	7		5		6	
	9	6	1		2		3	
	1				6	3		5
	5			1			9	
2		8	4				7	
	4		2		1	8	5	
	6		9		8	4		
		7		3				6

149

		5	6		1	8		
		1	2	5			3	4
	9	2					7	
				3	6		5	1
8			1		7			6
9	1		4	2				
	3					4	9	
4	6			8	3	5		
		8	9			4	7	

150

	1		4			9	6	
2				5	9	1		
3		8			2		7	
			8	7		5	1	6
		4				3		
5	7	1		2	6			
	2		6			7		8
		3	9	8				4
	5	7			3		9	

151

8				7		3	5	
				9	4		7	2
9		1				6	8	
	6				2	4		
2		3	9		7	5		8
		5	3				1	
	4	2				9		1
3	8		4	1				
	5	7		3				6

152

					2	3	5	8
1			5	7			6	9
4	3			9		7		
		8		6	9			
	6	4				1	7	
			7	4		8		
		9		3			2	1
2	7			5	8			4
3	5	6	1					

153

		3		8		5		
8		7			4	3		2
	2	9	3			8	6	
				5	1		4	3
9								6
7	3		6	2				
	1	2			8	7	5	
4		8	9			6		1
		5		7		4		

154

9			7		6			4
2	3						8	
6			2	9		1	5	
				5	7	6	9	
		4	6		8	7		
	6	3	1	2				
	7	1		4	5			9
	5						3	1
4			3		1			8

155

	4	9		8		6		3
		8					5	7
			3	2	1			
4	1	5			7		8	
7			1		3			9
	6		8			7	2	1
			4	3	9			
5	7					9		
3		1		7		8	6	

156

1			2					
		5		3	7	1	8	
	2	8	4					6
	6	7	1			2	5	
5				7				9
	3	2			8	7	4	
3					9	4	1	
	8	9	6	5		3		
					3			8

157

			7	3	8			
	5	4						9
6	8			9		1		2
5	7	3			9	6		
	2		8		7		5	
		9	5			7	1	4
9		6		5			8	7
2						5	4	
			2	8	1			

158

		2	3			9	4	
			2	1			5	
7	3	8						1
3				6	4		9	5
	7		8		9		1	
4	8		5	3				2
1						5	7	6
	5			4	3			
	9	6			7	2		

★★

159

			4	5	6			
	8	3						6
7		5		8			9	1
	9		1			7	2	8
		8	7		5	6		
3	7	4			8		1	
6	4			1		5		9
1						8	3	
			5	2	7			

160

3			5			1		4
		6	3		8			9
7		5	9	6				
	9			3	1		7	
6	7						2	1
	4		6	7			3	
				4	3	6		7
8			1		2	5		
1		4			6			8

161

6		8		1	5	2		
5	3	4	7					
	1			8		9		3
	4			9	1			
1	2						9	6
			8	6			4	
7		2		3			8	
					2	3	6	5
		9	4	5		7		1

162

		6	3	7	4			
		8	1		9			
		1		2		6	4	9
8			9		7		6	
	7	9				5	2	
	6		2		8			3
5	4	3		8		1		
			5		3	2		
			4	1	6	3		

163

	1	6			7	2	9	
9		8	2			1		3
		2		1		4		
2	6		3	9				
	8						3	
				4	5		2	7
		4		6		7		
5		9			1	6		4
	7	1	8			3	5	

164

		3	2	9	6	7		
1		6	7		3	8		4
	6	1	3		8	9	7	
	9						8	
	3	4	9		5	1	2	
3		9	5		7	2		8
		8	6	2	9	3		

165

	9			4	1	6		3
	4		9		8		5	
2	1							7
			8	3		9		4
		5	7		9	8		
9		2		1	6			
3							6	2
	5		6		2		7	
8		6	3	5			4	

166

	4			5	3		7	
		9			1	5		
1	5	2				6	3	9
		6			4		1	
2			7		9			6
	8		5			3		
9	6	7				8	2	3
		4	3			7		
	1		2	8			6	

167

9				7	3			1	6
2	6				8			4		
				2				5	7	8
		3		1	9					
	1	2						9	5	
				5	4			3		
3	7	8				6				
		1			4				8	9
4	5			7	1					2

168

		4		7		2				
		2			8			5	3	7
		5		3	9	6				
	5			4		8				6
	9	7						1	8	
4				9		7			5	
				5	2	3		6		
1	3	6			4			2		
				6		1		8		

169

		6		5	3		8	2
	7	3					9	
		5	6		1	4		
			1	8			5	6
4			9		6			1
7	6			3	2			
		4	2		7	9		
	8					2	7	
2	1		8	4		5		

170

	5				4	2		
6		7			8	9		4
4			1	9	5			3
	2				3	1		
9		4				5		2
		6	5				8	
5			6	2	1			7
7		8	4			3		1
		1	3				6	

171

	8			3	1			2
		1	2			5		4
4	3				9	7		
			9	7		4	5	6
2								8
5	9	6			4	3		
		4	7				2	3
1		9			8	6		
6			1	5			7	

172

7						6	9	
			4	8	7			
1	5			9		8		3
	1				9	4	3	6
		7	3		8	9		
9	2	3	1				5	
5		8		1			4	7
			8	2	3			
	6	9						1

173

	6						7	
		2	4		9	5		
5			3		1			6
2	8		5		7		1	9
3	1		9		8		5	2
7			8		2			4
		1	6		4	3		
	4						8	

174

	6			1			9	
9			7		4			5
5		3	9		8	2		1
	2		4	9	6		1	
8		9				4		7
	4		8	7	1		2	
4		7	3		2	1		6
6			1		9			4
	3			4			5	

175

7	2				8			
		1			3	8		6
6				5	4	1	3	
8	1				7	2		
	7		9		6		4	
		5	8				1	9
	5	6	3	2				7
9		4	6			3		
			4				9	5

176

2		3	1			9		
		4			8		6	5
9				7	2		8	
7	3	9	5	4				
6								1
				8	3	4	7	9
	1		2	5				6
4	5		3			8		
		2			6	7		4

177

		7				9	8	4
	4		5	1				
9	6		8					2
		5	1	9		4	6	
	8		6		3		7	
	3	1		5	4	2		
2					5		1	6
				7	2		4	
3	5	8				7		

178

5		3				2		
6			4		1			7
1			5	6		8	9	
				8	4	6	1	
	7		1		2		4	
	3	1	9	5				
	9	4		7	8			6
7			3		9			2
		8				3		9

★★

179

6		4	2	3		7		
3					6		5	
9	1				4	6		
7				8		5	4	
	8		5		9		1	
	2	6		1				9
		7	9				3	5
	4		1					2
		9		2	5	8		4

180

8	7	2		6				4
			4		7			3
			9	5	2			8
	9		6		3	8		
1		6				5		7
		8	7		5		3	
9			2	4	8			
6			1		9			
4				3		2	1	9

181

5			4				7	3
			9	6			1	
1	4	3				2		
		5		9	1	6	8	
	2		7		8		4	
	7	1	6	3		9		
		2				4	9	8
	1			2	5			
7	6				9			5

182

		5			1	7		
7	3	2				6	5	1
	9			5	3		8	
	1				8	2		
2			9		7			6
		3	5				4	
	2		6	4			1	
3	6	4				9	2	7
		9	3			8		

★★

183

		3	9	6		7		4
8					5			
	2	9		4		1	3	
3	8	1			6		9	
	4						7	
	9		3			5	6	1
	6	2		7		8	1	
			4					6
9		5		1	8	2		

184

4	1	7		5			2	
			1		7		6	
			3	2	4		1	
		5	9		8			3
9	8						7	6
3			5		6	1		
	3		4	9	1			
	5		8		2			
	2			6		8	3	4

6	4		7	2				1
		2		6			3	8
9	7	3			5			
				4	6	9		
	2	1				8	4	
		9	2	8				
			1			4	7	3
1	5			3		6		
8				7	9		2	5

		2	9			8		3
	4			6	2			9
3	6				5	7		
			5	7		3	8	1
9								4
8	5	1		3	6			
		3	7				9	6
1			2	8			7	
2		5			4	1		

★ ★

187

2					8			7
5	8	7				4	2	9
		1		7	4	3		
		6	7					4
	5		3		2		9	
9					1	8		
		8	5	6		9		
3	2	9				5	4	6
1			4					3

188

		4		2	3			6
			1			9	3	4
5	7				4		8	
	9			4		2		1
	6		2		8		9	
3		5		1			4	
	3		5				1	7
1	5	6			7			
2			9	8		3		

189

4		1	9		2	3		8
	2			1			6	
		3	5		7	2		
	1		6	2	5		4	
5		7				9		2
	4		1	7	9		5	
		5	2		1	6		
	3			5			8	
1		6	4		8	5		7

190

9		4				2	7	
5	8			7	6			
3		1		5			9	
		6			8			4
	9	3	7		5	1	8	
2			1			3		
	4			1		5		3
			6	2			1	9
	2	7				8		6

★ ★

191

	3		5			7		9
2		5		6	4	3		
			3				2	
3		1	2			8		7
	6			8			5	
4		8			9	1		6
	9				1			
		6	8	3		9		2
1		2			7		4	

192

4	9		5				3	2
8		3			6	7		5
7				4				9
			2	8	4	1		
		8				6		
	7	1	3	9				
9				5				1
1		2	7			5		4
5	8				1		2	6

102

193

1		2					3	5
				2	3	4	8	
		7		4			6	9
	2				4			6
6		8	9		1	5		4
3			5				7	
4	6			9		8		
	9	5	3	1				
7	8					1		2

194

9			5	3	8			
6			4		2			
4				1		8	2	9
		9	1		6		5	
2		3				1		7
	6		2			3	9	
5	7	8		6				4
			7		5			1
			8	4	9			5

195

8						1	5	
4	7			8		6		9
			2	3	6			
5	2	7	1				8	
		1	6		2	4		
	9				8	2	3	1
			4	6	7			
2		6		1			9	8
	1	5						4

196

	9	6	2					7
5					3	6		8
	1		5	9		3		
4	2	8	9	6				
		3				1		
				7	2	4	8	6
		4		8	5		7	
2		5	1					4
6					7	9	3	

197

	7		9					
1		2		5		8		4
		4		3	2	6	5	
2					4	9	8	3
5								6
7	4	8	3					2
	2	9	7	8		1		
3		1		6		7		8
					5		3	

198

	4				1	2		
1	5				6		8	3
7			9	5	2			1
	9				7	4		
4	2						1	5
		6	2				3	
8			3	4	9			2
9	7		1				6	8
		3	7				9	

★★

199

	4	3		5		9	6	
			1					3
8	2			9	6		4	
7	9	6			3	8		
		1				5		
		8	7			3	2	9
	7		8	3			5	1
6					2			
	8	4		1		7	9	

200

	5		2		3	6		
	2	1	8		9	5		
6				7			4	
1	7		6			8		
		3		8		1		
		4			5		2	9
	1			3				5
		7	9		8	3	6	
		6	1		4		9	

201

		8		2		6		
	4		1		7		8	
2		9		3		7		4
7		3	4		5	1		2
	5		2		6		7	
6		2	7		3	8		5
9		5		6		4		7
	2		5		1		9	
		1		7		5		

202

		2	8			1		9
8		4	3	5				
5			2		7	3		
	1		5	4			2	
	4	5				9	6	
	3			2	9		4	
		7	9		6			8
				1	2	4		5
1		9			5	7		

203

				9	8	4		5
1		9			4			6
6			1		7	2		
	9		4	5			8	
4	5						7	1
	3			8	1		5	
		4	8		6			3
8			2			1		9
5		2	3	4				

204

		4	3		1	2		
3				7				1
1	2			9			7	6
8	7		1		6		4	3
		1	9		4	7		
4	9		8		7		1	5
2	4			8			6	7
5				4				9
		6	7			3	5	

205

	1	2			8	3	4	
		4			3			6
	7		4	5	6		1	
5			3			4		
	9	8				7	5	
		6			7			2
	8		7	9	4		3	
7			8			5		
	6	1	2			9	8	

206

	3		6	1				9
		9	7			5	2	
4	5	7			2			
7	9			5		8		
		4	3		1	6		
		6		8			5	3
			5			9	8	6
	7	2			8	1		
8				3	9		4	

109

207

	3	5	4	9				
		8	3			1	2	
	9		8		6	4		
1			9	5				8
5		9				2		7
4				8	2			5
		6	2		7		3	
	1	2			9	6		
				1	8	5	9	

208

	6				7	3		
8	5				4		7	6
1			6	2	3			8
		2	7			6		
9	4						1	2
	3				1	5		
4			1	9	6			7
3	8		5				9	4
		1	4				2	

209

	5	9		3	2			
1		6		5			4	
7		2					3	8
		4	7					2
5	7		1		8		9	6
6					5	3		
3	8					9		4
	9			1		6		5
			2	8		1	7	

210

3	4				6			
		9			8	6	2	
	2			5	1	9		8
9	6				4	3		
4			7		2			1
		5	6				7	9
5		2	8	3			4	
	7	1	2			8		
			1				5	7

211

3	4				9		5	1
9				1				6
8		1	2			4		9
			7	6		9	2	
		3				5		
	9	8		4	5			
1		2			3	7		5
6				8				2
4	7		1				6	8

212

		9			7			1
	4		9	6	1		5	
	5	8			3	7	9	
		1			4			8
	2	3				4	6	
6			7			9		
	1	5	8			2	3	
	3		4	2	9		7	
4			3			6		

213

2				9				6
		1	7		4	2		
5	9			8			1	7
8	7		3		1		9	4
		3	6		9	7		
9	6		8		7		3	2
3	5			6			7	1
		9	4			3	5	
4				7				3

214

3					1	2	4	
	9			2	5	6		
8	4		9					5
4	7	8	1	3				
	6						9	
				4	2	1	8	7
7					6		5	1
		3	5	8			7	
	2	9	3					4

215

	1		9	8			7	
		8	3			5		
5	9	2				4	8	3
	3		7			2		
2			5		1			4
		9			8		6	
9	4	6				1	2	5
		1			9	7		
	2			6	4		3	

216

7	5							1
	4		6		2		8	
	6			4	5	3		9
6		7		5	3			
		8	1		6	2		
			2	9		6		4
2		3	9	8			4	
	8		3		7		1	
9							3	7

217

1	6	7	4					
5				6		2	4	
	2	3		7	9		8	
9				1	5			
8		1				3		4
			3	8				9
	4		7	3		1	5	
	8	6		5				3
					2	7	9	6

218

5					6			
	9	4		1		8	7	
		7	4	2		3		1
	4		7			6	2	8
	1						3	
7	5	8			2		4	
4		6		8	5	9		
	2	9		3		5	8	
			1					2

★★

219

9		8	3			5		7
		5		9		1		
	7	2			5	9	4	
8	5			7	4			
2								4
			6	1			3	5
	6	7	9			8	1	
		1		8		3		
3		9			2	4		6

220

					9	2	3	4
6		5	4			7		
	4		2	1				8
		3		4			1	9
		8	7		1	3		
2	6			9		4		
1				7	3		2	
		2			6	9		5
9	8	6	5					

221

			4			7	3	
4	7		6					8
6		3	8	9			1	
	2	5			1			9
		1	7		6	4		
3			2			5	7	
	6			3	4	8		5
5					8		6	2
	1	9			2			

222

2			1		6			8
		8		3		5		
	3	7		9		6	2	
	6	9	2		4	1	3	
4			3		5			6
	5	3	6		9	8	4	
	7	4		5		2	6	
		1		6		4		
3			4		1			7

223

9	8			5		3		
3	4					6	1	
5		7	2	6				
	2		7					4
	9	3	5		6	7	8	
1					8		9	
				1	2	8		3
	6	1					7	2
		4		8			5	9

224

	3	1		4	9			
		5			3	7	4	
	8		7		6	5		
9			3	1				4
6		7				3		1
1				9	7			2
		2	9		5		3	
	7	4	8			9		
			2	3		1	8	

225

5			3					9
	8						7	2
	6	4		9	2			3
				2	4	7	3	
		1	8		3	5		
	9	3	1	6				
9			6	5		4	1	
4	7						6	
8			4		7			5

226

	8			3			6	
		3	9		1	7		
9		7	6		4	3		2
	4		5	2	9		3	
3		2				5		1
	9		3	1	7		4	
4		9	1		5	8		6
		8	2		3	1		
	1			9			7	

227

		9	3	2	8	6		
5		3			7	9		4
	8				5			3
	4				6			8
6		2				1		7
3			5				2	
2			7				6	
1		7	4			8		9
		5	6	1	3	7		

228

3			6	8	2			9
		2			3		7	
4	5				1		8	3
	4		2			1		
8	3						2	7
		7			9		6	
5	1		3				9	6
	6		9			4		
2			4	7	6			5

229

	7					3	5	4
2			1	7				
8		6	4			1		
6	2			9	8		4	
7			3		6			5
	1		2	4			8	3
		1			5	9		6
				8	4			2
5	9	2					7	

230

3			4					6
	7		5	3			2	
1	5	6				4	3	8
	4		2					1
		1	6		7	8		
5					3		9	
9	8	5				6	1	7
	1			9	8		4	
7					5			2

★★

231

			8			7	6	3
		4		2	6	9	1	
	3	5		9				2
7			9	1				
5	1						2	4
				5	2			7
9				3		4	8	
	2	8	7	6		5		
1	6	3			4			

232

		6	3	1	2			
		1		9		6	3	4
		8	4		6			
	2		5		7			9
	8	4				5	7	
6			8		9		2	
			1		5	9		
5	3	2		8		1		
			6	7	3	2		

233

				7	3		4	
3					8		1	2
6	8	5				7		
		8	1	9		4	2	
	5		2		6		7	
	6	1		8	4	3		
		7				9	5	4
9	2		5					3
	4		8	1				

234

5		7			2	3		9
	9	8	3			5	6	
		3		5		4		
				4	1		2	3
8								6
7	3		6	9				
		4		7		2		
	1	9			5	7	4	
2		5	8			6		1

235

		1	4		2	7		
	6			7			3	
8		7	6		5	1		4
	7		9	8	4		5	
2		9				8		7
	5		7	2	1		4	
6		3	2		9	4		5
	1			4			2	
		2	8		7	3		

236

7	6		1				8	
		8	3	9				5
					7	2	1	6
6		5		4			3	
	3		5		9		2	
	4			6		1		8
4	8	3	6					
2				5	8	4		
	9				4		7	1

237

	6	4	3			1	5	
1	7				6		8	2
	2			8			4	
				2	1	9		4
		3				5		
9		8	5	7				
	9			6			2	
7	3		9				6	5
	8	6			4	7	9	

238

	9		8	7		3		
6	1				9			8
5			4			7	1	
			7	1		4	6	2
	3						9	
1	2	6		5	4			
	7	9			5			1
2			3				8	4
		5		6	8		2	

239

6	5	2			8			
1			5	9		6		
	4		6				7	3
	6			8		3		5
	2		4		9		1	
8		9		6			2	
7	8				3		5	
		5		4	2			9
			7			1	3	8

240

			9			6		
				8	3	2		
3	9	1		5		7		
7	1		5		4		6	2
8		4				9		1
2	5		8		9		7	3
		3		6		1	4	7
		2	3	4				
		5			7			

★★

241

	4	7			2	1	8	
		8		6		9		
9		6	1			5		4
				5	7		6	3
	7						2	
8	3		4	9				
7		1			3	2		5
		9		1		3		
	5	3	8			6	1	

242

	3	8	9	1				4
1			3		5			6
		9				5		3
			8	9		4	7	
	1		6		7		8	
	5	7		2	3			
2		5				6		
4			7		8			1
7				4	2	9	3	

243

		7	2	6	5			
		8	9		3			
		3		4		7	9	2
7			8		4		5	
6		9				1		4
	8		6		9			7
2	1	5		8		3		
			5		1	4		
			7	3	2	5		

244

	9	4	6				7	
			9			3		4
3	6		7	5		2		
	3		8			4		1
2			4		6			9
1		8			2		5	
		6		3	9		1	7
5		2			8			
	1				7	6	8	

★★

245

	1	5			6	3	8	
	3				8			9
		4	3	7	9	5		
	9				4			1
	6	2				7	4	
7			8				3	
		6	4	2	3	8		
4			6				7	
	5	9	1			6	2	

246

	3		1				5	7
7		8			9		4	
		6		8	3			1
			9	4		5	7	2
1								6
5	2	9		7	8			
2			3	5		4		
	7		4			1		8
3	9				6		2	

129

247

		1			3			
		5		2		8	3	7
		9	7	4				
7	5		3		4		2	9
8		3				6		4
9	1		6		2		8	5
				6	7	9		
5	6	8		1		7		
			5			2		

248

	2		5	3				4
		1	4			7	6	
8	4	5			9			
		4		9			5	6
		8	1		3	2		
3	9			4		8		
			7			6	9	2
	7	9			6	5		
5				1	8		3	

249

		4	6	2		1		7
					9	5	8	6
8		3		1			2	
			2	3			5	
7	3						4	2
	5			7	1			
	1			8		4		9
6	7	8	4					
2		9		6	5	3		

250

	3	8		1				5
	2	9					4	7
1		6	9	7				
	8		1			7		
2	1		4		3		8	6
		5			2		9	
				4	9	3		2
4	7					6	5	
6				3		8	1	

131

251

	3	5	2					
1			7			9		2
		9	4	6			7	1
6					2	8	1	
	5		9		8		4	
	1	2	5					3
9	6			3	7	5		
4		8			9			7
					4	6	8	

252

	1	7					4	3
		3		8			6	5
			7	9	2			8
	5		6					1
	6	2	7		8	3	5	
4					2		9	
3		6	9	1				
5	8			6		4		
9	2					1	7	

253

		1	6	3				
2						8	1	9
	9	4	8				5	
6			3	9		4		1
		8	4		7	2		
3		7		6	1			5
	5				6	3	4	
8	7	6						2
			2	5		1		

254

	8	7			6	9		
4						3	6	7
	3			1	5			
1	2		3	5				9
	6		2		8		4	
5				7	1		8	3
			9	4			3	
6	5	2						4
		9	5			8	1	

255

					8		4	
			5	9			7	
9	6	8		2			5	
8		5	3		1	7		4
	1	6				3	9	
2		7	4		9	8		6
	8			4		5	6	1
	7			3	5			
	2		1					

256

2	7	8		4				3
			7	1	9			2
			8		3			6
	2		1		8	6		
5	4						1	8
		9	6		4		2	
4			9		5			
9			2	3	7			
3				6		5	7	9

257

<table>
<tr><td>1</td><td></td><td></td><td></td><td>9</td><td>3</td><td></td><td>2</td><td>4</td></tr>
<tr><td>8</td><td>4</td><td></td><td></td><td>7</td><td></td><td>6</td><td></td><td></td></tr>
<tr><td></td><td></td><td></td><td>8</td><td></td><td></td><td>5</td><td>9</td><td>7</td></tr>
<tr><td></td><td></td><td></td><td></td><td>5</td><td>6</td><td>3</td><td></td><td></td></tr>
<tr><td></td><td>2</td><td>8</td><td></td><td></td><td></td><td>1</td><td>5</td><td></td></tr>
<tr><td></td><td></td><td>3</td><td>2</td><td>1</td><td></td><td></td><td></td><td></td></tr>
<tr><td>3</td><td>9</td><td>7</td><td></td><td></td><td>4</td><td></td><td></td><td></td></tr>
<tr><td></td><td></td><td>2</td><td></td><td>6</td><td></td><td></td><td>7</td><td>1</td></tr>
<tr><td>6</td><td>5</td><td></td><td>9</td><td>2</td><td></td><td></td><td></td><td>8</td></tr>
</table>

258

<table>
<tr><td></td><td></td><td>6</td><td></td><td>3</td><td></td><td>1</td><td></td><td></td></tr>
<tr><td>5</td><td></td><td></td><td>2</td><td></td><td>8</td><td></td><td></td><td>6</td></tr>
<tr><td>3</td><td>9</td><td></td><td>7</td><td></td><td>6</td><td></td><td>4</td><td>5</td></tr>
<tr><td></td><td></td><td>3</td><td>1</td><td>6</td><td>2</td><td>9</td><td></td><td></td></tr>
<tr><td>8</td><td>2</td><td></td><td></td><td></td><td></td><td></td><td>6</td><td>7</td></tr>
<tr><td></td><td></td><td>9</td><td>3</td><td>8</td><td>7</td><td>2</td><td></td><td></td></tr>
<tr><td>1</td><td>3</td><td></td><td>9</td><td></td><td>4</td><td></td><td>8</td><td>2</td></tr>
<tr><td>2</td><td></td><td></td><td>6</td><td></td><td>3</td><td></td><td></td><td>1</td></tr>
<tr><td></td><td></td><td>5</td><td></td><td>2</td><td></td><td>4</td><td></td><td></td></tr>
</table>

259

8				9	6			2
2	7	5				3	9	6
	1				3		7	
9					4		3	
		6	5		7	2		
	2		1					8
	5		8				4	
4	6	8				5	2	3
1			3	4				7

260

		6			3	4		9
3		7		1	2			
1			5		6	2		
	4			7	1		6	
	7	1				9	8	
	2		9	6			7	
		5	8		9			3
			6	4		7		1
4		9	1			5		

261

1	3		9	2				7
		2		1			6	5
4	9	6			8			
		4	2	5				
	2	7				5	3	
				3	1	4		
			7			3	9	6
7	8			6		1		
5				9	4		2	8

262

2	4		5	7				
	9		1		3			6
6			4				7	3
		5		2	4	7		
3		1				2		4
		2	3	5		8		
7	3				9			5
8			6		5		4	
				4	8		9	2

★★

263

	5		6		3			
	9		8	7	4			
	6			1		4	9	3
5			3		7	9		
	3	7				1	2	
		9	1		5			8
2	8	4		5			6	
			4	6	9		8	
			2		8		1	

264

7		2			5	9		6
		4	9	8	1	2		
9					6		1	
1					4		7	
5		3				8		4
	8		6					9
	4		5					8
		5	4	3	9	6		
2		1	7			5		3

265

	4				3		6	
5	7	6				3	1	4
9				4	5			8
	5		4					2
		7	9		6	1		
3					8		7	
7			1	2				3
1	2	5				6	9	7
	9		5				8	

266

	3		4		7			5
		2		8			7	
8	5		9		3			1
9					5	7	1	
7				9				8
	6	3	2					4
2			3		9		6	7
	4			1		5		
5			8		6		2	

267

9							5	6
2		5	9	8			4	
	8		5		6		7	
3		6		1	5			
		8	7		3	2		
			2	9		3		4
	4		3		2		8	
	3			4	1	5		9
6	1							7

268

9	3			6			7	8
		8	4					
	7			9	3	5	1	
5					8	2	9	3
6								4
8	1	9	2					5
	6	4	5	8			2	
					1	3		
2	9			4			5	7

269

		7	2		3			
		6		8		2	4	3
		2	9	6	4			
2			8		7		9	
	7	3				5	1	
	9		1		5			8
			4	1	2	9		
5	4	9		7		6		
			5		6	8		

270

		1	2				9	7
	3		8	6				2
	8	5			4	3		
			5	2		1	3	6
	7						4	
5	6	3		1	9			
		8	7			6	1	
4				9	8		7	
9	1				5	2		

★★

271

		8		9	4		2	
	7	9			6			1
4			2				7	3
			6	1		3	5	7
	2						8	
5	3	6		7	9			
6	4				8			5
7			1			2	9	
	5		4	3		1		

272

2	3	8				9	7	1
		4			7	8		
5				9	1			2
		2	4					5
	1		3		8		2	
9					6	7		
4			7	6				8
		3	5			6		
6	5	1				2	3	7

	9		2		8	1		
1				7			3	
	2	4	5		6	9		
4	7		1			5		
		8		5		4		
		3			9		2	6
		7	6		5	8	1	
	4			8				9
		1	4		3		6	

		7	6	3	4			
		9	5		8			
		5		1		7	4	8
9			8		3		7	
	3	8				2	1	
	7		1		9			6
2	4	6		9		5		
			2		6	1		
			4	5	7	6		

275

	2				8	3		1
6		1	9	4				7
					3		6	
9		8	1			4		3
	5			9			7	
3		7			6	2		9
	1		4					
4				7	2	1		5
8		6	5				4	

276

		4	9					
1	3			6			8	5
8				7	1	6		2
5	4	8	7				1	
	6						2	
	1				8	5	7	9
9		1	4	5				3
3	7			2			5	4
					6	7		

277

				1	8	2		4
		8	7		9			1
6		5			4	9		
	2		6	9			8	
	3	6				1	2	
	9			2	1		5	
		7	1			6		5
4			3		6	7		
1		2	9	5				

278

		3					1	6
	2	5		1		8		9
			7	9	3			
8	4	1	5				2	
3			8		9			1
	5				1	6	8	7
			9	4	8			
9		2		5		3	7	
1	6					5		

279

	6	9	3		1	7	5	
1				9				4
		7	8		5	9		
9			5	6	2			3
	8	2				6	9	
3			7	8	9			5
		8	9		6	4		
7				5				8
	1	4	2		8	5	3	

280

	3				2			
4		8			6		2	
2			5	7		3		6
1		7	8			5		9
	6			9			7	
9		4			3	2		1
8		3		2	9			7
	5		4			1		3
			1				8	

281

7		2	8	9		3		
	9			2		5		4
8	4	1			6			
	1		9	5				
9	3						5	7
				7	2		1	
			3			4	7	8
6		3		4			2	
		5		8	1	6		9

282

					7	2	5	
7	9				4			8
8		4		3	1		9	
	6	8	7					3
		1	6		9	5		
2					5	8	7	
	5		4	2		3		9
4			9				6	1
	3	6	1					

★★

283

1		4			8		5	
	2				5			
5			9	7		2		8
3		1			2	5		6
	8			3			7	
6		7	4			9		3
4		2		5	3			7
			6				4	
	9		1			6		2

284

5		1	8			9		2
	4		1			5		
2			4	7	5			6
		5			1		7	
7		6				8		3
	9		6			4		
1			5	3	6			8
		7			8		6	
8		3			9	2		4

285

	7			4			2	
	2	1	9			4	6	
3	4				2		8	1
				1	3	6		2
		3				8		
9		2	5	7				
7	6		4				1	5
	3	5			8	9	4	
	9			6			7	

286

1				9				4
8	3		1				6	9
2		9			7	3		1
			4	5		1	7	
		8				6		
	1	2	6	3				
9		7	8			5		6
3	5				9		4	2
4				2				7

★ ★

287

1					4			
6				3		2	4	8
9			6	2				
	9	1	7		5	4	6	
2	7						8	5
	4	8	1		2	3	9	
				7	6			9
8	6	5		1				4
			5					3

288

1		4	8	5				
9	3			4		7		
8	2					5	6	
	9		4					5
	4	2	6		3	1	9	
7					2		8	
	5	6					7	1
		1		3			4	9
				6	8	2		3

289

			3	9	6			
5		6		4			1	2
	7	8						4
	4		8			1	3	7
		2	6		3	8		
8	9	3			4		5	
2						7	8	
4	5			8		6		3
			2	6	1			

290

5	4	6						7
	2		6			9	3	
			2	7		8		
9		4	8	6				2
		5	4		3	7		
6				1	9	3		8
		8		9	6			
	1	3			5		2	
7						5	8	1

291

	4		6			2		5
			2				3	
3		5		8	9			7
2		7	3			4		9
	1			9			7	
9		6			5	8		2
8			4	7		5		1
	5				8			
6		3			1		8	

292

	9	3		8				5
		7	1	5		8	2	
					4	6	1	9
6				2	8			
3	2						5	7
			5	3				6
2	1	9	7					
	5	4		1	6	3		
8				9		7	4	

293

		7		5		9		
9			3		4			1
1	2		6		9		8	5
		8	7	9	3	5		
6	9						3	4
		3	5	4	6	8		
3	4		8		2		5	7
7			9		5			3
		2		3		1		

294

8	7				4		6	
5				1	3			
		2				7	5	4
9		1	5	3		6		
4			9		8			2
		3		7	1	5		8
3	9	4				2		
			6	2				5
	6		3				8	1

295

		3		9				6
	8		4		5	2	1	
	6		7		2	8		
	5				6	9		1
	1			5			7	
4		2	8				3	
		4	3		1		6	
	7	6	5		4		9	
8				7		1		

296

	4	2	5		7	9	6	
1				6				7
	7		8		3		4	
9			1	7	8			6
	5	7				8	3	
8			6	3	5			9
	1		7		6		8	
2				8				4
	8	3	9		2	6	1	

297

		9			7	5		2
8	3				5			
2				4	6	9	7	
5	9				8	3		
	8		1		2		6	
		4	5				9	1
	4	2	7	3				8
			6				1	4
1		6	2			7		

298

	2	7	3	6				
5		3					6	1
8		9		2			4	
		4			5			3
2	5		1		8		7	9
9			2			6		
	7			8		9		2
6	1					7		4
				1	3	8	5	

299

1		6			4	5		9
		5	6	2	3	8		
	3				1			6
	9				8			3
8		2				7		4
6			1				2	
2			4				8	
		1	8	7	6	4		
7		4	9			3		5

300

	1		6		4		3	
		6		8		4		
3		4		9		5		8
9		1	2		8	7		4
	4		9		1		8	
8		2	4		5	6		1
1		3		2		8		5
		7		1		9		
	5	-	8		6		7	

301

8			1	5				2
1	4	6				9	7	5
	5		9				6	
	1				5			3
		4	6		8	7		
9			2				4	
	8				1		2	
7	3	1				6	8	4
4				3	7			9

302

	4			1	3	6		9
3					9		8	5
	6	8			5			
1			4			2	7	
		5	9		8	4		
	8	2			7			6
			7			1	4	
7	9		3					2
2		3	5	6			9	

303

7	4			3	6	5		
		1	5		8	3		
2						6		9
				6	4		9	5
	8		2		5		1	
3	5		8	7				
9		4						7
		2	4		9	1		
		3	7	1			4	8

304

	7				6			
1		6			4		2	
8			9	3		1		7
9		2			7	8		6
	8			9			5	
6		3	1			4		9
5		1		8	2			3
	3		5			7		4
			3				1	

305

			3			6		8
	3	8	5				9	
6	5		9	7		4		
	6		1			8		2
4			8		5			3
2		1			4		7	
		5		6	3		2	9
	2				9	5	1	
7		4			1			

306

2			5		8		6	1
	9			3		4		
4			6		7		2	
	6	8			2			9
1				5				7
5			4			1	3	
	8		1		9			4
		2		7			1	
7	4		8		5			3

307

	4		8	3		2		1
	1	6				8		
	5		1		6		3	
				7	1	9		6
2			5		9			3
9		4	2	8				
	3		9		2		4	
		5				6	7	
1		8		4	7		9	

308

	5		7		3	8		
	8	6	5		2	9		
4				6			7	
		2	8				9	7
		7		2		6		
5	1				4	3		
	3			9				8
		4	2		5	7	1	
		8	1		6		4	

160

309

★★

		7	2					
1	2		8			4		
9				6	3		1	7
2	6				1		8	3
		9		3		5		
3	4		7				9	2
5	1		4	9				6
		6			5		7	8
					6	1		

310

6		4	3				9	
3			7	5		8		
	8				2	7	1	
				9	4	5	8	1
		2				6		
5	9	8	1	3				
	5	9	6				7	
		6		4	7			2
	3				1	9		4

★★

311

	3	8			9	5	4	
6		2	5			7		3
		4		2		6		
4	1		3	6				
	8						9	
				7	8		2	1
		6		5		1		
8		5			1	9		7
	7	1	4			2	5	

312

	4		3		5			2
				8	6		9	1
8	3				1		4	
		8	1	9		6		
	1	9				5	3	
		7		6	3	9		
	6		2				8	3
2	9		7	1				
1			6		4		7	

313

2		9	7			5		
		6			1		4	2
7				4	5		3	
				2	4	8	1	9
3								7
8	9	2	1	6				
	6		5	9				8
4	7		6			2		
		8			3	1		5

314

6		9					1	7
			1	9		2	3	
		8		2			5	4
1					7		8	
5		3	6		4	7		2
	9		2					5
2	5			4		3		
	4	7		6	1			
8	3					6		9

315

		6	3	4	1	5		
1					2		3	
	2	3			8	6	7	
	3		2					4
	5	4				9	8	
7					5		1	
	9	8	7			1	6	
	4		8					5
		2	5	9	3	8		

316

	1		3				2	
5			8	9				4
4	2	7				3	9	8
	4				1			5
		8	2		7	4		
9			6				3	
6	8	5				7	4	3
1				6	3			2
	7				5		6	

317

4	9		1	2				5
		3			7		8	9
					8	4		
8	5				4		3	1
		6		1		5		
1	7		9				2	8
		9	2					
7	4		6			2		
2				5	3		9	6

318

1	5			6		2	9	
			8	7	2			
	6					3		4
8	4	1	3					6
		3	2		8	5		
9					6	8	3	7
3		4					5	
			5	2	1			
	8	2		3			6	9

319

	8	2			7	5	3	
	3			2			4	
5	6		3				2	1
3		8	1	5				
		6				1		
				4	9	3		7
9	5				2		8	4
	4			8			7	
	2	7	6			9	1	

320

3	5	8			9			
		2	6	4				7
	7		5			9	8	
5		7		8			1	
	3		2		4		6	
	6			1		8		2
	9	5			1		4	
1				2	7	3		
			8			1	7	6

166

321

			4	1	8			
	5					2		9
3	7			5		4	6	
6			5			8	2	1
		2	8		4	7		
8	9	3			2			5
	8	4		2			5	6
2		9					7	
			3	4	7			

322

5		8			1	7		3
		3		6		2		
	2	6	7			9	5	
4	3		5	2				
8								1
				9	8		4	6
	8	7			4	1	9	
		2		7		4		
9		4	3			6		7

323

9		7			4			3
3			9		1	8		
				7	6	4		2
	5			6	9		2	
4	2						1	9
	7		4	2			6	
2		8	5	4				
		4	6		3			5
6			8			9		7

324

9	1		2			6		
	6	2		5	8	7		
	5		6					4
	7			3		4		2
3			1		4			9
8		6		9			1	
2					9		8	
		1	4	8		3	2	
		7			1		4	5

325

3		5		1		7		6
			2				9	
4	1			8	6			5
2	3	8			5	6		
		4				1		
		6	8			9	5	3
7			9	3			6	2
	8				1			
9		3		4		8		7

326

3		5	4	8				
	9	1	6				7	
2						6	5	9
4			8	9		1		5
		6	1		3	2		
8		3		4	5			7
6	3	4						2
	7				4	8	1	
				2	7	5		

327

9	4	5	3					
		1		2	6		8	
8					9	3		5
6				7		5	1	
4			2		1			6
	9	8		5				7
3		9	7					2
	7		8	1		4		
					5	7	6	8

328

8			4		6			9
	6			5			4	
	1	5		3		8	6	
	7	6	2		5	3	9	
5			3		9			6
	4	9	6		1	5	2	
	5	1		2		9	8	
	3			9			7	
7			5		4			1

329

	2			8			3	
		3	7		4	5		
5	4			6			9	8
8	7		5		1		6	4
		4	8		2	1		
1	3		4		6		8	2
4	5			2			1	9
		9	1		7	8		
	1			4			7	

330

	9				1	4	7	
8			9	5		1		
5		4	3				6	
3	2	7	5	4				
		1				8		
				6	3	2	4	7
	4					6	5	1
		2		7	9			6
	3	9	8				2	

331

			1	2			9	
4	5	8						2
		1	5			6	7	
5				3	7		6	9
	4		8		6		2	
7	8		9	5				1
	6	3			4	1		
2						9	4	3
	9			7	5			

332

7	6		5		3		8	4
4			8		2			7
		5		7		1		
		3	7	2	4	8		
9	2						7	6
		7	9	6	8	3		
		4		8		2		
2			6		7			1
1	5		2		9		3	8

333

	4	3	8				5	
9	8		5	2		7		
			4			9		3
	9		6			3		1
7			3		8			4
1		6			7		2	
2		7			6			
		8		9	4		1	5
	1				5	8	6	

334

	8	9		7		5	4	
1	3			5	4		8	
			2					9
6	5	4			9	1		
		2				7		
		1	6			9	3	5
4					3			
	6		1	9			7	2
	1	8		2		6	5	

173

335

		3	7		2	6	9	
		9	5		1		2	
	1			6				8
		5	8				4	2
		6		7		1		
1	3				9	7		
9				3			5	
	8		6		4	9		
	4	1	2		7	8		

336

1	2		8				9	
			2			3		5
	9	8	4	7				1
	3		5			9		2
		4	1		6	5		
6		9			2		7	
5				3	8	7	1	
7		6			4			
	8				1		4	6

337

5			2				4	9
			5	8			6	
3	2	7				8		
		2		1	4	6	9	
	7		3		9		8	
	3	4	6	2		5		
		8				1	7	6
	6			4	2			
1	9				7			5

338

5					9	6		8
		1		2	5		7	9
	6	7			8			
	4	6			3			7
	8		9		6		1	
2			1			3	4	
			3			1	2	
4	5		8	7		9		
3		9	5					4

339

3	5	7			1			
		9	5	6				7
	4		7			8	2	
	7			1		5		8
	3		4		6		9	
6		1		7			3	
	1	2			8		5	
5				4	3	6		
			2			1	8	9

340

		7	1		9		8	
	3	1			5	7		
			3	6		2	5	
4				6	1			2
2		5				1		9
3			5	2				6
	8	2	4	5				
		6	8			3	1	
	5		6		7	4		

341

9			5					
	7	6	1					5
	5			8	3	9	1	
	2	8			6	3	4	
1				4				8
	4	7	9			5	2	
	6	9	4	5			8	
3					7	2	9	
					2			6

342

6	4	8						7
			1	5		4		
	2		8			9	6	
2				1	4	3		5
		7	9		3	8		
4		9	5	6				1
	9	5			1		2	
		4		7	2			
7						1	3	8

343

		2	4		6		9	
	1	9	2		3		8	
5				1		4		
2		7			5		6	
	4			3			1	
	3		9			8		4
		6		8				9
	5		3		2	7	4	
	9		7		1	5		

344

8	6		5			9		
4		1		2	8	5		
2			7				4	
	4	8		1				9
	7		8		5		1	
5				7		3	2	
	8				3			6
		9	2	6		4		3
		3			4		7	5

345

	5			1			3	
		3	8		4	2		
2	8			9			6	1
7	3		9		8		1	5
		8	5		1	7		
1	4		7		2		9	8
8	2			5			7	6
		6	4		7	1		
	7			8			4	

346

		9	7		5	3		
4				6				9
	2	3	9		8	6	1	
1			5	9	4			6
	9	8				7	5	
5			8	7	6			1
	7	5	2		1	4	6	
2				5				3
		4	6		9	5		

★★

347

	7		5	6		8		
					1	7	2	5
9		4	7					3
	4	5		1				7
8			3		6			2
2				7		1	6	
5					4	9		1
4	8	1	9					
		6		3	2		5	

348

	9	8		1				2
	7			2	5	6	1	
			4			5	3	8
3			1	6				
9		6				2		7
				9	2			3
6	8	5			7			
	4	2	3	5			9	
1				8		4	7	

349

			8	4	2			
8	6			3		1	9	
5		7					3	
		3			5	2	7	1
9			2		8			5
2	5	4	3			6		
	9					5		7
	3	6		5			2	8
			1	8	9			

350

		7			9		4	
2	3				5		1	9
9			6	1	7			8
	2		7			5		
1	9						7	4
		4			8		6	
7			2	4	6			3
3	5		9				8	6
	6		8			2		

351

	4	9		8			2	6
7		3					8	
			9	5	1			
5	3	1	8					4
		2	1		9	3		
8					3	6	7	1
			6	9	2			
	2					7		3
4	8			3		9	1	

352

4							1	7
	3		7		1		9	
5		1		3	4		6	
8		7	1	2				
		3	8		9	5		
				4	5	8		6
	8		2	6		1		4
	6		5		8		3	
7	2							9

★ ★

353

		7	2			3		9
4			8		3	7		
2		1	5	9				
	1		3	5			6	
	8	3				2	1	
	5			1	2		9	
				2	6	1		4
		6	7		5			2
3		9			4	5		

354

9						3	8	
			1	5	6			
7	2			9		6		4
8	1	2	3				9	
		3	6		1	7		
	4				9	1	5	3
1		6		3			4	9
			7	6	2			
	3	8						7

183

355

4	5		3	2			7	
	8	7		4		9	3	
					1			6
8	1	2	7			3		
		5				4		
		3			2	6	8	7
2			4					
	6	8		5		2	9	
	9			8	6		1	3

356

9			3	4	2			
1			8		6			
6				7		8	3	9
		1	4		8		9	
8	4						7	5
	9		1		7	2		
2	3	5		1				6
			2		5			7
			9	6	3			2

357

8	5	9				2		
				7	6			5
	1				8		9	3
3		5		9	7	6		
2			4		3			8
		1	5	6		7		4
7	3		6				1	
5			1	2				
		2				8	4	6

358

		4	8		2	7		
	8			1			2	
1	6			9			8	4
7	2		6		8		5	1
		1	7		9	8		
8	3		1		5		7	9
6	1			5			4	7
	9			7			3	
		3	2		1	6		

359

	1	7		2		3	5	
		4		1		8		
5			3		9			4
	8	1	2		3	4	6	
6			8		1			3
	3	2	6		5	9	1	
1			9		6			7
		9		3		6		
	7	6		8		5	3	

360

	4	5					1	9
	7	2		3				8
3		6		9	5			
		8	4				5	
4	3		7		1		2	6
	2				3	9		
			5	1		7		4
6				7		2	3	
1	9					6	8	

361

4			5		8			
1				3		5	9	8
8			9	1	7			
	7		2		6	3		
5	4						6	2
		8	4		3		7	
			8	6	9			7
7	9	2		4				1
			1		2			3

362

3		4			2	6		
		7	5				1	9
6			3	8			5	
			4	5		7	8	6
1								2
8	4	6		7	9			
	2			9	3			1
7	9				4	5		
		3	1			8		7

363

	5	8			4			
		1		3	9		8	7
9					7	5		4
	2	5			6			8
	4		7		5		1	
3			1			6	2	
6		7	9					2
2	9		4	8		7		
			6			1	3	

364

	2		9		7			6
		4		3			9	
3	6		2		8			5
8			6			9	5	
9				8				3
	1	2			4			7
4			8		2		1	9
	7			5		6		
6			1		3		4	

365

★★

	7	1			2	8		
	5			3	4			
9						5	2	1
3	6		5	4				8
	2		6		7		9	
4				1	3		7	5
2	4	6						9
			8	9			5	
		8	4			7	3	

366

		3	5	6				
		5		9		7	8	6
		1			8			
1	3		4		2		5	8
	4	6				2	7	
7	8		1		6		3	9
			2			9		
2	5	7		1		8		
				4	5	3		

★★

367

	4	8		5			6	3
			1	7	3			
	5					2		9
8	2	1	9			5		
9			3		1			4
		6			5	7	9	1
2		9					4	
			4	3	8			
3	1			9		6	5	

368

					4	7		
		8			5		4	1
7	1		3	2				6
3	5		1				2	4
		9		3		6		
4	6				7		8	3
2				6	8		1	9
5	7		9			2		
		1	2					

369

8		4		3		7	2	
			9	2	1			
		9					6	3
4			3			6	1	7
	9		2		7		3	
5	7	3			4			8
6	3					4		
			7	5	2			
	2	8		4		9		1

370

	6				9		2	
3				7	5			1
1	2	4				9	7	5
7					8		9	
		5	4		2	1		
	1		6					3
8	5	3				4	1	9
6			9	8				2
	4		3				8	

371

7			4	8				5
	2		9				6	
4	8	9				1	2	7
	9		3					8
		7	2		1	4		
5					6		7	
9	7	1				5	4	3
	3				5		1	
2				3	9			6

372

			8			6	2	7
	8	2			6	9		
9				3	5		1	
		4		2			9	6
		5	3		1	7		
1	2			4		5		
	7		9	1				4
		3	4			8	6	
5	4	9			2			

192

373

		1	9				2	8
5	9			4	3		1	
			1			5		
1	7		5				6	2
		4		6		9		
3	6				8		7	4
		8			7			
	4		6	1			8	5
7	5				2	3		

374

		3	6		5	4		
2		7						1
		6		3	7		8	9
6	2			7	8			
	4		1		6		5	
			5	9			6	3
5	8		9	4		3		
9						8		2
		4	8		2	1		

375

		3	1		7		6	
	5	8		2	9			
	6				8	2	1	
9			8	5				2
7	1						8	5
5				9	1			4
	2	1	3				9	
			4	8		3	5	
	4		9		6	8		

376

	9					2		6
			9	8	1			
	7	5		2			4	8
		7	2			4	6	1
9			8		4			2
4	2	3			7	5		
8	5			7		1	9	
			4	3	8			
2		6					7	

★★

		3	7	9			5	
					4	2	3	7
6	1		3					8
	7	1		4				3
5			8		9			2
2				3		9	4	
7					1		6	4
1	4	5	6					
	9			8	2	7		

378

		7	5		6	4		
	4			2			3	
8		2	4		1	7		9
	8		1	5	2		6	
6		5				1		4
	2		6	4	3		8	
2		3	9		8	6		5
	7			6			9	
		6	2		4	3		

379

3	6			1			5	7
	8			3			9	
		7	5		4	8		
5	1		2		7		4	3
		2	9		3	5		
9	3		1		5		8	2
		3	4		2	6		
	4			5			2	
6	2			9			7	5

380

		6	2			8	5	
	9					8	2	
8	3			6	9	1		
			9	3			1	4
6			4		5			3
2	4		8	7				
		4	7	1			9	8
	2	7					5	
		1	3			4	6	

381

	7			9			5	
	5	8		4		9	2	
1			7		5			8
	1	4	6		9	5	3	
5			4		1			9
	6	9	5			2	1	7
2			9		7			3
	8	1		6		2	9	
	3			1			4	

382

	3	2		6		9	8	
		9		3	2	1		4
8			7					
	4				8	3	2	5
	6						7	
3	8	1	5				4	
					1			2
7		6	4	8		5		
	5	3		7		4	9	

383

		9	5				7	
7	5		3				4	1
1			9	8	7			6
	7				5	8		
8	6						3	2
		4	6			9		
5			7	2	6			3
3	2				4		1	9
	8				3	6		

384

		7		2				9
	5		7		4	3		
	8		3		1	5	2	
	4				9	6		3
	2			1			7	
7		8	5				1	
	7	6	1		3		9	
		9	6		2		5	
5				8		4		

385

5			1					8
	9		6	7			3	
7	6	1				2	9	5
	3				8			9
		9	5		2	6		
1			4				7	
9	1	2				3	4	6
	5			4	1		8	
4					3			2

386

2		1	6	5		3		
5	7	8			4			
	9			8		4		1
	6		9	7				
7	3						4	2
				3	2		6	
8		3		9			2	
			1			6	8	5
		4		2	5	9		7

387

			4		3			5
			7	8	9			2
2	7	4		6				3
	2		8		4	5		
1	6						8	4
		9	5		6		2	
3				5		1	7	9
9			2	3	7			
6			9		1			

388

		5		6		4		
	9	1	5			6	7	
6		8			2	5		9
8	5		7	9				
1								7
				4	3		2	5
2		6	1			7		3
	3	9			6	8	4	
		4		8		2		

389

	9			7	3			8
4	2				9	6		
		8	5			1		3
			4	6		8	1	7
5								2
8	7	6		9	1			
6		7			2	3		
		9	1				4	6
2			3	4			5	

390

2			8	9		4	3	7
	7	8	4	2	5	6	9	1
	6		1		7	2	8	5
8	9				2	5	6	3
		1		5		8	9	2
5	2	3	6	8	1	9	7	4
		2	3		8	7	4	9
		9	5		4	1	2	8
	8		2	1		3	5	6

391

2	9	1	6	4	8	5	3	7
3	4	6	2	7	5	9	1	8
8	7	5	1	3	9	6	2	4
5	8	7	4	2	3	1	9	6
9	6	2	8	1	7	4	5	3
1	3	4	9	5	6	7	8	2
6	1	9	3	8	4	2	7	5
7	2	8	5	6	1	3	4	9
4	5	3	7	9	2	8	6	1

392

3	1	7	9	2	4	8	6	5
5	2	6	1	8	3	9	4	7
9	8	4	5	6	7	3	1	2
2	5	8	7	9	6	1	3	4
6	9	3	4	1	5	7	2	8
4	7	1	8	3	2	5	9	6
7	4	2	3	5	1	6	8	9
1	6	9	2	7	8	4	5	3
8	3	5	6	4	9	2	7	1

★★

393

6	1	2	5	3	9	7	8	4
3	4	8	2	7	6	1	5	9
7	9	5	8	1	4	6	3	2
1	3	6	9	8	7	4	2	5
9	5	4	3	6	2	8	1	7
8	2	7	4	5	1	9	6	3
4	6	3	7	2	8	5	9	1
5	8	9	1	4	3	2	7	6
2	7	1	6	9	5	3	4	8

394

7	8	6	5	3	2	4	1	9
4	9	2	6	8	1	3	7	5
1	5	3	7	9	4	2	8	6
8	6	7	4	5	9	1	3	2
3	2	5	8	1	6	9	4	7
9	4	1	2	7	3	5	6	8
2	1	8	3	6	5	7	9	4
6	3	4	9	2	7	8	5	1
5	7	9	1	4	8	6	2	3

395

3	1	9	7	4	5	2	8	6
5	6	2	8	1	9	3	4	7
8	7	4	2	3	6	9	1	5
9	8	1	3	6	4	7	5	2
2	4	7	5	9	8	6	3	1
6	3	5	1	7	2	4	9	8
1	2	3	9	5	7	8	6	4
4	9	8	6	2	1	5	7	3
7	5	6	4	8	3	1	2	9

396

2	6	9	1	7	5	4	8	3
5	7	8	3	9	4	6	2	1
3	4	1	2	8	6	9	7	5
9	3	6	4	2	8	5	1	7
8	2	5	6	1	7	3	4	9
4	1	7	5	3	9	2	6	8
7	5	3	8	6	2	1	9	4
1	8	2	9	4	3	7	5	6
6	9	4	7	5	1	8	3	2

397 ★★

2	4	9	1	7	6	3	8	5
3	7	5	2	8	4	6	1	9
6	1	8	9	3	5	2	7	4
8	5	3	6	4	1	9	2	7
9	6	1	7	5	2	8	4	3
7	2	4	8	9	3	5	6	1
5	8	7	4	2	9	1	3	6
1	9	2	3	6	7	4	5	8
4	3	6	5	1	8	7	9	2

398

8	5	4	9	6	7	2	1	3
2	3	7	1	8	4	5	9	6
9	6	1	2	5	3	4	8	7
7	8	9	6	2	5	1	3	4
6	1	2	4	3	8	9	7	5
5	4	3	7	9	1	6	2	8
4	2	5	8	7	9	3	6	1
1	9	8	3	4	6	7	5	2
3	7	6	5	1	2	8	4	9

399

3					8		5	7
				6	9		2	
2	8	7				1		
	5	2		7	6	9		
	1		4		5		8	
		3	2	9		6	4	
		1				8	9	4
	2		3	1				
5	6		9					3

400

		3	4			5	1	
7	2				6	8		
6				9	1		3	
9	3	8		6	5			
	4						7	
			2	8		3	9	5
	7		1	2				4
		6	5				8	2
	8	9			7	1		

401

4							6	
9	8			7				
					3	1		
		3			1		7	
7	5			4			1	6
	9		5			2		
		5	8					
				6			4	7
	2							9

402

4	5			1			9	2
	3	8				6	5	
		4	5		6	9		
	6						7	
		1	7		2	5		
	2	7				8	4	
1	8			5			6	9

403

8			5		9			2
				1				
		5	3		8	9		
5		7	4		3	6		1
	1			2			4	
9		4	6		1	2		5
		3	8		6	4		
				7				
7			9		4			6

404

			1		9		6	4
			6		7		3	5
				5		2		
2			8		3		4	9
		9				3		
8	4		5		1			2
		5		6				
6	9		4		5			
7	8		9		2			

405

		8	3		9	4		
3			2		8			9
				6				
1		9	5		6	3		4
	6			4			1	
7		3	1		2	6		5
				7				
2			8		5			1
		7	9		1	5		

406

3					5			
9				4		5	2	1
7			9	2				
		5					4	
2		6				1		8
	3					9		
				6	9			7
1	8	9		3				5
			8					4

407

4			9					
	7	9	3					
	3	5	2		4			
	2	6	9		1	5	4	
5								7
	1	7	8		5	3	2	
			4		8	7	6	
					3	2	8	
			2					5

408

	9		1		4		2	
		8	2		9	4		
			7					
	3	7	6		1	2	5	
6				8				7
	8	2	3		7	9	6	
			5					
		3	9		6	5		
	6		4		3		1	

409

9	8	6		4				5
			6					7
				1	8			2
	5					7		
3	1						9	6
		4					8	
2			8	3				
4					5			
8				7		3	5	9

410

	4					6		
				7		1	9	
3			8					
	6		3					4
	3	1		9		7	2	
5					2		1	
					5			2
	8	6		1				
		9					7	

411

7	1			4			8	6
	5		3		8		4	
		9				5		
3				7				8
			9		5			
1				8				3
		7				3		
	4		6		3		2	
2	3			1			6	5

412

			8	5			7	
	7	6				5		
	8	3	9			6		
					9		6	
6	3						1	5
	4		5					
		4			5	1	3	
		5				8	9	
	2			8	7			

212

413

		5	1		3	9		
9				2				1
	2		8		6		5	
6	1						3	7
		4				1		
5	9						6	4
	3		2		7		9	
1				6				2
		7	4		9	8		

414

	8	7	9	4		5	6	
			7	5				
9								
	9			3				1
	1		2		5		8	
5				8			9	
								2
				7	3			
	4	3		2	6	8	1	

213

415

2	3						5	9
		7				1		
		6	3		2	7		
7				9				5
		9	5		1	4		
1				4				8
		8	6		3	2		
		5				8		
4	1						3	6

416

3		7	9		6	8		1
			8	3	1			
8								6
2		3	4		7	1		8
		5				3		
4		1	3		8	5		2
7								9
			5	7	2			
5		8	6		3	2		7

417

	2	7		5				
		6					8	
			4					9
	7				3			1
	3	5		2		7	9	
8			9				6	
3					1			
	5					2		
				7		6	4	

418

	6			2			1	
4			8		1			3
		8	3		7	9		
3	5						7	2
		7				6		
6	2						8	4
		5	4		6	3		
1			2		9			5
	3			1			6	

419

1					6	9	7		
	6			3					
					8		9		5
				2				3	
		4			5		8		
	7					6			
9		8			4				
						1		2	
		5		8	2				4

420

	2		3		7		5	
		1				3		
6			4		1			9
	3	6	2		4	8	1	
	4	9	5		8	6	7	
4			1		5			2
		7				5		
	6		8		3		9	

216

421

	3	9	5		8	4	1	
		8		1		7		
			4	9	7			
	7						9	
		5				2		
	8						4	
			3	6	1			
		2		4		5		
	4	3	2		5	6	8	

422

		8	5					3
4		6					5	
	5		8			9	2	
		9			8			
1								7
			7			2		
	2	1			3		6	
	3					5		4
8					9	1		

★★★

423

	7							
9	4			1	2			
				6	8			
4		9	8			7		
	1			9			5	
		6			3	9		8
		3	2					
			9	5			1	4
						9		

424

2								4
		9	8		2	7		
	6		4		1		3	
9	4		6		8		2	5
7	8		3		5		1	9
	9		5		4		7	
		8	2		3	6		
1								3

425

			3	2	5			
5				9				7
3	9		8		7		6	2
	2						5	
1								8
	3						7	
4	7		1		8		3	6
8				3				1
			6	4	9			

426

7			4		2			3
		1	7		3	6		
	4			9			8	
	3	5				1	9	
1								2
	6	2				8	7	
	7			3			5	
		4	2		6	7		
3			9		8			1

427

		9				5		
	4		9		1		2	
3			6		5			8
	1	8	4		7	3	6	
	5	7	2		6	8	9	
2			5		4			6
	3		7		9		8	
		4				1		

428

4								1
	9		2		4		6	
		5	1		7	3		
6		2	3		8	7		9
9		1	5		2	4		8
		9	8		1	6		
	2		4		3		5	
7								3

429

	6	1		4		8	5	
2								7
9			1		7			3
	9			7			2	
			4		3			
	2			8			6	
4			8		5			6
8								2
	1	7		3		5	9	

430

	1	4			7		3	
7	3			2	8	4		
					1	6		5
3		9	1				2	
8			9		4			6
	5				6	1		3
9		2	8					
		6	7	5			4	2
	7		4			9	8	

221

431

2	9						5	3
			6		3			
8		3				2		6
	6		8		1		7	
			9		4			
	5		2		7		3	
1		5				4		9
			4		5			
3	8						6	1

432

	5	7		2		8	4	
6								9
1			4		6			3
		8		5		9		
			2		1			
		9		6		3		
8			5		7			2
9								5
	7	3		1		4	6	

433

			6				7	
3								
2		8	4	1				
	6		5			7	8	
1				8				9
	8	2			7		3	
				9	8	2		1
								8
	5				4			

434

		4	3		6	5		
1			2		8			6
	6						7	
	9		7	6	2		4	
8								3
	4		9	8	3		2	
	1						5	
2			6		9			7
		9	4		5	8		

435

3			4		8			7
		9				4		
	1		3		5		2	
		8	6	7	3	1		
	7						6	
		3	1	5	2	8		
	9		7		1		5	
		5				2		
8			5		6			4

436

5		8	4		7	3		9
			5	9	8			
4								8
1		2	8		9	5		6
		9				2		
8		5	3		6	9		1
7								3
			1	3	2			
3		1	9		4	8		2

437

2								4
		6	4		2	8		
5		7		9		1		6
			1		9			
4								5
			8		5			
3		5		8		2		9
		9	5		3	6		
1								3

438

		9				1		
	1		8		7		2	
4			1		5			6
		7	5	8	3	6		
	5						8	
		6	7	1	9	3		
8			4		6			3
	9		3		1		7	
		4				2		

439

		8						2
	4		6					
				5		3		9
		2	4				8	
9		4		3		7		5
	1				7	9		
2		6		9				
					1		7	
3						5		

440

	9		7		2		3	
1			5		9			2
			8					
6	5		8		1		7	3
		9		4		8		
3	7		6		5		2	1
			5					
5			4		6			7
	6		2		8		4	

441

	7	5		6		1	8	
	8		5		3		9	
3	5						6	4
7		4				9		2
9	6						1	8
	4		9		7		5	
	9	3		1		6	2	

442

				4				
		9	6		2	7		
8			3		9			2
1		3	4		8	6		7
	9			5			4	
7		6	1		3	2		8
3			5		1			6
		1	2		4	5		
				3				

227

443

		4	2					
	2			7	8		1	
	7						9	
				4			8	3
3	4		6		7		5	9
6	1			9				
	6						3	
	5		8	2			7	
					9	8		

444

1	7							9
				9	2		7	
8	2				4			1
			4				1	
	8	1				9	6	
	5				9			
5			9				8	6
	3		7	2				
9							4	2

228

445

	3	6		4		1	9	
		5	6		2	7		
6		9				4		8
2	5						6	1
3		7				9		5
		8	7		3	6		
	7	2		9		8	4	

446

9						4	7	
	3				8	1		
2		1			9			5
		8			3			
	1						6	
			6			2		
4			3			8		2
		3	4				9	
	7	5						4

447

					9		
5	8		3	9			1	7
			5	6				
	4			5		1		
	1		2		9		7	
		2		7			4	
				2	6			
6	7			8	4		3	2
		4						

448

	7		1		2		6	
		1				4		
5			8		4			9
2		6	3		9	7		8
4		7	2		5	3		1
7			4		3			6
		8				9		
	2		9		1		5	

449

3		4		9		7		1
5			1		3			4
	8						3	
		9		2		3		
			6		7			
		3		8		2		
	6						7	
7			3		2			5
9		8		5		1		2

450

	1		4				5	
7		2						
9		6	7	1				
					5		2	
1				7				9
	3		8					
				9	4	7		6
						2		3
	8				2		9	

451

	3	2		7	9			
	9							
					8			5
9		4	5					6
	7			9			3	
1					4	2		9
4			6					
							1	
			8	3		9	2	

452

		9	5		6	4		
	7	1				8	9	
	5						1	
2			8	4	9			6
5			3	2	7			1
	2						8	
	4	7				1	6	
		6	1		3	5		

232

453

	2	3	4			1	7	8	
			8	7	3			
		7				5		
	9	6	2			4	8	3
	3							4
	4	8	7		6	2	9	
		2				1		
			9	4	2			
	7	4	1		5	9	2	

454

1				4	6		3	
			8			7	9	2
	8	9			7	1		
3	9			5		6		
		6	4		3	2		
		5		9			1	7
		4	5			8	7	
6	5	1			9			
	2		1	3				5

455

9	1		6		4			
		2		5				
5	6		3		2			
1	3		2		8			4
		6				7		
4			1		7		3	6
			5		9		7	2
				2		4		
			8		6		5	3

456

		7		2		5		
	2		9		8		4	
3			1		6			7
1		6				7		8
	4						1	
5		2				9		4
4			7		2			6
	7		3		1		2	
		3		9		8		

457

	9	4	6				3	
	3	2					8	
			4	8		2		
		7	8					
3		9				1		8
					6	3		
		5		4	2			
	8					6	4	
	7				8	9	1	

458

	5	1		7		9	2	
3			5		6			4
8								6
		3		6		8		
			7		4			
		8		2		1		
2								8
7			2		9			1
	6	5		4		3	9	

459

				2				9
			6		4	3	1	
			8		1	2	5	
		9	5		7	6	3	
6								5
	3	7	4		2	9		
	6	1	2		3			
	7	8	9		6			
2				1				

460

	2	4		6				
6			3					8
	9	1						
7		2	8					
		6		2		4		
					5	7		9
						2	9	
5					9			4
				4		1	3	

236

461

		2			5			
		6	1	8				
		7		3		4	5	1
	2							7
4		5				9		8
1							3	
7	9	4		2		1		
				9	1	6		
			7			3		

462

	7		1		2		3	
		9	5		4	8		
3				9				6
2	1						4	3
		8				1		
9	6						8	5
7				5				4
		3	7		1	9		
	8		3		9		2	

237

463

8					9			1
	4	9						
	7	2		8				
			3				4	5
	8			4			6	
9	5				1			
				6		4	8	
						9	7	
3			2					6

464

			6				8	
				2		9	4	
6			9		3			
5	7		1					
	4			9			2	
					6		9	7
			5		9			1
	8	3		4				
	9				8			

238

465

6		8		1		4		7
9	7						3	2
	8		1		6		9	
3								6
	1		3		2		4	
1	6						7	5
8		2		4		9		1

466

	4		5			7		
3		9	7					5
5						8	2	
		3	6					
	6						1	
					7	9		
	2	5						4
8					4	1		3
		1			9		7	

467

	8			2		5	9	7
	1			5	8			
	4		7					
7						2		
6	5						3	9
		4						8
					3		2	
			8	6			1	
8	9	3		4			7	

468

	6				5	1		
	7	4						5
5					6		9	8
	9		6					
		2				3		
					3		8	
8	2		1					7
1						4	5	
		6	9				2	

469

						5		7
				2		9		4
	6		3				2	
	7	1			8			
		9		4		2		
			6			4	1	
	9				7		8	
3		5		9				
7		4						

470

2	6						9	4
9		8		1		5		3
	4		3		1		5	
3								6
	8		2		6		1	
1		4		8		2		5
7	9						3	1

471

	9						1	
		7	8		5	4		
6			9		3			2
	4	1	5		9	2	7	
	5	3	2		6	8	4	
7			3		2			4
		9	1		8	6		
	8						3	

472

		2			3			8
	7				9	2	6	
4		5					9	
					8	3		
1								2
		6	1					
	5					7		4
	6	3	8				5	
9			5			8		

473

		8			7	3		2
		7				1		5
4				1	6			
					5			9
2	9						7	3
8			7					
			1	7				6
6		9				7		
1		2	5			9		

474

			5		2	4		1
				3			9	
			7		9	3		5
7		5	1		8	2		
	8						5	
		2	9		6	1		7
8		9	3		4			
	2			9				
3		7	6		5			

475

9	1	3		4		5		
				6	1	2		
			9			8		
4							1	
	6	7				9	3	
	5							8
		4			5			
		2	1	7				
		1		8		3	5	7

476

		5						
			1	6				
3	7		2	5			1	8
		3		1				9
7			4		5			3
9				7		4		
2	4			8	9		6	7
				4	6			
						9		

477

5	3		8		9		7	6
9			2	4	5			8
3		5	9		6	8		4
		4				6		
7		9	4		1	2		3
6			5	2	4			9
4	9		1		8		6	2

478

		8	1		2	4		
	9		6		4		2	
				9				
	6	4	2		3	5	7	
3				5				4
	7	9	4		8	2	3	
				3				
	1		7		6		5	
		7	8		1	6		

479

				3			1	7
		4	2			3		
							6	5
	8	5			9			
	1			7			3	
			4			8	7	
5	7							
		1			5	9		
2	6			1				

480

		2	5		8	1		
7			9		2			3
	4						2	
	5		6	8	9		3	
		9				8		
	3		4	2	5		6	
	7						1	
8			3		7			6
		4	2		6	5		

246

481

2			4		9			3
3								7
	4	9				8	5	
	7			6			1	
5			7		8			6
	3			5			8	
	6	7				9	2	
8								1
1			9		2			4

482

	6		3		4		5	
5								2
		7		9		6		
9		4	6		1	7		3
			7		2			
7		2	4		9	1		5
		8		2		4		
3								1
	7		1		3		8	

★★★

483

	5						7	
7			2		8			1
6		4		1		3		2
		6		2		8		
			7		5			
		8		4		2		
8		9		6		7		3
1			8		3			9
	4						8	

484

8								7
		7	2		5	6		
	1	9		6		5	3	
	9			5			2	
			8		7			
	2			1			5	
	4	2		9		3	7	
		6	3		2	4		
1								2

485

★★★

2					9			
8			4	5				
5				3		1	9	8
		4					3	
9		2				7		6
	8					4		
4	6	1		2				5
				7	8			4
			6					3

486

	1	2				7	6	
8	3			9			2	4
		8	3		9	1		
	7						3	
		9	6		7	4		
6	8			4			9	1
	9	3				2	5	

487

5				7				1
8	2		5		1		7	4
			9	8	4			
	6						3	
1								5
	7						2	
			3	6	7			
7	9		2		5		4	6
3				9				2

488

3		2		5	7		8	
1		5				7		9
				1				
	2	6			9			
	9						2	
			6			9	3	
				9				
9		1				4		2
	3		1	4		5		6

493

		1	3					
				6			8	4
9				1	8		2	
			5			3		
	7			4			6	
		2			1			
	4		6	5				7
8	6			7				
					9	5		

494

5		3				1		6
	7	2				3	9	
			5		6			
	5		8		4		2	
			6		1			
	9		3		7		8	
			2		9			
	1	4				2	5	
2		7				9		4

495

	7	8				1	6	
4	6						9	2
			1		8			
3			6		2			4
			8		7			
9			3		5			1
			9		4			
1	9						5	7
	4	5				9	2	

496

7					9			
4			6	8				
6				1		9	8	2
		9					1	
8		5				2		3
	7					6		
2	3	6		7				9
				5	6			4
			3					1

497

			2	5		4		7
						9		2
	8		3				5	
			1				6	
7				2				5
	9				8			
	7				9		1	
6		9						
4		2		7	3			

498

	6		5		9		8	
2		4				5		9
	3						6	
		1		7		3		
	7		3		2		4	
		2		4		6		
	1						2	
9		8				7		3
	5		9		8		1	

499

3			1		5			2
		5				1		
9		6		4		3		7
			2		6			
		1				6		
			7		4			
6		8		2		4		5
		7				8		
4			6		8			3

500

	4	1				5	6	
9			1		4			2
2								7
	7			3			8	
6			5		7			3
	2			6			5	
5								8
8			9		1			4
	3	7				1	9	

501

	4		1		5		8	
6			8		4			9
				6				
4	6		5		7		9	3
		2		8		5		
3	9		4		6		1	7
				5				
7			6		2			1
	2		9		1		3	

502

4	5						6	9
	3						4	
6			3		7			2
		8	9	2	6	7		
		3	1	8	5	4		
7			4		1			3
	8						9	
5	2						7	4

257

503

		5				7		
6	4						2	9
9			7		6			5
	6			5			7	
4			6		3			8
	7			1			9	
3			8		7			2
8	5						4	7
		1				3		

504

4		9		5		8		3
2								1
		6	2		1	4		
			6		3			
3								2
			9		5			
		4	3		7	5		
7								9
5		1		6		3		7

258

505

	9		4			1		2	
		1				4		
5				6				9
2		4	1		8	7		5
			6		2			
1		3	7		5	2		6
8				7				2
		6				3		
	3		5		4		8	

506

8			2		3			4
2	7			5			9	6
4		7				8		9
	8	3				6	2	
9		2				1		5
3	4			9			5	1
1			4		7			2

507

	2						7	
3			4		6			8
1	5						3	6
		2	9	5	7	3		
		8	1	2	4	6		
6	1						9	7
9			3		8			5
	8						6	

508

9		2	6		7			
3		8	2		1			
	4			3				
4			3		6	9		5
	8						7	
7		9	5		8			4
				2			3	
			9		3	7		2
			7		4	5		1

509

	1			9			6	
		4				3		
6			4		3			2
	4	8	1		7	2	9	
			2		9			
	2	3	5		4	7	1	
8			3		1			5
		9				8		
	5			7			2	

510

	1					2		
	3	8		6				
			5					7
2			7			1		
	6	9		8		7	3	
		3			9			4
9					4			
				3		5	1	
		6					8	

261

511

6								8
	1	3		5		4	7	
2			6		4			9
	7			3			8	
			2		5			
	8			6			9	
7			1		3			5
	9	1		2		6	4	
8								3

512

9		1		4		7		2
	3						5	
	8		9		5		6	
		8		5		3		
			4		6			
		3		2		1		
	4		2		7		1	
	2						3	
5		9		6		8		7

513

			2					4
	8						1	
	5			9	4		3	
				6		1	4	
	6	1	3		8	2	5	
	7	8		2				
	9		4	3			7	
	3						2	
6					9			

514

		7	2		8	3		
8								6
4		6				5		7
	1		7	3	5		2	
	8		4	1	9		6	
3		4				6		2
1								5
		2	9		6	8		

515

		7	2		1	6		
3				9				7
	5		8		4		9	
4		5				3		9
	1						5	
7		8				1		2
	9		1		6		7	
8				4				6
		2	9		7	5		

516

	2		6				3	8
6			2			5		
9		1					2	
			4					3
		7				4		
8					6			
	5					1		2
		6			8			7
7	3				5		9	

264

517

2	1						3	7
				2				
6	5			1	3	8		
			4			6	7	
		7				5		
	4	5			7			
		6	2	9			1	4
				7				
7	2						9	5

518

8	6						4	3
5		3				8		1
			1		3			
	1		5		2		7	
			6		9			
	4		8		7		3	
			9		4			
2		4				9		6
3	5						1	2

519

4		7				8		5
8	3			1			6	2
		3	4		7	1		
2								7
		5	2		1	6		
1	5			3			4	6
9		8				2		1

520

3		5		6		9		1
1								7
		2	9		1	3		
			6		9			
9								8
			7		3			
		6	8		5	2		
8								5
2		7		3		4		9

521

					6			2
			8	1				7
9	1	6		3				8
	3					6		
4		9				5		1
		8					2	
6				2		8	4	9
7				5	8			
3			4					

522

	5						6	
		8	6		1	2		
4			3		5			9
	4	6	8		3	5	7	
	9	3	2		7	1	4	
3			5		2			8
		4	7		6	9		
	1						2	

523

		6	3		7	2		
	7		1		2		3	
				9				
	6	3	4		9	7	8	
8				6				9
	4	9	8		1	3	5	
				5				
	8		2		4		1	
		4	7		8	5		

524

3	6						2	9
		8				1		
		7	3		6	8		
	1			4			5	
		2	9		1	4		
	8			2			9	
		5	7		3	6		
		9				5		
1	4						7	3

525

	6		3		5		9	
4			6		9			7
				4				
6	4		2		3		7	8
		1		9		3		
8	7		4		6		5	2
			3					
2			1		4			5
	1		5		7		8	

526

		9	8		1	2		
1								6
	4		7		2		5	
8			4	7	5			2
	3						9	
5			2	9	3			8
	7		5		9		6	
4								7
		1	3		7	8		

527

	9			4			3	
8			6		7			9
		1				8		
	2	8	4		6	3	1	
			1		3			
	3	7	2		9	4	6	
		2				7		
5			7		2			3
	6			1			5	

528

			3		2	9		
	6				9			
2	5			8				
					1	4	7	
	8			2			5	
	2	7	9					
				5			6	3
			6				2	
		1	2		4			

529

2			8		7			5
	9	3		1		7	4	
8								6
	4			3			6	
			2		1			
	6			8			5	
6								3
	5	9		2		8	7	
4			9		3			1

530

7				6				9
5		4	3		7	6		2
			2	5	9			
		7				2		
3								8
		9				5		
			4	1	6			
4		2	8		3	7		1
8				2				3

271

531

	4		2		3		5	
7			4		9			6
		3				4		
	2	1	3		8	6	7	
	8	6	5		1	3	2	
		5				9		
1			8		4			2
	9		6		7		1	

532

4	5			8			6	7
3			7		4			5
		1				4		
	4			1			2	
			9		6			
	8			2			4	
		9				6		
6			4		2			3
8	1			3			7	2

533

7		5				6		1
1	3			4			2	9
		3	1		6	9		
6								8
		4	8		2	1		
5	4			1			9	6
2		8				5		3

534

			2		1			
3	5						2	6
	4	2				5	1	
1			7		4			8
			9		3			
6			8		5			2
	7	6				9	3	
4	2						7	1
			6		9			

535

9			1				3	
		1					7	2
	6	5	3			1		
					3		6	
8								4
	5		8					
		7			9	5	4	
2	1					9		
	4				6			3

536

8			3	6		1	5	
				7				
	2	3				6	7	
			2			9		1
1								2
5		2			9			
	1	4				7	2	
				2				
	9	6		4	7			5

537

		9				3		
	4		8		1		9	
6	8			4			5	2
1				8				5
			9		3			
8				2				1
9	6			5			1	7
	7		1		6		4	
		1				2		

538

		8			1			
							5	
				2	5		3	9
9		5			4	7		
	3			5			2	
		6	8			5		4
5	9		1	3				
	7							
			6			4		

539

		8				1		
2			6		7			9
	9		5		3		8	
	3	5	4		6	9	2	
	2	4	1		9	5	6	
	1		2		4		7	
5			7		8			3
		7				4		

540

				2	4		7	
9	7	5		6			2	
			9				1	
6						4		
	8	3				1	9	
		4						7
	6				8			
	2			1		5	4	8
	4		7	3				

276

541

	8		2		9		5	
		7	6			1	3		
4				3				8
8	1						2	9
		2				7		
6	7						4	3
1				6				5
		3	5		2	8		
	9		8		3		7	

542

	1				8	7	2	
	8					3	9	
		5		9	4			
		1	8					
6		7				2		8
					3	6		
			9	8		4		
	6	4					8	
	7	9	3				6	

277

543

	7	5	4		9	3	8	
			2	5	3			
		4		8		9		
	1						6	
		9				4		
	8						7	
		6		2		7		
			6	1	8			
	2	8	7		4	1	3	

544

5		3		8		1		2
2			9		3			7
8	7						2	1
	5	6				7	4	
3	9						6	8
6			5		7			3
7		9		1		8		4

278

545

1	8						2	7
	2	6		3		5	9	
6			2		7			9
	7						4	
3			4		5			2
	1	3		2		9	7	
4	5						6	1

546

	6	2				1	5	
7	5			3			9	8
		3	4		8	5		
	1						4	
		7	5		1	9		
3	2			5			1	9
	8	4				2	7	

547

8			7		2			4
	1			8			6	
		4	6		9	1		
1	4						3	2
		3				6		
6	2						5	9
		5	3		1	7		
	6			2			8	
9			8		5			1

548

	6		3		8		5	
	4						8	
9		3		1		7		2
4				7				9
			1		5			
6				8				4
3		8		5		2		6
	7						4	
	1		7		2		9	

549

		6				3		
5			3		4			8
	7		5		1		2	
		5	7	1	2	4		
	8						9	
		4	9	8	5	7		
	6		8		7		1	
4			1		9			3
		1				2		

550

					7			6
	5	9		4				
	2		5	6		4		
3					1			
	4			2			5	
			6					8
		7		1	9		3	
				5		2	9	
1			8					

551

7		4	3		2	1		6
1			9	7	6			4
6	2		1		4		9	8
	4						6	
8	7		6		3		1	5
2			7	6	9			1
4		5	2		1	8		9

552

5			4	8				
6					7			
1				2		3	7	5
		5					4	
7		8				2		9
	6					5		
4	9	3		6				1
			9					2
				1	5			4

★★★

553

		5				6		
3		4				7		1
7			2		1			8
	5		9	4	6		7	
	8		3	5	2		1	
9			7		8			4
1		3				9		6
		8				1		

554

	4	9	8	3		7	5	
								3
			9	2				
6				7			1	
	5		6		3		7	
	1			9				5
				6	2			
1								
	7	2		4	1	6	8	

283

555

5								7
	1	6				4	9	
7			9		4			3
	2			8			5	
8			5		6			1
	6			1			7	
9			4		3			2
	3	4				5	8	
2								6

556

		1	6		4	9		
				3				
6			9		2			7
2		7	4		8	1		9
	6			5			3	
4		8	1		3	7		2
8			3		9			5
				4				
		4	8		5	2		

557

		2		5	4	7		
		6				3		
	4		1					
6		4		8				
1		7	2		3	8		6
				1		9		3
					5		8	
		1				2		
		9	4	2		5		

558

	3				1			
	7		6	4				
	4			5		9	7	1
7						6		
	1	3				2	8	
		6						5
8	6	9		3			4	
				2	7		6	
			8				5	

559

	5						2	
9			3		2			5
3		1				7		9
		3		5		2		
1			4		3			8
		2		6		9		
8		5				1		2
4			2		8			7
	6						4	

560

			4	3				6
6	1	2		8				3
					1			9
	8					4		
7		5				9		1
		4					6	
8			7					
3				9		2	7	4
4				5	6			

561

			3			7	5	
			9		4	3	8	
				5				4
	3	9	2		8	1	7	
7								8
	8	4	5		1	9	6	
8				9				
	7	6	4		2			
	9	2			3			

562

4			3		5			6
	2			4			1	
		6	8		1	2		
1	3						9	8
		7				1		
2	6						7	3
		9	2		7	5		
	1			3			4	
8			9		4			2

563

		2				8		
7			3		6			2
3	5						9	6
	1			8			3	
6			2		4			5
	3			9			4	
1	7						5	4
9			4		3			1
		3				9		

564

	6		5		2		1	
2			3		6			8
				8				
7	2		6		1		8	4
		6		9		7		
4	9		2		7		6	3
				7				
9			4		3			5
	3		1		5		4	

565

					3		1	
4								6
7			1	9				5
				8		6		1
8		6	4		5	3		7
2		4		3				
9				5	1			2
5								3
	8		9					

566

1			6		3			2
	7						3	
		9	8		5	4		
	4	1	3		8	7	9	
	9	5	2		1	6	8	
		2	5		7	3		
	6						5	
9			1		6			4

567

4								6
	7		8		9		5	
3	1						8	7
		4	6	3	2	7		
		5	9	4	1	8		
1	8						6	2
	2		5		7		3	
5								8

568

	3	6		1				
	5					9		
			8					4
		3			2			7
	1	2		5		4	9	
8			4			1		
2					6			
		7					3	
				9		5	1	

569

			4				6	
4	1	2		7			9	
				2	9		5	
9						6		
1	8						2	3
		7						4
	5		9	3				
	4			6		8	1	9
	7				8			

570

3								2
		8	2		1	7		
	2		6		9		4	
9			1	6	5			7
	1						6	
7			9	2	3			5
	3		5		2		9	
		6	8		7	5		
8								4

571

			1	3			8	
3	2	6		4			1	
					6		9	
4						6		
	5	2				7	3	
		1						9
	4		5					
	6			9		1	2	5
	8			7	1			

572

	5	4				9	3	
6	3			2			8	1
		6	3		9	8		
	9						7	
		2	7		1	3		
2	4			3			9	8
	1	7				4	6	

573

		1	7				5	2
2				1			6	
	3	8				4		
7		3	2					
					9	2		4
		5				8	4	
	6			9				3
1	4				8	7		

574

		9				6		
4			2		1			9
	3		8		5		4	
1		2	7		8	4		3
3		7	6		4	2		8
	2		5		9		1	
6			3		7			5
		5				7		

575

		4				2		
	1			5			6	
2			8		3			1
	7	2	3		5	6	4	
			6		4			
	6	8	1		7	5	3	
9			7		8			6
	3			4			9	
		7				8		

576

		7	4		6	1		
	3		7		2		4	
				9				
	7	1	6		5	3	2	
9				8				4
	2	3	1		9	5	6	
				6				
	8		9		7		5	
		2	5		8	6		

577

	1	5				8	4	
	8		4		2		3	
		6				7		
3			2	6	1			4
6			7	5	9			8
		3				4		
	9		3		8		5	
	4	1				9	7	

578

2		3		7		6		5
9	1						2	4
	4		5		7		6	
5								1
	3		9		1		7	
8	2						5	7
7		4		3		9		6

579

					2			1
3	2	5		4				8
			5	7				6
		8					1	
9		7				3		2
	4					5		
6				9	5			
5				1		8	9	3
4			8					

580

	7	3	1			5		
8			5				1	
		5					9	6
	3		2					
2								4
					1		7	
6	5					8		
	4				7			1
		9			8	3	4	

581

6	3			2				
	8		3	7				5
					4	7		
			7			8		
	2			6			1	
		4			9			
		9	5					
1				9	2		6	
				1			2	3

582

				8				
6		1				3		8
	7		1	3		2		9
			6			5	2	
	2						6	
	9	6			5			
5		3		4	8		9	
2		4				8		6
				6				

297

583

7				2				8
			4	5	7			
4	2		6		8		9	5
	4						8	
1								6
	5						7	
3	8		1		6		4	9
			9	3	2			
6				4				1

584

8	2	6				5		
7			1			2		
	6					9		4
		1	7					
2								3
					3	8		
4		5					9	
		7			9			6
	9				7	1	8	

298

585

9			6		1			7
6	8			2			3	5
3		6				4		2
	9	1				5	6	
7		8				9		3
1	7			3			2	4
4			7		8			6

586

						3		1
	7				6		4	
				4		5		8
9	3		2					
8				5				4
					7		9	5
1		6		8				
	8		3				2	
5		3						

587

	2	1		8	3			
	6							
					7			9
7					5	9		1
	8			1			4	
1		2	9					6
5			3					
							1	
			1	4		2	8	

588

8	2			5			6	4
	7		3		6		9	
	5	1				6	8	
6		2				3		9
	8	9				4	7	
	6		4		7		1	
5	1			8			3	7

589

		5				9		
4			2		1			5
1	3						7	2
	1			7			6	
2			6		5			3
	8			9			1	
8	4						3	6
7			1		6			8
		1				7		

590

			4				7	
		6		7	8			5
1		8		3				
					7		6	
		3		1		9		
	4		2					
				9		3		8
9			3	2		1		
	2				5			

301

591

7	2						6	8
	6	9				5	1	
			8		7			
		1	3		4	8		
			7		2			
		3	6		5	9		
			1		9			
	1	8				2	4	
4	9						5	1

592

		7	6		5	9		
	5						3	
1			3		2			8
6	9		8		4		7	2
3	7		1		6		4	5
7			4		3			9
	2						8	
		6	5		8	1		

593

	7		2		4		3	
	9						2	
4		1		5		6		8
		7		2		9		
			3		5			
		9		8		1		
2		4		3		7		6
	8						9	
	5		6		8		1	

594

		3						
	4	6		9	2			
					8			5
8					1		5	4
		9		4		7		
4	6		5					3
1			2					
			4	7		9	6	
						4		

303

595

	4	7	3		6	1	2	
	1		9	2	4		7	
7	8		4		3		5	2
4								1
9	5		7		1		4	6
	7		2	4	9		6	
	9	5	6		7	8	1	

596

			7			6		1
				6			4	
			1		3	8		2
9		8	4		1	7		6
	4						8	
6		2	9		5	4		3
7		4	3		6			
	3			5				
8		5			7			

597

		8	1		7	6		
2								8
	9		3		8		5	
1			4	7	3			5
		3				7		
5			2	8	1			4
	7		5		9		4	
9								6
		2	8		4	1		

598

			3	9	6			
3	6		5		7		9	2
	7						3	
6	3		8		2		4	9
9								1
1	4		9		3		8	6
	5						2	
4	2		7		9		1	3
			1	2	4			

599

			3			6		9
				9			1	
			6		2	8		7
7		4	1		6	9		3
	1						7	
8		9	4		5	2		1
1		3	2		9			
	2			5				
5		7			3			

600

		2	7		4			
				1			9	3
					9		4	
			2			7	6	
	8			4			1	
	4	6			5			
	9		5					
4	1			8				
			4		3	5		

601

1				7				4
		3	5		9	1		
	9						5	
4	2		6		5		9	3
			3		7			
7	3		4		2		8	5
	8						7	
		6	9		4	8		
3				2				6

602

2			6		5			4
		4				9		
	8		1		3		2	
6		5	3		7	2		8
8		7	2		9	5		3
	5		4		1		6	
		1				7		
9			7		8			1

603

				9		5	2	
3					8			
		6					1	
7			4			2		
	2	3		5		4	9	
		1			3			6
	5					9		
			7					4
	1	8		2				

604

5		3		2				
					8		4	
		6	3	4				2
	1				7			
		2		6		3		
			4				9	
8				7	5	1		
	7		9					
				3		5		6

605

	6				3			1	
		9	4		6	8		
7			8		9			2
5	8						3	7
		7				4		
4	2						9	1
6			2		4			9
		8	1		3	7		
	9			8			5	

606

		4	8		3	7		
2								3
	1		6		4		9	
8			4	7	5			1
	7						5	
4			9	6	1			8
	2		1		7		6	
6								9
		8	5		6	3		

607

								4
	6	3	4	9		5	7	
			7	6				
8				2		4		
		5	1		6	8		
		4		5				6
				7	2			
	5	8		1	3	9	2	
1								

608

	7			5	2			
	4			8		2	6	1
	9		1					
9						4		
	1	6				5	3	
		2						8
					4		8	
3	6	4		9			2	
			2	3			7	

609

2	5			1	7			
	7							
					9	4		
		3			6	7		2
	1			7			5	
6		7	4			8		
		6	8					
							3	
			9	5			2	7

610

				5	9	2		
			7			3		
6	7	2		4		1		
2							3	
4		8				7		5
	9							2
		1		3		9	8	6
		4			8			
		9	2	1				

611

5			9		2			8
		8				6		
	7		8		4		3	
		7	4	9	1	2		
9								4
		1	2	8	6	7		
	1		3		7		9	
		5				3		
2			1		8			6

612

	7	6				8	3	
		5	6		8	1		
1								4
	6			3			2	
		8	1		2	7		
	9			4			6	
6								3
		3	2		6	9		
	5	9				2	7	

613

	9	8				3	7	
			4		6			
4	1						9	6
		2	3		9	8		
			1		4			
		7	5		2	6		
5	8						3	7
			8		7			
	7	6				1	5	

614

8			2		9			5
				6				
		9	1		8	6		
7		3	9		4	1		8
	8			7			4	
9		4	8		5	3		6
		7	3		1	2		
				4				
1			5		2			3

615

5	9						8	3
	3	4		2		7	6	
8			6		2			7
	6						5	
4			9		5			2
	2	8		4		9	7	
3	1						2	6

616

				7	2		4	
7	3	8		5			2	
			8				1	
		2						1
	9	3				6	7	
5						8		
	5				9			
	8			1		2	3	9
	4		2	6				

314

617

8				3	2	9		
				8		2		5
	3		6					
	1				3			
		2		9		8		
			7				4	
					1		7	
9		5		2				
		4	5	7				6

618

6			7		4			3
	3		9		1		5	
		5				2		
	6	8	2		3	9	7	
	1	9	8		7	3	6	
		4				8		
	2		6		8		4	
9			4		5			1

315

619

		9			5			
							3	
				4	3		1	2
2		3			8	6		
	1			3			4	
		7	9			3		8
3	2		5	1				
	6							
			7			8		

620

9		3				5		1
	6		5		1		4	
	7						6	
		2		8		7		
	8		7		9		3	
		9		3		6		
	2						9	
	5		1		4		2	
1		4				8		7

621

	4				3		1	
7		6		4	8			
3		5						
	3				2			
		4		7		9		
			1				5	
						7		3
			7	9		4		6
	2		8				9	

622

	4	2				5	8	
	7	6	8	4				1
				5				
					5		6	2
2								5
1	5		6					
				8				
3				7	9	1	2	
	9	5				8	7	

317

623

	1		8		3		9	
		6	2		9	5		
3								7
8			6	2	5			9
		4				1		
5			9	1	4			8
6								2
		2	5		1	7		
	3		4		2		8	

624

4		9	2		3	1		7
			7	4	9			
6								4
1		5	8		4	3		9
		3				7		
9		7	3		1	5		8
2								1
			1	3	5			
5		1	6		2	4		3

625

				6				
3			2		1			8
	2		8		4		7	
5	1		3		6		4	7
		2		9		6		
7	4		1		5		8	3
	5		6		8		9	
1			5		9			4
				1				

626

	6						4	
		5	4		8	1		
4			9		6			3
7	1		3		2		6	9
9	2		6		7		1	5
8			1		5			2
		2	7		4	9		
	3						8	

627

	3			8		6	1	9
	1			4	7			
	5		6					
1						7		
4	6						2	8
		5						1
					2		8	
			1	3			7	
9	7	2		5			3	

628

			3				1	
9		6		8				
		2						7
	3		1					8
4		8		2		7		1
6					4		5	
5						6		
				7		8		2
	4				9			

629

2								8
8			5		6			4
	3	9				5	6	
	9			3			8	
1			9		2			3
	7			1			2	
	4	5				2	1	
6			4		5			7
7								9

630

5		6		4	1			
					9		7	
3								
	9				8	7	6	
4				6				2
	6	5	7				3	
								6
	8		1					
			6	2		5		4

631

			7		
1		6			
		9	2	4	8
7			1	4	8
	3	8	2		
8	1	5			6
4	2	3	8		
		9		5
8				

632

	4							
			1	6			
9		5	4	2	8		6
		3	9		7	
		9	4	7	5	
	5		6	3		
7		2	3	8	9		1
		1	7			
				3	

322

633

6			2		7			4
2	4						8	1
	3						9	
		2	7	9	1	6		
		4	3	8	5	9		
	2						6	
3	5						1	2
8			6		4			5

634

1		4		8		5		7
2	7						6	9
	4		8		1		2	
6								1
	8		6		9		5	
8	1						7	3
4		9		5		2		8

323

635

			9		1			
9		4				2		1
	5	7				4	6	
	6		4		5		8	
			1		2			
	9		8		3		7	
	2	3				7	9	
7		5				6		3
			7		6			

636

		9				5		
8	7						3	6
5			9		6			8
	8			2			9	
1			6		4			3
	9			5			6	
7			1		9			4
9	3						5	1
		4				2		

637

8	2			4			3	9
	6	5				1	2	
		4	9		7	2		
	1						7	
		8	1		2	3		
	9	7				5	8	
4	5			2			1	3

638

3	9			2			6	7
		8	5		9	1		
		4				5		
8				5				4
			1		2			
4				6				3
		6				4		
		2	7		6	3		
9	5			1			7	8

325

639

		6	3		9	8		
4			5		8			9
				6				
6		1	9		4	2		8
	2			7			9	
9		3	8		2	1		7
				2				
1			4		5			3
		5	1		3	7		

640

9								6
	2		8		5		9	
		3	9		7	4		
1			5	9	6			3
	8						7	
3			7	8	1			5
		1	4		3	8		
	5		1		9		6	
2								4

326

641

		8	7		6	3		
	1		8		4		2	
9								7
6			5	3	8			1
	3						5	
8			1	4	2			6
4								2
	9		3		1		4	
		6	4		5	7		

642

	7			1		3	4	5
	6				3			
	9		5	2				
5						1		
4	3						8	2
		6						7
				8	5		9	
			7				1	
7	4	8		6			5	

643

2			8		1			5
	3		9		4		1	
		1				6		
		7	6	1	9	2		
	4						8	
		2	7	4	8	9		
		3				5		
	9		1		7		6	
7			2		5			4

644

			8		4			
4	7						8	3
8		9				1		7
		8	6		7	9		
			5		1			
		6	2		3	4		
2		4				3		8
1	5						9	2
			9		5			

645

	4		2		9		1	
				8				
2			1		5			3
3	2		5		6		9	4
		8		7		1		
4	9		3		8		5	6
9			6		7			5
				5				
	7		8		2		6	

646

		9	3		4	5		
				1				
2			9		5			1
7		2	4		6	1		5
	4			9			8	
6		3	5		1	2		7
3			1		8			6
				4				
		7	2		3	8		

647

9		3				6		7
			7		3			
	4	7				9	5	
	7		2		9		4	
			1		5			
	2		8		6		3	
	3	8				7	6	
			4		1			
1		5				8		4

648

3	4		5		9		6	8
	5		7	2	6		9	
	2	5	9		4	6	8	
		4				2		
	8	7	2		1	9	3	
	9		6	7	2		4	
4	7		1		5		2	9

649

			9					7
		1		2	7	3		
		8				5		
	8	6		9				
	5	4	3		8	1	9	
				4		7	5	
		3				9		
		2	7	3		6		
4					2			

650

9	6			4	8	7		
4	2						5	8
				2				
3		9			5			
		5				9		
			3			6		5
				5				
2	5						9	1
		6	2	1			3	4

331

651

		2	7		3	6		
9								3
	6	3		4		7	8	
	4			5			3	
			1		8			
	3			9			5	
	9	4		2		5	7	
1								8
		8	3		5	2		

652

8	3	5		7			4	
			4	8			1	
					5		9	
7						5		
	6	3				2	8	
		4						9
	7		6					
	1			2	4			
	5			9		4	3	6

653

		3		6		9	7	8
		1	7					
		5		8	3			
1							3	
	4	8				2	9	
	7							6
			3	4		5		
					2	6		
2	3	9		1		7		

654

	5						6	
6			8		7			1
8		4				2		7
		9		4		7		
2			9		6			8
		7		5		3		
9		2				1		3
3			7		9			4
	4						7	

655

		9	7		4	6		
	1						2	
	5	8				4	9	
1			3	5	2			9
6			8	1	7			4
	8	4				2	3	
	6						4	
		3	9		6	5		

656

		3	1			7	9	
		2				3	5	
	5		9	2				
			2				8	
2	6						7	3
	3				1			
				9	5		4	
	1	9				2		
	7	6			2	8		

657

9			7		8			3
		3	4		2	1		
	1						6	
	5	9	6		3	7	4	
	4	2	5		7	9	3	
	8						5	
		6	9		5	8		
4			8		1			2

658

			9	4	3			
1		4	7		2	9		3
		3				7		
9		8	3		4	5		6
6								4
4		5	1		8	3		9
		1				2		
3		6	4		7	1		5
			5	1	6			

659

	2						8	
		1	8		9	6		
	8	9		7		4	1	
			9		7			
	3						9	
			1		2			
	9	5		1		2	6	
		6	4		3	7		
	4						3	

660

		4		9		2		
			1	8	7			
5		8	2		4	1		9
6								3
		2				4		
9								5
7		9	4		5	6		1
			9	6	3			
		3		7		5		

661

		6				2		
		3		1	5	7		
			9				5	
6		4		9				
2		8	7		6	3		9
				8		5		2
	8				1			
		1	5	7		4		
		7				9		

662

					4		1	
4	6	5		8			9	
			5	3			7	
		9						1
	2	3				6	4	
8						5		
	7			2	5			
	5			1		9	6	2
	8		9					

663

				2				
2			3		7			8
		7	6		4	3		
9		8	7		2	6		5
	1			3			4	
7		2	4		5	8		9
		1	8		6	9		
5			2		1			6
				4				

664

				7		4		9
						6		3
	8		6				7	
			8				6	2
1				3				7
3	2				5			
	1				4		5	
9		6						
7		3		1				

665

	5						9	
2			5		3			1
6	1			4			5	3
			1		9			
	3						7	
			3		4			
9	2			1			3	8
4			6		7			2
	7						6	

666

8								3
	3		4		1		7	
	9	5		7		6	4	
		9		4		1		
			3		8			
		1		5		4		
	1	2		9		3	6	
	7		1		6		2	
5								1

667

		9	7		6	4		
	5			8			9	
6								7
2	6		3		5		8	4
			8		4			
7	4		6		1		5	3
8								2
	1			3			4	
		2	5		7	1		

668

5								7
	4		8		7		5	
	8	3				2	4	
		8		5		7		
	3		6		8		9	
		7		1		4		
	9	5				3	7	
	6		7		9		2	
1								6

669

		5	7	6			4	
				3		1	7	
6					2			
					8			2
	9			1			3	
4			6					
			5					8
	3	7		9				
	1			8	3	9		

670

1			2		8			6
2	7						3	8
		6				5		
	2			3			9	
8			6		9			7
	4			5			2	
		2				3		
4	1						7	9
3			9		2			4

671

	8		6		3		1	
	5	2		9		8	7	
		3				6		
			1		2			
		6				2		
			7		9			
		7				4		
	2	4		1		9	3	
	9		2		4		8	

672

3	2						9	5
		6	5		9	1		
		7				6		
	8			4			7	
		4	3		7	2		
	3			2			6	
		8				3		
		9	1		5	8		
5	1						4	7

342

673

				7				
1		8				6		7
5		9	6	8			2	
	2	7	5					
	1						7	
					7	5	1	
	4			9	3	1		2
7		3				9		6
				6				

674

7		4				2		8
8			7		1			6
	6						1	
		1		9		8		
4			3		7			5
		7		6		1		
	9						3	
3			1		5			2
5		6				4		1

343

675

	2						5	
1			6		2			8
5	7						1	4
		3	1	8	4	6		
		2	7	3	9	5		
7	8						6	5
6			9		5			2
	3						4	

676

			1		3	9		8
				8			3	
			9		6	2		7
9		1	2		5			6
	5						9	
6			3		4	1		2
1		8	4		9			
	6			3				
3		5	8		7			

344

677

	3		4		8		7	
	7	2		6		8	9	
7	2						6	3
1		3				5		9
5	6						8	4
	1	6		2		4	3	
	8		9		3		5	

678

		6				5		
	3		8		2		6	
7				1				3
5		7	1		8	6		9
			5		7			
8		1	9		3	2		7
4				5				8
	7		2		9		4	
		2				9		

679

			5				4	
				9	6		2	
8	2	5		3			7	
2						4		
3	1						5	9
		6						2
	7			4		1	6	8
	6		2	7				
	3				1			

680

		4						6
				1		8		7
	2		5					
		1	2				5	
4		2		6		9		1
	3				9	7		
					8		9	
1		6		4				
7						3		

346

681

★★★

			4			1		
5							9	
8	3			7				
		9	1				5	
7	2			3			1	8
	8				2	6		
				8			4	5
	7							3
		2			6			

682

		7	4					
							8	
			9	3			5	2
7		2	6			4		
	1			2			3	
		8			7	2		5
5	3			1	2			
	2							
					9	6		

683

		1				9		
	8		4		9		2	
3			6		5			7
8		7	9		6	3		1
5		3	2		8	6		4
2			5		1			9
	3		8		4		7	
		4				5		

684

				3				
6			1		8			5
		1	5		9	7		
8		6	7		3	2		9
	3			4			5	
1		7	9		2	6		8
		8	2		4	9		
4			3		1			2
				9				

685

				8		7	5	
	4			3	7	2		
3			9					
			6					9
		1		5		8		
2					3			
					4			6
		5	8	6			1	
	7	8		1				

686

5	2						1	9
			9		5			
	6	8				3	2	
		5	7		4	6		
			1		9			
		3	8		2	4		
	7	1				5	6	
			3		6			
6	8						3	7

★★★

687

		1	5		8	3		
	9						2	
2			4		7			1
8	7		1		9		6	3
3	1		8		6		7	4
5			6		3			9
	6						5	
		4	2		5	7		

688

9								4
		4	6		5	7		
	7			8			2	
4	3		8		6		9	2
			9		2			
5	2		3		7		6	8
	6			9			1	
		1	5		3	2		
3								5

689

	5	3			7			
9				3				
	8	4	6		5			
	3	7	5		9	4	1	
4								9
	6	9	2		1	8	3	
			3		6	9	7	
				2				6
			7			2	4	

690

		1		3	4	2		
		6				7		
4			8					
	6	4		9				
	8	2	1		7	9	6	
				8		5	7	
					3			9
		8				1		
		5	4	1		3		

★★★

691

9	6			1			4	3
	5		7		6		2	
	3	6				8	1	
5		7				4		6
	2	9				5	3	
	8		9		2		6	
2	7			3			8	1

692

8	5		2		4		7	1
	2		6	9	7		4	
	1	6	9		3	4	8	
		5				9		
	9	2	4		5	7	1	
	4		7	6	9		5	
5	6		3		2		9	4

693

	9		4		2		5	
		6	1		9	2		
				3				
	4	5	7		1	6	2	
9				8				3
	1	7	3		6	5	4	
				1				
		1	8		7	4		
	7		2		3		8	

694

		9	4				7	
4						8	3	
2	1		7					4
					7		1	
		5				6		
	2		5					
3					9		6	2
	4	8						9
	6				1	7		

695

	8				6			3
		6					7	2
5		1			3	6		
1					4			
	4						9	
			3					5
		2	8			1		9
6	7					8		
9			5				3	

696

	9	1		5		4	2	
	8		2		4		1	
		4				6		
			5		2			
		2				7		
			6		1			
		7				9		
	5		7		9		8	
	6	8		1		2	3	

697

								9
				2	5			
	8	2		6	9	5	4	
	9			4				2
	4		2		1		7	
7				3			9	
	7	4	8	1		3	6	
			3	5				
1								

698

1		7				8		5
				5				
4		6		7	8		3	
	3	5			4			
	1						5	
			5			4	1	
	9		2	6		1		3
				8				
5		2				6		8

355

699

9			1		8			4
	7	3		2		5	8	
1								6
		5		7		6		
			9		2			
		6		1		4		
6								7
	3	4		9		8	1	
5			3		7			2

700

		9	1		2	5		
	6		7		8		3	
1								8
4		8	5		7	1		3
3		2	9		4	7		6
9								2
	5		8		9		7	
		6	4		1	3		

701

				7				
4			5		2			8
		7	4		8	1		
7		4	6		5	3		1
	9			8			5	
1		3	7		4	6		2
		6	9		7	2		
9			2		1			3
				5				

702

8				3	6			1
			1			9		
7								3
6	5			9				
2	7		4		3		5	9
				7			4	8
5								4
		6			7			
3			6	1				2

703

			7		9			5
	1	2		8				
		9			2			
7		3	5					
		8		9		4		
					6	9		3
			6			2		
				4		8	9	
6			9		1			

704

7			4		8			9
		5				7		
	9			1			6	
	3	7	1		4	6	5	
			5		6			
	6	8	3		9	1	4	
	4			5			2	
		3				8		
2			8		3			6

705

			5	3	8			
3								7
8		9	4		1	5		3
5		4	3		6	2		9
		8				4		
6		2	9		4	8		5
4		3	1		7	9		2
9								1
			2	4	9			

706

		5	1		2	3		
	3						6	
8				9				5
2	9		5		7		1	8
			8		6			
6	8		2		9		3	7
4				6				2
	1						7	
		8	7		1	4		

707

9					3	2		5
	1	7						3
		2			8		4	
					4	8		
	6						2	
		5	6					
	3		7			4		
7						9	1	
5		8	4					7

708

6		3		9		2		1
	4		7		6		8	
	5						7	
		4		7		5		
			8		9			
		5		1		3		
	1						5	
	9		2		1		3	
7		6		8		4		2

709

				3	9		6	8
		4			5	3		
							1	9
		1	4					
8				9				3
					2	7		
7	1							
		8	1			2		
6	9		5	8				

710

4					8			7
				7	1	3	5	
						2	8	
2			4					
		9		5		7		
					6			8
	8	5						
	3	7	5	9				
9			1					6

711

	6		5		4		7	
3			8		6			4
				9				
1	8		9		3		5	7
		6		2		9		
7	5		1		8		4	3
				8				
8			2		1			5
	1		4		9		2	

712

		4	8		2	6		
	9			4			5	
3			7		1			9
1	7						9	8
		6				1		
5	4						2	6
6			4		9			7
	3			2			8	
		9	1		3	4		

713

3				7	1	6		
	7		8					
				2		1		9
	6				7			
		5		9		2		
			4				8	
1		2		5				
					3		4	
		9	2	4				5

714

			2					7
		2	9		1			
				4			9	3
					2	6		9
3				9				4
6		5	8					
7	1			3				
			5		9	8		
9					7			

715

			4				
	3		8		1		2	
9			3		6			8
7	6		9		4		1	2
		3		5		4		
2	1		6		7		8	9
6			7		5			1
	7		4		8		5	
				6				

716

5		8	3		4	2		6
			5	6	8			
3								8
1		7	8		6	5		9
		6				7		
8		5	2		9	6		1
4								2
			1	2	7			
2		1	6		3	8		7

717

			9	5	6			8
1			9	5	6			8
9		8	4		3	1		5
2	8		3		9		5	7
	9						1	
7	6		1		8		4	9
6		7	8		4	2		1
8			6	9	5			4

718

		9				6		5
8				1			7	
5	2		6			4		
			1			3	5	
	4	7			3			
		2			4		3	9
	3			2				8
7		6				5		

719

5			8		7			4
		8		9		5		
	4		6		3		9	
	7	2				3	8	
8								1
	3	1				4	5	
	5		9		2		7	
		9		3		8		
6			1		5			2

720

5	2						1	8
		3				9		
8			5		9			3
	9			4			8	
2			6		5			7
	5			3			9	
6			9		7			1
		4				6		
7	3						2	9

721

			7	5	1			
	4			9			8	
9	7		4		8		5	6
6								9
	8						4	
2								3
7	3		8		6		9	1
	6			1			2	
			9	3	2			

722

			4	7				9
9	8	1		2				7
					8			3
		4					9	
5		6				3		8
	2					4		
2			5					
7				3		1	5	4
4				6	9			

723

9		5		6	7		1	
				2				
6		4				2		7
			2				4	5
	4						2	
2	1				5			
8		2				7		9
				7				
	3		8	9		1		4

724

						3		
4	1			3	7		6	5
				9	4			
		8		5			2	
	6		3		8		5	
	2			4		6		
			9	8				
9	5		2	1			7	8
		2						

725

	9				4		5	
						4		2
			5	7	6			8
	2		9					
1				6				5
				3		4		
5		8	6	1				
6		4						
	1		7				3	

726

8		3				2		9
	4						7	
	6		3		8		4	
4				9				2
	9		2		7		5	
7				5				1
	1		6		3		8	
	2						1	
5		7				3		6

727

		8	7		5	4		
4			6		3			9
	9						2	
8	1		4		2		3	5
6	3		5		1		4	8
	7						1	
2			1		8			7
		3	9		7	6		

728

5		1	3	4		7		8
			5	2				
							4	
		9		5			7	
		7	6		4	8		
	6			8		9		
	9							
				6	2			
2		8		1	9	3		6

729

	2	6		1		4	9	
	9		6		7		8	
8	1						4	9
2		3				8		5
7	6						1	3
	3		8		2		6	
	8	7		4		1	5	

730

		8				3		
					4			9
		1	7	3		4		
				8		1	6	
	8	5	3		6	9	2	
	2	7		9				
		3		4	7	5		
7			8					
		2				6		

731

		8				7		
		4	6	2		9		
	6				3			
				3		1		7
3		9	7		4	5		8
8		6		5				
			2				5	
		1		4	6	2		
		3				4		

732

4								1
9	2		6		5		7	4
			9	4	7			
7	5		8		4		3	2
	9						5	
8	3		5		2		9	7
			2	5	3			
5	4		1		6		2	3
2								6

733

		6				7		
9	5						2	8
	7		2		5		1	
3				9				2
	8		7		3		5	
2				6				4
	4		3		2		9	
8	3						4	1
		9				2		

734

	3	7		2				
2					9			1
	5	8						
			4			6		5
		2		3		7		
6		3			1			
						3	5	
4			5					7
				7		8	9	

373

735

	9	2				3	8	
4								1
		7	2		3	4		
	2			8			6	
		3	4		6	9		
	5			1			2	
		8	6		2	5		
2								8
	7	5				6	9	

736

2		8		5		4		7
	1	6				9	8	
	9		5		4		7	
		4				1		
	2		1		6		5	
	8	3				5	4	
9		5		2		7		6

374

737

	9	1		7		8	5	
3			4		5			2
4								6
		6		4		2		
			3		7			
		8		9		6		
6								9
8			1		9			7
	1	2		3		5	4	

738

7	5						1	
				1	9			7
9	6				4		5	
3					1			
6		5				1		2
			4					5
	3		1				2	6
8			7	9				
	1						9	4

739

1					3				9
	6			2		5		8	
		7		6		9	2		
3		1					7		6
	5							1	
4		2					3		5
		9		3		8	4		
	4			7		1		2	
2					9				1

740

					7		8		6
	1					5			
		3		6	1				4
						9		5	
2					8				7
	4			1					
8					9	7	2		
				3					9
7		6			2				

741

		1			5			9
	3				6	1	7	
2		4					6	
					9	5		
8								1
		7	8					
	4					3		2
	7	5	9				4	
6			4			9		

742

				6	1			
	1	3		4	7	2	6	
7								
		7		8				9
		9	6		5	3		
6				3		7		
								5
	8	4	2	5		9	3	
			8	1				

743

5		4	3		2			
	6			1				
7		1	5		9			
		6	1		3	8		4
	7						2	
4		2	8		7	6		
			4		1	5		2
				5			1	
			2		6	9		8

744

		7					2	
			8					6
	9	5		3				
	5				1			4
	1	3		7		2	6	
8			6				3	
				2		3	7	
1					9			
	4					5		

745

	8	3	6		2	4	7	
		2		8		6		
			5	4	3			
	7						8	
		6				2		
	9						1	
			9	1	8			
		7		5		9		
	3	1	7		6	8	5	

746

2			1					3
						4	6	
			6	3		9	8	
4					2			
	8			6			3	
			7					5
	9	6		8	1			
	5	4						
8					4			7

747

	6				3	7		
	4	1						3
3					6		2	9
	2		6					
		5				8		
					8		9	
9	5		7					4
7						1	3	
		6	2				5	

748

	8						7	
9			7		2			6
		4	5		8	1		
	3	7	2		1	8	6	
	6	5	3		4	2	9	
		9	8		3	6		
1			4		7			2
	4						5	

749

		1	4		3	8		
	5			6			4	
9			8		1			2
5	8						9	3
		3				2		
2	6						1	7
8			3		9			4
	7			1			8	
		2	6		5	1		

750

			6		1		8	9
					9		2	3
				2		6		
6	8		7		2		5	1
		3				8		
1	9		8		4		3	7
		8		1				
4	1		9					
5	3		4		6			

751

7								3
		9	8		7	1		
	2		6		1		5	
5			1	9	4			8
	4						9	
8			2	6	5			1
	6		5		9		3	
		7	4		6	8		
2								6

752

				2				
2		8				4		5
3		1		8	4		7	
			6			5	3	
	5						1	
	1	6			5			
	3		2	9		8		6
5		2				9		1
				5				

382

753

		9	3		6	4		
6								9
	1		9		7		5	
5		2	4		8	3		6
8		3	6		2	1		5
	8		2		9		3	
4								7
		7	5		1	8		

754

	8			2			5	
2	7		5		4		3	9
			8	3	7			
7								5
	1						4	
3								8
			2	6	9			
5	6		4		1		9	7
	4			7			1	

383

755

4								1
	5	9				2	7	
8			9		5			4
		4		2		7		
2			1		7			3
		1		3		6		
6			5		8			9
	1	3				8	5	
7								6

756

5				6				7
	1		3		8		2	
		8	4		5	3		
3	9						1	6
		1				4		
2	4						7	8
		3	7		6	1		
	5		2		4		8	
8				3				9

757

			1		7			
4	2						1	8
	5	1				2	7	
8			9		2			1
			3		4			
7			6		5			9
	6	8				3	4	
5	1						6	7
			8		3			

758

3								1
1			8		5			2
	9	6				5	8	
	6			9			1	
4			3		6			9
	7			4			3	
	2	5				3	4	
8			5		2			7
7								6

759

		6		8		1		
	3						7	
1			4		5			3
	6	7	5		8	9	3	
			6		7			
	8	5	1		9	6	4	
6			9		4			2
	4						9	
		2		7		5		

760

4				6				8
5	7		8		4		6	1
			1	5	2			
	6						7	
8								4
	9						3	
			6	9	3			
6	2		4		7		1	9
3				2				7

761

	3	5	7		2	8	4	
		4	1	8	5	3		
1		9	3		4	5		2
5								4
3		6	5		7	9		8
		3	8	5	1	2		
	9	1	2		3	4	6	

762

				5				
	6		1		8		7	
		4	9		6	8		
	9	2	5		4	7	1	
6				3				5
	1	7	2		9	4	8	
		9	3		2	1		
	2		8		5		3	
				9				

763

			3			9		
5				9	6		8	
6	4			8				
		2	1					
8				5				6
					9	7		
				6			5	4
	3		4	1				2
		1			7			

764

		9	7		5	2		
3				9				8
	4		6		1		3	
1	6						5	3
		2				6		
9	8						2	7
	2		3		9		1	
4				7				5
		3	4		6	9		

765

			1				5	
6		9		3				
		2		5	9			7
					5		2	
		3		6		4		
	1		8					
4			3	8		6		
				4		3		9
	8				7			

766

6		8		7				
		5						9
					2		3	
	9				3			5
1		7		6		8		3
8			1				4	
	1		4					
7						6		
				8		5		2

767

			3	5				
	7							
3		6	7	1		4		5
	5			6		7		
		8	9		5	6		
		7		2			8	
2		1		9	4	8		6
							9	
				3	2			

768

7			9		3			8
	8			6			1	
		5				7		
	2	7	3		6	1	5	
			1		5			
	1	9	8		2	6	3	
		2				9		
	3			5			4	
4			2		9			1

769

			4	2	3			
3		5	1		7	6		2
7				5				1
		6				5		
1								7
		8				9		
6				4				8
9		3	6		1	4		5
			8	9	5			

770

		5	9		3	2		
	1	3		5		7	6	
2								4
	3			6			9	
			4		2			
	9			3			7	
9								6
	2	1		7		9	8	
		8	1		9	5		

771

		4	9		8	6		
7		8		3		1		2
	8	2				3	5	
4	9						1	8
	7	6				2	4	
6		9		2		5		3
		5	7		6	8		

772

	5		6		8		9	
4								3
		6	3		2	1		
2			7	1	6			5
	1						7	
6			5	8	9			2
		2	8		7	3		
8								9
	4		1		5		8	

392

773

9	7			4			1	2
	1		9		6		3	
	9	6				5	4	
5		7				8		3
	4	3				1	2	
	5		3		7		9	
6	3			2			8	4

774

	7	3	4		5			
	9	1			3			
4				9				
	6	5	2		9	4	7	
7								1
	1	2	7		8	5	3	
				5				7
			3			8	5	
			8		4	6	1	

775

5			9		6			1
		7				4		
	4		3		8		5	
	1	5	6		2	8	3	
	6	8	5		7	2	1	
	9		2		1		7	
		2				9		
3			4		9			8

776

		6		2	7			4
	2		5					
				6		9		7
	3				2			
7				4				6
			8				1	
9		4		7				
					3		8	
1			9	8		5		

777

	4						3	
		3	6		7	8		
8				9				2
2	7		5		8		9	6
			4		2			
5	3		9		6		2	4
6				4				1
		1	7		5	2		
	5						7	

778

				9		1		5
	7				2			
		9	5	7				3
	4		7					
5				3				9
					8		6	
6				8	1	2		
			4				8	
1		3		5				

395

779

	7	5		6	4			
6					9			8
	1	9						
			8					1
	6			5			3	
9					2			
						9	5	
2			4					3
			5	3		7	6	

780

					9		3	
9	6	8		1			7	
			4	5			6	
		6						3
	2	1				5	9	
4						6		
	4			7	6			
	7			3		8	4	2
	1		2					

781

3		4	9		5	1		8
			4	1	8			
		1				7		
5		8	2		1	3		6
4								5
6		2	5		3	8		4
		3				9		
			3	5	6			
1		5	7		9	6		3

782

		5	8		2	4		
	1	8				5	9	
4								2
	8			4			2	
		1	3		8	7		
	2			6			5	
6								3
	4	7				2	1	
		3	2		7	9		

783

5		9		8				
			4				3	
2						1		
	1		3			2		
8		6		9		3		5
		5			6		7	
		8						9
	6				7			
				5		4		2

784

3		5				6		7
8			7		3			9
	9						2	
		3		6		4		
7			4		9			5
		1		2		3		
	3						6	
6			3		4			1
1		8				5		4

785

1		3		7				
		9						8
					6		5	
	6				5			7
2		7		9		8		5
3			2				4	
	2		1					
4						3		
				8		7		9

786

							3	
9					5			
			8	4	6	1		
6		9			7			5
	2			6			8	
3			9			1		6
	8	1	6	2				
			4					7
	6							

787

		6	2		4	3		
4	5			7			9	1
		8				2		
	8			1			5	
			3		7			
	6			2			8	
		1				8		
2	4			3			6	9
		7	9		1	5		

788

5							6	
				7			2	8
		3	1					
6			3			5		
3	2			8			7	9
		4			9			2
					4	9		
1	6			2				
	8							7

789

		6			4	2		
				2	8		1	5
							3	4
					9	4		
	7			5			2	
		3	6					
4	5							
1	2		5	7				
		7	8			9		

790

			3				8	
				9	4		1	
3	7	4		5			2	
5						4		
	6	9				7	3	
		2						8
	4			8		2	7	6
	1		4	6				
	5				2			

791

7			4		6			1
		6	8		5	2		
	3						6	
	1		3	6	8		9	
		4				5		
	8		9	5	4		1	
	7						2	
		3	6		9	8		
5			1		7			9

792

1	4			6			8	5
	3		8		9		6	
		7				3		
9				1				8
			3		7			
4				8				9
		1				9		
	6		9		5		2	
2	9			4			5	3

402

793

	8	7		2				
			7		9			5
	3		5					
1	7				5			
	2			7			8	
			6				1	4
					3		7	
6			4		7			
				8		9	3	

794

		4		3	6		8	
	7	6		8				
			1					3
9			2					
		8		4		6		
					3			5
2					5			
				6		7	4	
	1		7	2		9		

403

795

						8		
5	7			8	2		4	3
				9	7			
6				7		3		
3			8		1			4
		1		4				6
			9	1				
4	9		6	5			1	2
		6						

796

	2						5	
	1		8		6		2	
8		6				9		4
		2		9		4		
	9		4		5		3	
		5		3		7		
5		3				1		8
	7		1		8		6	
	4						7	

797

	7		3		6		9	
		3	9		2	6		
				4				
	4	8	2		1	5	6	
1				7				4
	6	7	4		8	1	3	
				5				
		1	8		9	2		
	8		1		3		5	

798

		4				5		
8			4		9			7
	1		6		5		4	
	7	8	5		3	2	6	
	6	5	1		2	8	3	
	2		8		7		9	
6			3		4			2
		9				1		

799

		1				2		
	3	5		7		6	9	
	6		2		1		8	
			9		7			
		2				5		
			8		5			
	7		5		4		6	
	5	4		8		7	1	
		9				4		

800

	5		6					
	3			1		7	4	6
	4			8	9			
5						4		
	6	8				1	2	
		4						9
			4	3			9	
2	9	7		5			3	
					2		1	

801

8			1			2		
	6				4		7	
3					2	9	6	
						5	9	
1								3
	2	4						
	7	8	3					6
	3		4				8	
		1			6			2

802

				9				1
							5	4
			3			9		7
	7		5			1	9	
		5	2		7	6		
	8	1				4		3
8		7			2			
5	6							
4				8				

803

7	9							
			9		6	1		
	8	4					2	
				6				7
		2	1		8	3		
6				7				
	3					4	9	
		1	2		5			
							8	1

804

		5				4		
2			5		6	3	7	
1				2	4			
5	9				1			
		8				1		
			8				4	6
			4	6				7
	4	1	9		7			8
		3				6		

805

	5		9	8				
8								2
	7		4		5	9		6
					6	4	3	
6								7
	8	9	7					
2		5	3		8		1	
9								3
				1	9		6	

806

1	4			9			7	
	6							9
			5			3		
		2	8		9			
	9			6			4	
			4		3	7		
		8			7			
5							2	
	2			4			1	6

807

		6			5		4	2
					6	7		
5				9				6
8	3		4					
		9				5		
					7		2	8
9				6				4
		4	1					
7	1		2			3		

808

8	9		1			2		
		6	8					
	3			5			6	
					9		4	1
		3				7		
2	4		6					
	7			3			5	
					5	9		
		5			7		1	6

809

				9	3		5	
4								9
7		3	5		2		6	
	1	2	7					
6								7
					6	3	9	
	8		9		1	5		4
1								3
	7		3	8				

810

			6					
		3		9	2			
	7	4						9
	6			7		4		
	3		1		8		9	
		8		3			1	
8						7	4	
			2	8		5		
					5			

811

5	8				4		3	
		9	1					5
		1	3					
				3	6		1	7
9	1		5	8				
					5	6		
6					3	9		
	9		4				2	8

812

5			8		6	9	3	
	2						4	
8				2	9			
2		9			5			
	3						5	
			3			6		7
			9	1				3
	9						7	
	4	8	2		7			1

813

5				3		7		
	7				8			
2	4							6
		6		7		2		
			8		9			
		1		4		9		
3							2	4
			9				8	
		7		6				5

814

					6			9
		9		2			8	
	7						4	3
		4		9		7		
			6		5			
		5		3		1		
4	3						2	
	8			7		9		
6			5					

★★★★

815

					5			
		3		7	4			
						8		
	7						5	4
	8			1			2	
9	6						3	
		4						
			8	2		6		
			9					

816

	3	5	2				4	
		1	6					
8				3		7		
1		9	8					
	7						3	
					5	4		7
		6		4				5
					9	8		
	8				2	9	7	

414

817

			5			8		
	2			7		9	5	
8		6	2					
		8			7	2		5
2								1
5		4	6			3		
					3	1		7
	9	7		6			3	
		5			4			

818

		5						1
7		2		9		4		
					4		8	
			3		9		6	
		9		7		2		
	1		2		8			
	3		6					
		6		2		5		4
9						7		

819

6		9	7					
			1			3		
	7			5		6	4	
		7			5	1		3
9								8
3		8	6			2		
	3	4		6			8	
		2			3			
					8	5		2

820

	5	9						
4			1					7
6			8				3	
2					3	7	1	
			7		6			
	7	3	9					2
	9				5			3
5					1			6
						1	5	

821

	8	5						
4					5			8
3					8		6	
	5	1			3			2
			1		4			
2			6			3	1	
	3		9					4
1			5					7
						6	8	

822

2		6						3
			9		4	5		
8	5							
				1			7	
		3	5		8	9		
	1			7				
							1	2
		5	2		7			
9						6		8

823

4	7				6	1		
		2			1			
1				3				6
			7				9	5
		6				3		
5	4				2			
7				1				3
			8			7		
		9	4				8	2

824

	7	2				9		
			3		5		4	
6		3						
				5				6
	9		4		2		8	
5				6				
						2		4
	4		9		1			
		8				3	7	

825

	7	4						
			7		9			6
5	1						3	
		9		4				
3			6		1			8
				9		4		
	8						7	5
6			3		2			
						6	1	

826

6					9	3	7	
					7			8
		8		2		5		
					8	1	6	
4								5
	9	1	3					
		2		5		4		
3			2					
	8	9	4					2

419

827

	2			1				4
6						5		3
					8	9		
	7			3			8	
			8		9			
	1			2			5	
		2	9					
5		3						1
4				6			2	

828

			8					
		9						
			4	2		3		
5							9	1
4				6				2
3	8							7
		7		5	9			
						4		
				1				

829

	9				3			
					6	9	5	
3	7			2				6
	4				5	3	8	
		1				6		
	6	3	2				9	
4				5			2	7
	1	2	4					
			8				3	

830

		5		4				7
	7				6			
	9	3				1		
2				9				8
			6		8			
1				7				3
		4				9	3	
			8				6	
7				1		5		

831

					6			
2		4					3	
6			1	3				
4				2		8		
		9	5		3	7		
		5		7				3
				9	1			7
	9					2		4
			8					

832

					4	7	8	
2					1	3		9
	7	9		8				
	8					9		4
4		1					2	
			9		2	1		
3		2	5					7
	1	5	6					

833

1					6			
					7	1		2
5	6			3			7	
7		6	3					1
		4				7		
9					2	6		8
	9			2			5	3
4		3	9					
			8					6

834

	5					9	7	
					6	2		
4				8			1	
3				7				6
			6		2			
8				4				9
	1			5				4
		4	2					
	9	7					8	

835

		3						6
			8	4	7			
					5			
							9	3
2				1				8
4	5							
			3					
			9	2	6			
7						4		

836

			4	5				1
	4						6	
	9	2	8		6			5
8		4			3			
	1						3	
			1			7		6
3			2		7	4	1	
	8						9	
2				8	4			

837

			5					
3							6	
			4	7	9			
						2	3	
	1			8			7	
	5	4						
			1	3	6			
	9							5
					2			

838

	1	9				7		
		3		5				6
	4		8					
1				6				5
			4		8			
8				9				2
					4		6	
6				7		3		
		5				1	9	

839

			1	4				2
		4					3	6
					8			
6				3			8	
	4		9		7		2	
	7			2				9
			5					
3	6					9		
5				9	1			

840

2					3	5		
	9	8						
4					1			6
	5	6			9			7
			2		6			
7			5			1	6	
8			1					2
						8	1	
		9	8					5

841

			9	8			3	
	4							
					4		7	8
5				6		9		
4			3		8			2
		1		4				5
1	3		7					
							2	
	7			2	6			

842

8	6		7					5
	3		1					
		4		8			2	
					6	2	5	
2								8
	9	3	4					
	1			5		6		
					9		4	
4					7		9	2

843

					6	7	3	
				7		5		
						4		2
9	8		4					3
	2		6		3		4	
1					5		8	7
4		5						
		8		9				
	9	3	1					

844

	6				1		7	
		9			5		3	
						2		4
6		1	9				8	
			3		6			
	8				4	6		9
1		2						
	9		2			4		
	3		1				2	

845

			6	3		7		
	6						4	
9	1		5		4	3		
6		5			2			
	7						2	
			7			4		8
		2	9		8		7	6
	5						1	
		9		5	6			

846

8			5		9			
		7				3		6
						9	2	
	2			5				
4			3		8			7
				2			5	
	8	3						
6		9				4		
			1		7			8

847

9					8	6		
7	5		9			4		
	3		2				5	
							9	2
		4				8		
1	7							
	6				2		4	
		5			4		3	6
		9	5					8

848

5			8			6	9	
		6	4			3		
1					2		8	
						9	7	
2								5
	4	8						
	2		6					8
		5			4	1		
	1	3			5			6

849

	1				7	2		8
7				3				1
					1		5	
4		6	2					
	3						7	
					5	8		4
	2		9					
3				1				2
5		9	8				6	

850

4		8	9					
7	6							
1				4				
	4	3	1				5	
		7	8		9	6		
	8				7	3	2	
				2				3
							7	1
					5	2		8

851

				1		2		
						7	4	
			3			9		1
2	6				7		3	
4			8		9			5
	9		4				1	2
9		6			8			
	5	4						
		7		6				

852

	1	2						
			7		3			2
9	8						4	
		6		5				
4			2		1			7
				6		5		
	7						1	9
2			8		5			
						6	8	

853

4		1	8					2
	9	7	6					
				9		4	7	
6		4					9	
	2					8		6
	8	2		4				
					3	5	8	
7					5	2		1

854

			6					
	3		9	8				
							1	
5						6		3
8				4				9
7		1						2
	9							
				2	1		5	
					7			

855

					6	4		
	6		1				2	8
8					4	9		
				2	8		4	9
5	4		3	6				
		9	6					3
2	7				1		9	
		3	8					

856

		8			3			5
	5		4			2	1	
					6			8
	9	5	6	2				
				3	8	7	9	
9			3					
	2	6			4		3	
5			9			6		

434

857

	8			4	7			
					9			
							5	
5		6				3		
		4		2		7		
		1				8		9
	7							
			6					
			5	3			1	

858

			9	5	3			
		2						7
			1					
							8	2
6				4				3
5	1							
					2			
9						5		
			7	6	8			

859

		6	8				5	
7						1			4
		8			4		7	2
9	3							
		4				5		
							1	6
8	9		6			4		
2			1					8
	6				5	7		

860

	1							
			7	8			4	
			2					
2		4				6		
		7		5		8		
		3				9		1
					9			
	6			3	1			
							7	

861

	1			9	4			
6	7					9		
			5					
5				6			7	
1			3		8			9
	8			1				3
					2			
		8					6	7
			4	8			2	

862

			5					
	1			8	3			
4	2					8		
5				4			2	
1			7		9			8
	9			1				7
		9					4	2
			3	9			6	
					6			

863

		2			1	3		
7			9				4	
8					4	2	6	
						6	5	
9								8
	1	4						
	7	3	8					2
	9				2			4
		8	1			7		

864

4			7	1				
			5					
								9
	8					5	4	
	1			2			7	
	3	9					6	
7								
					3			
				6	9			8

865

	2		9			7		
	6				7	4		3
3					8			1
7		8						
	9						6	
						5		4
6			8					2
1		2	6				3	
		9			3		7	

866

	9			6			3	
		3	9				5	8
			3			4		
2	7				8			
		6				9		
			4				7	5
		8			1			
1	4				5	2		
	6			3			8	

867

		7	4					
	1							5
5				6			9	3
			2		6	4		
8				9				6
		5	8		7			
6	3			8				4
9							8	
					1	2		

868

3							4	
	4			8			1	7
		6			5			
		4	6		2			
	2			7			8	
			8		9	5		
			3			9		
1	8			2			5	
	7							2

440

869

7	6							
			9		1	6		
5		8						3
	2			4				
		3	6		7	9		
				2			4	
9						8		7
		6	5		4			
							2	5

870

	3			1			7	5
2							9	
		8			3			
			7		8	2		
	7			5			1	
		6	4		1			
			6			4		
	5							1
3	9			7			6	

871

							3	
	2				1	7		
	5	1	3					
7					4		6	
		8	1			2	3	
		6			3				9
						5	9	2
			4	8				5	
	8							

872

5					3		6	
	3	2						
4					2			3
9			6			5	1	
			1		4			
	2	1			5			9
1			2					7
						6	3	
	5		8					4

873

				3	5	7		
		2						
					8			
	1						6	2
	5			9			3	
8	7						4	
			6					
						5		
		4	2	1				

874

	9					3		
	1	8		6			9	
			4					2
4			5		6			
	6			8			7	
			7		2			9
5					3			
	4			7		1	6	
		7					8	

875

		2	7					
		5	4				2	
9	6				1			5
				6	7		5	8
8	3		2	4				
4			1				7	6
	7				8	5		
					4	8		

876

5	2				9	3		
		4			3			
	3			7			9	
2	8				4			
		9				7		
			5				8	1
	5			3			7	
			6			5		
		1	2				4	6

877

			1	5			6	
	5							
					6		8	4
		2		1				9
5			3		8			7
9				7		4		
3	6		7					
							7	
	8			3	2			

878

7		1						
3	4				9			
6				3				
	2	3			6	5		
	7		9		4		1	
		4	7			8	2	
				8				2
			5				8	4
						7		6

★★★★

879

			2					
						5		
		6	8	9				
	1						6	2
	9			3			8	
5	7						4	
				4	5	1		
		8						
					7			

880

4		2						
	1	5	6					
		7		1				
6					2		7	8
	3		9		5		4	
1	7		4					5
				8		2		
					9	8	5	
						4		3

881

			9				2	
8		3		4				9
1						6		
			4		5		7	
4				1				6
	9		2		6			
		7						8
3				6		1		4
	5				3			

882

			1	4	8			
		7						3
					5			
						5	8	
		4		9		6		
	2	3						
			2					
5						1		
			7	3	6			

883

1			9		6	8	7	
4				1	3			
		9				3		
9	5				4			
		2				4		
			2				3	6
		8				6		
			3	6				7
	3	4	5		7			2

884

7		9		2		1		
					1		8	
		3						5
	5		9		8			
		2		7		9		
			4		2		6	
2						7		
	4		6					
		6		9		3		1

885

2				5	6			
5			9		8	3	1	
	9						6	
			4			6		8
	4						2	
9		7			2			
	1						8	
	2	6	7		3			4
			6	8				3

886

		4			8	7	9	
					9		4	
	1			2				5
					5		2	7
		7				6		
3	9		4					
4				6			7	
	3		1					
	5	6	8			2		

887

	4		5				6	2
			8			1		3
6		3		1				
		1					8	6
5	8					4		
				6		5		4
7		5			9			
4	2				7		3	

888

1						4		
			9					
			6	2	7			
4	5							
2				3				8
							6	9
			8	4	1			
					5			
		9						7

450

889

			1		9	3		
						5	2	4
				6	4		9	
				8	3		1	
7								9
	8		5	2				
	2		4	3				
5	7	3						
		6	7		2			

890

		3			4			
9							5	
	4			1			6	2
			9		3	4		
	9			5			1	
		7	8		1			
5	1			9			2	
	6							7
			2			8		

891

	7							
			5			1	9	
				7	6		5	
		3		4				1
		7	9		2	4		
8				6		3		
	9		8	2				
	5	2			4			
							4	

892

				8		9	7	
	8	7			5			
9		6			1			2
5		9					8	
	2					1		5
7			3			2		6
			4			3	1	
	1	2		9				

893

		2			1	5		
9					2	8		
							1	2
7	8		9			3		
			7		5			
		3			8		7	1
2	9							
		5	4					8
		6	1			7		

894

			2		1			6
						3	4	9
			3	8			2	
	7			4	9			
		5				2		
			6	7			1	
	4			6	3			
6	5	9						
8			4		5			

895

1	9				2			5
	6	3			7			
				3		6	1	
7	1					3		
		5					2	7
	5	2		1				
			4			2	8	
6			8				5	9

896

	7				5	1		4
		1			9	8		
	6		2					5
9		5						
	2						7	
						4		3
2					1		5	
		7	9			6		
6		8	7				1	

897

		6						
			7					
			9	8		5		
5							3	4
2				1				6
7	9							8
		4		2	6			
					3			
						9		

898

			6		5	1		
8		7						9
5	2							
				6			2	
		9	8		1	3		
	6			2				
							1	8
3						7		5
		1	4		9			

455

899

			2	1	8			
					4			
	7							6
4		8						
9				3				1
						5		7
2							4	
			5					
			6	7	9			

900

			9			1		6
							2	3
				6				5
	7	8			3		1	
		2	1		9	3		
	4		5			8	6	
8				7				
5	3							
1		7			4			

901

			1				5	9
7	9			5				
		6	3			7		8
3		1					6	
	5					1		7
6		8			4	9		
				7			3	6
4	3				2			

902

			3	6		5		
						2	6	7
			2		5		9	
			7	5		8		
4								2
		1		8	6			
	6		1		4			
3	7	5						
		4		9	3			

903

	8	6		2				
			9			2	6	
7			5				3	8
9	5					7		
		2					8	9
3	7				4			6
	4	5			1			
				8		5	7	

904

	8	5		6		4		
	3				5			
					4		1	3
5	4		6				3	
9								4
	2				1		7	5
6	9		2					
			7				5	
		2		1		8	6	

905

				4	1			8
			2				4	7
2								
	6			9		1		
	2		4		8		3	
		5		2			6	
								3
8	5				7			
7			9	3				

906

8						6		
		6		2		4		1
	7		5					
			9		2		5	
		3		1		2		
	6		3		7			
					8		9	
4		2		3		5		
		1						3

907

1					7			8
						3	5	
	4				6			2
	7	1	4					9
			2		1			
9					3	4	1	
4			5				3	
	5	7						
2			7					5

908

		4	1	2				
	8						1	
		2	7		8		9	3
6		8	4					
	5						4	
					5	7		1
1	4		3		6	5		
	9						7	
				7	1	3		

460

909

	6			9				8
			2			3		
5						1		4
	7			4			2	
			3		2			
	9			6			1	
1		4						9
		6			3			
8				5			6	

910

	3					7		
			4					2
	1	5		8			4	
4			2		7			
	8			3			7	
			8		9			6
	5			7		3	8	
9					5			
		6					1	

911

	9					6		
					2			
			4	1	5			
						9		7
		8		3		1		
5		2						
			6	9	8			
			7					
		4					2	

912

	2				8			
6				5				2
7		8			1		3	
4		3			2			
	6						9	
			7			1		4
	5		9			2		1
9				6				5
			5				7	

913

			9	3	7			
		5					4	
			2					
						3		2
		7		6		1		
8		4						
					4			
	3					9		
			5	1	8			

914

3				1	6			
					4			
								9
	5					4	3	
	1			8			6	
	7	9					2	
6								
			7					
			9	2				5

915

		6			9		8	
						5		3
	4				2		7	
	1				3	4		6
			8		4			
4		2	6				1	
	8		2				5	
2		5						
	6		5			3		

916

			5					
5				3	4			
7		2					3	
2				7		9		
		6	3		8	1		
		8		1				3
	6					7		2
			4	6				1
					9			

464

917

			3		4		1	
7		3						
	6	5				9		
4				7				
	9		1		5		2	
				4				7
		2				3	6	
						5		1
	1		9		8			

918

			9	2	7			
			5					
		4					1	
5	2							
	3			8			7	
							4	6
	9					2		
					4			
			1	3	6			

919

6								
					6	1		5
			7	1				8
		4		3			7	
		6	8		1	2		
	9			6		4		
5				2	3			
8		9	5					
								2

920

7	1		6				3	
				9		8		1
8		9	2					
1	2					9		
		3					2	6
					4	6		5
3		6		1				
	8				5		7	3

921

7				9				5
2	8		5			7		
		6	7					
1	2		6					
		5				9		
					8		3	1
					4	8		
		3			2		4	6
8				7				9

922

4					7			5
		8			5		4	3
		1	8				9	
6	2							
		5				9		
							7	1
	1				9	4		
8	6		1			5		
3			7					8

923

6		5		8		1		
		3						2
			1				9	
		8	8		7		4	
		8		3		2		
	1		9		2			
	7				6			
4						5		
		6		2		8		3

924

			3					6
	7					1		
	4	9		2			3	
1			6		4			
	2			9			4	
			2		5			8
	8			4		3	7	
		2					9	
5					8			

468

925

		3		7	6			
			9					
	5	8						7
	9			5		8		
	3		1		4		7	
		4		3			1	
4						5	8	
					2			
			6	4		2		

926

	7		4					6
	9		3				5	
1		8						
	2				6	5		3
			5		7			
5		6	8				2	
						3		1
	1				3		7	
8					1		6	

927

				8	7		5	
					4			
	9							
		5				3		2
		6		1		9		
7		4				8		
							7	
			2					
	3		9	6				

928

6					9			1
		3			2		4	6
		5	8				2	
2	9							
		8				3		
							7	4
	8				6	2		
1	5		3			6		
3			9					5

929

		6		5			7	
					3			8
	4						2	1
		9		2		3		
			3		8			
		5		6		1		
2	1						5	
6			8					
	7			4		6		

930

			2	1	4			
	3					7		
					9			
						3		8
		6		5		1		
4		9						
			8					
		2					9	
			7	3	6			

931

	6			5	9			
	5		1		2	4		8
		1				9		
			7				2	9
		7				6		
3	1				6			
		4				2		
9		6	3		8		7	
			9	2			8	

932

	8							
			6					
			4	3			7	
2						8		1
4				9				3
7		6						5
	5			2	8			
					1			
							4	

472

933

	6			9		8	4	
2		5			6			
					4	2		
		2	9			6		4
6								3
4		7			5	1		
		4	7					
			1			3		9
	8	9		5			1	

934

	7				5			
9		8	2			3		
	3				1			7
			5	9		6		3
4		6		1	7			
5			6				3	
		1			2	9		5
			1				6	

473

935

		6		8			3	
	4				7			
8	2				1			9
			2			3	9	
3								8
	5	4			6			
6			1				5	3
			5				6	
	7			9		2		

936

			5	7			9	
	7							
					9		2	3
		6		5				4
7			1		2			8
4				8		3		
1	9		8					
							8	
	2			1	6			

937

			5				2	
	8		7			6		5
		2		4		1		
			2			9		8
	3						1	
7		9			6			
		4		1		3		
2		7			3		4	
	6				4			

938

	9				4			7
	7				8			
1		3	2			9		
			8	1		6		9
5		6		4	7			
		4			2	1		8
			4				6	
8			6				9	

939

	8		7			9		
5		9			1			3
	7		3					
				3	2	4		7
7		8	9	5				
					9		2	
8			1			5		6
		2			3		8	

940

					6			4
		2		7			9	
	3						5	1
		8		5		6		
			6		4			
		7		2		1		
5	1						7	
	9			3		2		
2			4					

941

			7			4		
		1		6			8	
4			9			7		3
	5	7			4			
3								2
			8			6	3	
2		8			9			6
	4			2		3		
		5			1			

942

		7	6					
4	6		9			1		
2				8				7
3	1		7					
		2				5		
					4		9	3
5				2				8
		8			5		7	9
					8	4		

943

		6	8			2		
	3	2	9					4
	9				7			5
						9	8	
4								7
	1	3						
9			2				7	
2					4	6	5	
		5			8	4		

944

	7	5						8
	3		1	8				
					9			
		9		5			7	
		3	6		2	8		
	6			3		2		
			4					
				6	1		4	
6						7	5	

945

	4	5			8			
				4		6	5	
6		1			7			9
8		6					4	
	9					7		8
5			3			9		1
	7	9		6				
			2			3	7	

946

		5			6	3		
							8	2
9					1	4		
		7			8		9	5
			4		5			
6	5		9			7		
		9	2					8
2	6							
		4	6			2		

479

947

					4			6
	5					2		
	1	7		8			4	
4			2		6			
	8			5			2	
			3		8			9
	7			2		5	8	
		9					1	
3			7					

948

			3					
				7	9	6		
	7					4		5
		4		5				3
7			2		1			6
2				6		1		
4		5					1	
		8	9	1				
					8			

949

	3				4		5	
1			9			7		
5	2				3	9		
							8	6
		1				3		
4	7							
		3	7				9	8
		5			1			7
	9		4				2	

950

		3		9	5			
						7		
					4			
1	8						3	
	7			6			2	
	9						4	5
			1					
		5						
			7	2		8		

1

5	3	4	6	1	8	2	9	7
9	6	7	5	3	2	4	8	1
1	2	8	7	4	9	6	3	5
3	5	6	2	9	4	1	7	8
2	8	9	3	7	1	5	4	6
4	7	1	8	5	6	3	2	9
7	1	2	4	8	5	9	6	3
6	9	3	1	2	7	8	5	4
8	4	5	9	6	3	7	1	2

2

9	5	3	6	2	4	8	1	7
2	7	8	1	3	9	5	6	4
1	4	6	7	5	8	2	3	9
6	8	7	3	4	1	9	5	2
5	1	2	9	8	6	4	7	3
3	9	4	2	7	5	1	8	6
7	6	9	5	1	2	3	4	8
4	3	5	8	9	7	6	2	1
8	2	1	4	6	3	7	9	5

3

4	5	3	8	9	1	6	7	2
9	2	7	6	5	3	4	1	8
1	6	8	2	7	4	3	5	9
3	9	4	5	2	6	1	8	7
6	8	5	7	1	9	2	4	3
7	1	2	4	3	8	9	6	5
5	3	1	9	6	7	8	2	4
2	4	6	3	8	5	7	9	1
8	7	9	1	4	2	5	3	6

4

9	4	1	3	7	5	2	8	6
8	3	6	9	4	2	7	1	5
7	2	5	8	6	1	3	9	4
5	7	4	6	1	9	8	2	3
2	6	8	5	3	7	1	4	9
1	9	3	2	8	4	6	5	7
4	8	9	7	2	3	5	6	1
6	5	7	1	9	8	4	3	2
3	1	2	4	5	6	9	7	8

5

7	8	3	9	2	4	1	5	6
5	4	1	6	3	7	2	9	8
9	6	2	5	1	8	3	4	7
4	2	9	3	7	1	6	8	5
8	5	7	4	6	2	9	3	1
3	1	6	8	5	9	4	7	2
6	9	5	1	8	3	7	2	4
2	3	8	7	4	6	5	1	9
1	7	4	2	9	5	8	6	3

6

5	9	1	7	6	8	3	2	4
8	7	4	9	3	2	5	1	6
6	2	3	1	4	5	8	7	9
2	3	9	8	1	4	7	6	5
7	6	8	5	9	3	1	4	2
1	4	5	2	7	6	9	8	3
9	8	6	4	5	1	2	3	7
4	1	7	3	2	9	6	5	8
3	5	2	6	8	7	4	9	1

7

8	9	5	3	6	7	2	1	4
4	3	7	5	1	2	8	6	9
6	1	2	9	4	8	5	7	3
7	4	8	2	3	6	9	5	1
9	5	3	4	8	1	7	2	6
1	2	6	7	5	9	3	4	8
3	6	1	8	2	5	4	9	7
5	8	9	6	7	4	1	3	2
2	7	4	1	9	3	6	8	5

8

6	7	5	9	4	3	2	1	8
1	2	3	8	6	5	4	7	9
4	9	8	2	7	1	5	3	6
8	6	7	3	5	2	9	4	1
3	5	9	4	1	7	6	8	2
2	4	1	6	9	8	3	5	7
5	8	6	1	3	9	7	2	4
7	1	4	5	2	6	8	9	3
9	3	2	7	8	4	1	6	5

9

7	6	8	2	5	3	9	4	1
1	2	4	6	9	7	5	8	3
3	5	9	8	1	4	6	7	2
8	4	5	3	2	1	7	6	9
6	1	7	4	8	9	3	2	5
2	9	3	7	6	5	4	1	8
9	3	6	1	4	8	2	5	7
5	8	2	9	7	6	1	3	4
4	7	1	5	3	2	8	9	6

10

2	4	7	1	5	9	8	6	3
3	1	8	7	6	2	5	9	4
9	6	5	8	3	4	2	7	1
4	3	2	9	8	1	6	5	7
6	8	1	3	7	5	4	2	9
7	5	9	4	2	6	3	1	8
8	9	6	5	4	7	1	3	2
1	2	3	6	9	8	7	4	5
5	7	4	2	1	3	9	8	6

11

9	8	4	3	1	6	2	7	5
7	2	1	9	5	4	3	6	8
6	3	5	2	8	7	9	1	4
2	9	6	7	3	5	4	8	1
5	1	3	8	4	9	6	2	7
8	4	7	6	2	1	5	9	3
3	6	8	4	7	2	1	5	9
4	5	9	1	6	8	7	3	2
1	7	2	5	9	3	8	4	6

12

3	1	9	7	8	5	4	2	6
4	7	2	6	1	9	3	5	8
5	6	8	2	3	4	9	7	1
8	9	6	4	2	1	7	3	5
2	4	5	8	7	3	1	6	9
1	3	7	9	5	6	8	4	2
7	5	1	3	9	2	6	8	4
9	8	4	5	6	7	2	1	3
6	2	3	1	4	8	5	9	7

13

9	3	7	1	4	2	8	5	6
1	2	6	5	8	3	4	7	9
4	8	5	6	7	9	2	1	3
6	9	2	8	1	4	7	3	5
5	4	3	9	2	7	6	8	1
8	7	1	3	5	6	9	4	2
3	1	4	2	9	8	5	6	7
7	5	9	4	6	1	3	2	8
2	6	8	7	3	5	1	9	4

14

6	5	8	7	3	4	2	1	9
3	7	4	2	1	9	5	8	6
2	9	1	8	5	6	7	3	4
8	1	6	9	4	5	3	7	2
9	3	2	6	8	7	4	5	1
5	4	7	3	2	1	6	9	8
1	6	9	5	7	2	8	4	3
7	2	3	4	9	8	1	6	5
4	8	5	1	6	3	9	2	7

15

4	7	8	5	2	9	6	1	3
9	6	3	4	1	7	8	2	5
5	2	1	3	8	6	7	4	9
3	8	4	1	7	5	2	9	6
7	9	6	2	3	8	1	5	4
1	5	2	6	9	4	3	8	7
2	1	7	9	5	3	4	6	8
8	4	5	7	6	2	9	3	1
6	3	9	8	4	1	5	7	2

16

4	6	8	5	2	7	9	1	3
1	5	2	9	3	8	6	7	4
7	3	9	1	6	4	5	8	2
9	8	7	4	1	2	3	5	6
5	2	3	6	7	9	1	4	8
6	1	4	8	5	3	2	9	7
2	4	5	3	8	1	7	6	9
3	9	1	7	4	6	8	2	5
8	7	6	2	9	5	4	3	1

17

5	8	6	2	1	4	9	3	7
2	9	3	8	7	5	1	6	4
4	7	1	6	3	9	8	5	2
3	1	9	4	5	8	7	2	6
8	6	5	7	2	1	4	9	3
7	2	4	3	9	6	5	1	8
1	3	2	5	8	7	6	4	9
9	4	7	1	6	3	2	8	5
6	5	8	9	4	2	3	7	1

18

3	9	7	6	1	5	8	2	4
8	2	6	4	3	9	1	7	5
1	5	4	8	7	2	3	9	6
7	3	1	5	6	4	2	8	9
2	6	9	7	8	1	4	5	3
4	8	5	2	9	3	6	1	7
5	1	8	3	4	7	9	6	2
6	7	3	9	2	8	5	4	1
9	4	2	1	5	6	7	3	8

19

9	6	5	4	7	8	2	3	1
7	3	1	2	9	6	4	8	5
4	2	8	5	3	1	9	6	7
8	7	4	6	2	3	1	5	9
6	9	2	1	5	7	3	4	8
1	5	3	8	4	9	7	2	6
2	8	9	3	1	5	6	7	4
5	4	7	9	6	2	8	1	3
3	1	6	7	8	4	5	9	2

20

5	8	4	6	1	7	9	3	2
1	6	9	8	3	2	5	7	4
7	3	2	9	4	5	1	6	8
2	1	7	3	8	4	6	5	9
8	9	5	1	2	6	7	4	3
6	4	3	7	5	9	8	2	1
4	7	6	2	9	1	3	8	5
9	2	8	5	7	3	4	1	6
3	5	1	4	6	8	2	9	7

21

8	6	5	7	2	1	9	4	3
7	3	4	5	9	8	2	6	1
1	9	2	4	6	3	8	5	7
3	8	6	1	5	9	7	2	4
5	4	7	6	3	2	1	9	8
9	2	1	8	7	4	6	3	5
2	5	9	3	1	7	4	8	6
6	1	8	2	4	5	3	7	9
4	7	3	9	8	6	5	1	2

22

7	1	8	5	6	3	2	4	9
6	5	4	8	2	9	1	3	7
9	2	3	4	7	1	6	8	5
3	4	1	7	9	2	8	5	6
5	9	7	6	3	8	4	1	2
2	8	6	1	5	4	9	7	3
8	3	2	9	4	7	5	6	1
1	7	5	2	8	6	3	9	4
4	6	9	3	1	5	7	2	8

23

5	8	7	9	2	6	1	4	3
2	3	1	5	8	4	9	6	7
9	6	4	7	3	1	5	8	2
4	7	8	3	1	5	2	9	6
6	9	2	4	7	8	3	5	1
1	5	3	6	9	2	8	7	4
3	1	9	8	4	7	6	2	5
7	2	6	1	5	9	4	3	8
8	4	5	2	6	3	7	1	9

24

5	8	2	1	3	4	6	9	7
4	6	9	7	2	5	1	8	3
3	1	7	9	6	8	4	2	5
6	3	5	8	9	7	2	4	1
8	9	4	5	1	2	3	7	6
2	7	1	6	4	3	8	5	9
7	5	6	2	8	1	9	3	4
9	2	3	4	5	6	7	1	8
1	4	8	3	7	9	5	6	2

25

4	8	6	5	9	2	7	3	1
7	3	5	1	8	4	2	6	9
2	9	1	3	7	6	8	5	4
8	7	2	9	6	3	1	4	5
6	1	3	4	5	7	9	2	8
9	5	4	8	2	1	6	7	3
5	4	7	6	1	8	3	9	2
1	2	9	7	3	5	4	8	6
3	6	8	2	4	9	5	1	7

26

5	2	6	8	9	3	1	4	7
8	3	7	5	4	1	6	2	9
1	9	4	2	6	7	8	3	5
7	4	2	3	1	6	9	5	8
6	8	9	7	2	5	4	1	3
3	1	5	4	8	9	7	6	2
9	5	1	6	3	8	2	7	4
2	6	3	9	7	4	5	8	1
4	7	8	1	5	2	3	9	6

27

1	2	8	9	7	6	5	4	3
9	6	3	4	2	5	1	8	7
5	7	4	8	3	1	2	9	6
8	5	9	1	4	7	3	6	2
7	4	2	3	6	9	8	5	1
3	1	6	5	8	2	9	7	4
4	3	5	6	1	8	7	2	9
2	8	1	7	9	4	6	3	5
6	9	7	2	5	3	4	1	8

28

8	3	1	9	2	6	7	5	4
4	2	6	7	3	5	1	8	9
5	7	9	1	4	8	6	2	3
7	5	3	6	1	4	8	9	2
1	8	4	5	9	2	3	7	6
6	9	2	8	7	3	4	1	5
2	6	5	4	8	1	9	3	7
9	4	8	3	5	7	2	6	1
3	1	7	2	6	9	5	4	8

29

3	5	2	8	6	4	1	7	9
9	4	7	2	1	5	6	3	8
8	6	1	7	3	9	2	5	4
5	8	6	4	7	1	9	2	3
7	2	3	9	5	8	4	1	6
4	1	9	3	2	6	5	8	7
2	3	5	6	4	7	8	9	1
1	9	4	5	8	3	7	6	2
6	7	8	1	9	2	3	4	5

30

8	4	6	9	7	5	2	1	3
3	7	5	1	2	4	8	9	6
2	1	9	3	6	8	4	7	5
1	8	3	7	9	6	5	2	4
4	6	7	2	5	1	9	3	8
9	5	2	4	8	3	1	6	7
7	9	8	5	3	2	6	4	1
5	3	4	6	1	9	7	8	2
6	2	1	8	4	7	3	5	9

31

4	5	8	3	9	1	6	2	7
1	7	3	5	6	2	4	9	8
2	6	9	4	7	8	3	1	5
9	8	1	2	4	7	5	3	6
7	2	5	6	1	3	8	4	9
6	3	4	8	5	9	1	7	2
8	9	7	1	3	6	2	5	4
5	1	2	9	8	4	7	6	3
3	4	6	7	2	5	9	8	1

32

9	2	1	7	8	3	6	4	5
5	6	7	2	9	4	1	3	8
4	3	8	6	1	5	2	7	9
6	1	5	8	3	2	4	9	7
2	8	3	4	7	9	5	1	6
7	9	4	5	6	1	3	8	2
3	7	6	1	5	8	9	2	4
8	4	9	3	2	6	7	5	1
1	5	2	9	4	7	8	6	3

33

5	8	1	4	6	7	9	2	3
4	6	9	8	3	2	1	7	5
3	7	2	5	1	9	4	8	6
7	2	4	9	5	8	3	6	1
6	9	3	7	4	1	2	5	8
8	1	5	6	2	3	7	9	4
1	4	6	2	7	5	8	3	9
2	3	8	1	9	6	5	4	7
9	5	7	3	8	4	6	1	2

34

6	1	8	4	7	3	2	9	5
4	9	2	8	6	5	7	1	3
5	3	7	2	9	1	6	8	4
3	8	5	1	2	4	9	7	6
1	7	6	5	8	9	4	3	2
9	2	4	6	3	7	8	5	1
8	6	9	3	5	2	1	4	7
2	5	1	7	4	8	3	6	9
7	4	3	9	1	6	5	2	8

35

7	9	3	1	8	6	4	2	5
8	4	1	5	9	2	3	6	7
5	6	2	4	3	7	8	1	9
6	2	9	3	1	5	7	4	8
1	5	8	6	7	4	9	3	2
3	7	4	9	2	8	6	5	1
4	8	7	2	5	3	1	9	6
9	3	5	7	6	1	2	8	4
2	1	6	8	4	9	5	7	3

36

3	7	4	8	5	1	2	9	6
8	2	5	6	9	4	3	1	7
1	9	6	3	7	2	8	5	4
7	3	1	2	6	5	4	8	9
2	4	9	1	8	7	5	6	3
5	6	8	9	4	3	7	2	1
6	5	3	7	1	8	9	4	2
4	1	7	5	2	9	6	3	8
9	8	2	4	3	6	1	7	5

37

2	9	5	7	8	3	4	6	1
1	3	7	6	2	4	9	8	5
6	4	8	5	9	1	3	2	7
8	6	9	2	7	5	1	3	4
3	7	1	8	4	6	5	9	2
4	5	2	3	1	9	6	7	8
5	8	3	4	6	7	2	1	9
9	2	4	1	3	8	7	5	6
7	1	6	9	5	2	8	4	3

38

4	2	6	1	3	7	8	9	5
3	1	5	8	2	9	6	7	4
8	7	9	6	5	4	1	3	2
5	6	8	9	1	2	3	4	7
1	3	7	5	4	6	2	8	9
2	9	4	7	8	3	5	1	6
6	8	1	4	9	5	7	2	3
7	4	2	3	6	8	9	5	1
9	5	3	2	7	1	4	6	8

39

6	9	3	4	1	5	7	8	2
2	1	7	6	8	9	3	4	5
4	8	5	3	2	7	9	6	1
7	2	1	5	3	6	4	9	8
3	6	4	8	9	2	5	1	7
8	5	9	7	4	1	6	2	3
9	3	6	1	5	8	2	7	4
1	4	2	9	7	3	8	5	6
5	7	8	2	6	4	1	3	9

40

7	3	5	8	2	1	9	4	6
6	2	4	5	9	3	1	7	8
9	8	1	7	4	6	2	5	3
4	6	3	9	8	2	7	1	5
2	7	9	6	1	5	3	8	4
5	1	8	4	3	7	6	2	9
3	4	2	1	6	8	5	9	7
1	9	7	3	5	4	8	6	2
8	5	6	2	7	9	4	3	1

41

2	3	9	7	6	4	1	8	5
6	1	5	3	2	8	9	7	4
7	8	4	1	9	5	6	3	2
9	4	1	5	8	7	2	6	3
3	7	6	2	1	9	5	4	8
8	5	2	6	4	3	7	1	9
5	9	7	8	3	1	4	2	6
4	2	3	9	7	6	8	5	1
1	6	8	4	5	2	3	9	7

42

3	7	5	8	4	1	2	9	6
9	6	4	3	2	7	8	1	5
2	8	1	9	6	5	3	7	4
8	5	9	2	7	6	1	4	3
4	2	3	1	5	8	9	6	7
7	1	6	4	9	3	5	2	8
6	3	7	5	1	2	4	8	9
1	9	8	7	3	4	6	5	2
5	4	2	6	8	9	7	3	1

43

4	7	8	6	9	3	5	1	2
9	1	5	8	4	2	6	7	3
2	3	6	7	5	1	4	8	9
7	9	4	1	2	6	8	3	5
5	8	2	3	7	4	1	9	6
3	6	1	5	8	9	7	2	4
1	2	9	4	6	7	3	5	8
6	5	7	9	3	8	2	4	1
8	4	3	2	1	5	9	6	7

44

8	2	9	4	7	1	5	3	6
3	4	7	8	6	5	9	1	2
1	5	6	9	2	3	7	8	4
4	1	8	2	9	7	6	5	3
7	9	5	3	8	6	2	4	1
6	3	2	1	5	4	8	7	9
5	7	4	6	3	2	1	9	8
9	6	1	5	4	8	3	2	7
2	8	3	7	1	9	4	6	5

45

5	7	3	9	8	4	2	6	1
9	2	8	6	1	3	7	4	5
4	6	1	5	2	7	8	3	9
3	1	6	8	7	9	4	5	2
2	5	4	1	3	6	9	8	7
7	8	9	4	5	2	6	1	3
8	3	7	2	6	1	5	9	4
6	9	2	3	4	5	1	7	8
1	4	5	7	9	8	3	2	6

46

8	6	3	5	2	1	4	9	7
1	2	7	9	8	4	3	6	5
9	4	5	6	3	7	1	2	8
2	8	9	1	6	5	7	4	3
4	7	1	3	9	2	8	5	6
5	3	6	7	4	8	9	1	2
3	5	4	2	7	9	6	8	1
7	9	2	8	1	6	5	3	4
6	1	8	4	5	3	2	7	9

47

6	1	9	2	4	5	7	3	8
2	7	4	3	1	8	5	9	6
3	5	8	7	6	9	4	1	2
9	6	3	5	8	1	2	7	4
7	2	1	4	3	6	9	8	5
8	4	5	9	2	7	3	6	1
5	3	6	8	7	4	1	2	9
4	8	7	1	9	2	6	5	3
1	9	2	6	5	3	8	4	7

48

9	7	6	5	4	8	2	1	3
2	8	5	1	3	9	4	7	6
3	1	4	2	7	6	9	5	8
1	3	2	9	8	4	7	6	5
6	9	8	3	5	7	1	2	4
5	4	7	6	1	2	3	8	9
4	6	1	8	2	3	5	9	7
8	2	3	7	9	5	6	4	1
7	5	9	4	6	1	8	3	2

49

2	3	9	8	5	1	6	4	7
6	8	4	7	2	9	3	5	1
5	1	7	3	6	4	2	8	9
3	4	6	9	8	5	7	1	2
9	7	8	6	1	2	4	3	5
1	2	5	4	3	7	9	6	8
8	9	3	5	7	6	1	2	4
7	5	1	2	4	3	8	9	6
4	6	2	1	9	8	5	7	3

50

6	1	5	3	4	8	9	2	7
4	8	7	2	1	9	5	3	6
9	3	2	6	7	5	8	4	1
7	5	9	1	8	2	4	6	3
8	4	3	5	6	7	1	9	2
1	2	6	4	9	3	7	8	5
5	9	8	7	2	6	3	1	4
3	6	1	9	5	4	2	7	8
2	7	4	8	3	1	6	5	9

51

3	8	1	5	9	6	4	2	7
4	9	5	7	1	2	8	6	3
6	2	7	4	8	3	1	9	5
8	5	3	2	7	1	6	4	9
1	7	2	6	4	9	3	5	8
9	4	6	8	3	5	2	7	1
7	3	8	9	6	4	5	1	2
5	6	9	1	2	8	7	3	4
2	1	4	3	5	7	9	8	6

52

2	3	9	5	6	4	8	1	7
1	8	4	7	2	3	5	6	9
6	7	5	9	8	1	2	3	4
7	9	3	8	4	5	6	2	1
8	2	1	3	9	6	7	4	5
4	5	6	2	1	7	9	8	3
9	6	7	1	3	8	4	5	2
3	4	2	6	5	9	1	7	8
5	1	8	4	7	2	3	9	6

53

6	5	4	7	1	2	3	9	8
7	9	8	3	5	6	1	2	4
3	2	1	8	4	9	5	7	6
5	3	6	4	9	7	2	8	1
1	8	2	6	3	5	7	4	9
9	4	7	2	8	1	6	3	5
2	7	9	5	6	4	8	1	3
8	1	5	9	7	3	4	6	2
4	6	3	1	2	8	9	5	7

54

3	5	7	1	2	6	9	4	8
9	2	8	4	7	3	1	6	5
6	4	1	5	8	9	2	3	7
8	9	3	7	4	1	5	2	6
2	1	6	3	5	8	7	9	4
4	7	5	6	9	2	3	8	1
7	6	9	2	1	4	8	5	3
1	3	2	8	6	5	4	7	9
5	8	4	9	3	7	6	1	2

55

2	7	3	1	4	8	5	9	6
1	6	9	2	7	5	8	4	3
5	8	4	9	3	6	7	1	2
9	3	2	5	8	1	6	7	4
6	4	5	7	9	2	1	3	8
8	1	7	3	6	4	9	2	5
3	2	6	8	1	7	4	5	9
7	5	8	4	2	9	3	6	1
4	9	1	6	5	3	2	8	7

56

6	8	4	7	3	5	1	9	2
9	7	2	6	4	1	5	8	3
3	5	1	2	9	8	4	7	6
2	1	8	9	5	3	6	4	7
7	6	5	8	2	4	3	1	9
4	9	3	1	6	7	2	5	8
5	4	9	3	7	2	8	6	1
1	3	7	5	8	6	9	2	4
8	2	6	4	1	9	7	3	5

57

6	7	2	1	8	5	3	9	4
8	1	9	7	4	3	5	6	2
3	5	4	2	9	6	8	1	7
7	3	8	9	6	4	2	5	1
4	6	5	8	2	1	7	3	9
9	2	1	5	3	7	6	4	8
1	9	6	3	7	8	4	2	5
2	4	7	6	5	9	1	8	3
5	8	3	4	1	2	9	7	6

58

6	2	7	8	5	4	9	3	1
4	8	1	2	9	3	7	5	6
9	5	3	6	7	1	8	4	2
2	6	5	1	3	7	4	9	8
7	1	4	5	8	9	2	6	3
3	9	8	4	6	2	1	7	5
1	3	2	7	4	6	5	8	9
8	7	6	9	1	5	3	2	4
5	4	9	3	2	8	6	1	7

59

4	8	1	6	2	7	3	9	5
5	7	9	4	3	8	1	2	6
6	3	2	1	9	5	7	4	8
2	1	7	5	6	4	8	3	9
9	6	3	2	8	1	4	5	7
8	4	5	3	7	9	6	1	2
1	5	8	7	4	2	9	6	3
7	2	6	9	1	3	5	8	4
3	9	4	8	5	6	2	7	1

60

5	7	2	4	9	1	6	8	3
6	8	9	7	5	3	4	1	2
1	4	3	2	8	6	9	7	5
3	1	5	6	7	2	8	9	4
9	2	7	5	4	8	1	3	6
4	6	8	3	1	9	2	5	7
8	3	4	1	2	5	7	6	9
7	9	6	8	3	4	5	2	1
2	5	1	9	6	7	3	4	8

61

7	2	1	6	4	9	3	8	5
6	9	8	1	5	3	4	2	7
4	5	3	8	7	2	6	9	1
3	1	5	4	9	8	7	6	2
2	6	7	3	1	5	9	4	8
8	4	9	2	6	7	5	1	3
1	3	4	7	2	6	8	5	9
5	7	6	9	8	1	2	3	4
9	8	2	5	3	4	1	7	6

62

8	2	1	4	5	3	7	6	9
9	5	7	6	1	2	3	4	8
3	4	6	7	8	9	5	2	1
1	7	2	8	3	6	9	5	4
5	3	9	2	7	4	8	1	6
4	6	8	1	9	5	2	3	7
6	8	4	5	2	7	1	9	3
2	1	3	9	4	8	6	7	5
7	9	5	3	6	1	4	8	2

63

2	5	6	9	3	7	4	8	1
7	4	9	1	2	8	5	6	3
8	3	1	6	4	5	2	7	9
3	2	5	7	1	4	8	9	6
9	7	8	3	5	6	1	4	2
6	1	4	8	9	2	7	3	5
1	9	7	2	8	3	6	5	4
5	8	3	4	6	1	9	2	7
4	6	2	5	7	9	3	1	8

64

7	5	4	1	2	3	9	6	8
9	6	1	5	7	8	3	2	4
2	3	8	9	6	4	7	5	1
8	2	3	7	5	6	4	1	9
4	7	9	8	1	2	5	3	6
5	1	6	4	3	9	8	7	2
3	9	2	6	4	5	1	8	7
1	4	5	2	8	7	6	9	3
6	8	7	3	9	1	2	4	5

65

4	3	1	2	5	6	7	9	8
2	6	9	1	8	7	3	4	5
7	5	8	9	4	3	2	1	6
8	7	2	4	6	5	1	3	9
1	4	6	8	3	9	5	7	2
3	9	5	7	1	2	8	6	4
5	2	3	6	7	4	9	8	1
6	1	7	5	9	8	4	2	3
9	8	4	3	2	1	6	5	7

66

8	2	6	1	5	7	4	9	3
1	9	5	2	3	4	7	8	6
3	4	7	6	8	9	5	2	1
6	7	9	8	4	3	1	5	2
2	1	4	9	6	5	3	7	8
5	8	3	7	1	2	6	4	9
4	5	8	3	2	6	9	1	7
9	6	1	5	7	8	2	3	4
7	3	2	4	9	1	8	6	5

67

9	6	7	4	1	2	5	8	3
2	8	5	9	7	3	6	4	1
1	3	4	6	5	8	2	9	7
7	1	9	8	2	6	4	3	5
6	4	2	5	3	7	9	1	8
3	5	8	1	9	4	7	2	6
5	2	1	7	8	9	3	6	4
4	7	3	2	6	1	8	5	9
8	9	6	3	4	5	1	7	2

68

6	4	1	9	3	7	2	5	8
5	2	3	6	8	4	1	9	7
9	8	7	1	5	2	4	6	3
2	3	9	5	1	6	8	7	4
4	1	6	7	9	8	3	2	5
7	5	8	2	4	3	9	1	6
8	6	2	4	7	9	5	3	1
1	7	4	3	2	5	6	8	9
3	9	5	8	6	1	7	4	2

69

8	7	5	4	9	3	1	6	2
6	3	4	7	2	1	9	8	5
9	1	2	5	6	8	3	7	4
4	5	7	1	3	6	2	9	8
2	6	1	8	5	9	7	4	3
3	9	8	2	7	4	6	5	1
1	8	3	9	4	7	5	2	6
7	2	6	3	8	5	4	1	9
5	4	9	6	1	2	8	3	7

70

6	8	9	3	5	1	2	4	7
7	3	2	8	4	9	5	1	6
5	1	4	2	6	7	3	8	9
2	9	1	5	7	4	6	3	8
3	5	6	1	2	8	7	9	4
8	4	7	6	9	3	1	2	5
9	7	5	4	1	2	8	6	3
1	6	8	9	3	5	4	7	2
4	2	3	7	8	6	9	5	1

71

6	8	3	5	1	7	4	9	2
1	4	7	9	3	2	5	6	8
5	2	9	6	8	4	7	1	3
9	1	8	4	6	5	2	3	7
4	3	6	7	2	1	9	8	5
2	7	5	8	9	3	6	4	1
7	6	1	3	5	9	8	2	4
8	5	2	1	4	6	3	7	9
3	9	4	2	7	8	1	5	6

72

8	5	3	4	9	1	2	7	6
9	1	6	7	2	3	4	8	5
2	7	4	8	6	5	9	1	3
4	2	7	6	3	9	1	5	8
1	3	8	2	5	4	6	9	7
6	9	5	1	7	8	3	2	4
5	8	1	9	4	6	7	3	2
3	4	2	5	1	7	8	6	9
7	6	9	3	8	2	5	4	1

73

7	3	9	5	8	2	1	6	4
5	4	1	9	3	6	8	7	2
6	8	2	4	1	7	9	5	3
2	6	8	3	9	1	5	4	7
4	7	3	6	5	8	2	1	9
1	9	5	7	2	4	3	8	6
8	2	4	1	7	9	6	3	5
9	5	7	8	6	3	4	2	1
3	1	6	2	4	5	7	9	8

74

9	2	7	5	8	3	6	1	4
1	3	6	4	9	7	2	8	5
5	4	8	2	1	6	9	7	3
4	6	9	1	7	2	5	3	8
2	5	3	6	4	8	1	9	7
8	7	1	9	3	5	4	2	6
7	9	2	8	5	4	3	6	1
3	1	5	7	6	9	8	4	2
6	8	4	3	2	1	7	5	9

75

4	2	1	7	8	5	6	9	3
8	9	3	4	2	6	5	1	7
6	5	7	9	1	3	2	8	4
5	3	9	6	7	2	1	4	8
1	8	6	5	9	4	3	7	2
2	7	4	1	3	8	9	6	5
3	4	5	8	6	1	7	2	9
7	1	2	3	4	9	8	5	6
9	6	8	2	5	7	4	3	1

76

4	2	3	6	1	8	5	9	7
6	1	7	3	5	9	2	8	4
5	9	8	4	2	7	6	3	1
2	5	6	9	3	1	7	4	8
3	7	9	5	8	4	1	6	2
1	8	4	7	6	2	3	5	9
7	6	1	8	9	5	4	2	3
8	4	5	2	7	3	9	1	6
9	3	2	1	4	6	8	7	5

77

6	4	5	2	8	7	9	3	1
7	8	3	4	9	1	2	6	5
2	9	1	3	6	5	7	8	4
3	1	9	6	7	4	8	5	2
8	2	4	9	5	3	1	7	6
5	7	6	1	2	8	3	4	9
4	5	8	7	1	2	6	9	3
1	6	7	5	3	9	4	2	8
9	3	2	8	4	6	5	1	7

78

1	9	3	2	4	8	6	7	5
4	7	8	6	3	5	1	2	9
2	5	6	7	1	9	4	3	8
6	4	9	5	8	3	2	1	7
7	8	1	9	2	4	5	6	3
5	3	2	1	7	6	9	8	4
8	1	7	4	5	2	3	9	6
3	6	5	8	9	1	7	4	2
9	2	4	3	6	7	8	5	1

79

8	3	9	1	6	2	5	4	7
1	5	6	7	8	4	3	9	2
4	7	2	9	3	5	1	6	8
7	1	4	6	2	8	9	3	5
2	9	3	4	5	1	7	8	6
5	6	8	3	9	7	4	2	1
3	2	5	8	7	9	6	1	4
6	8	1	5	4	3	2	7	9
9	4	7	2	1	6	8	5	3

80

8	4	5	7	3	2	1	9	6
3	2	9	6	4	1	8	7	5
6	1	7	5	9	8	4	3	2
5	6	3	1	2	9	7	8	4
4	9	1	8	7	5	2	6	3
7	8	2	3	6	4	5	1	9
9	7	4	2	8	3	6	5	1
2	5	8	9	1	6	3	4	7
1	3	6	4	5	7	9	2	8

81

4	7	3	6	2	8	5	1	9
9	8	1	5	7	4	6	2	3
5	6	2	1	9	3	7	8	4
6	4	8	2	3	9	1	5	7
2	5	9	4	1	7	3	6	8
1	3	7	8	6	5	4	9	2
7	2	4	9	5	6	8	3	1
8	1	5	3	4	2	9	7	6
3	9	6	7	8	1	2	4	5

82

7	9	2	5	1	8	4	6	3
6	5	4	9	7	3	1	2	8
1	3	8	2	6	4	9	7	5
9	2	6	7	8	5	3	4	1
3	7	5	4	2	1	8	9	6
4	8	1	6	3	9	2	5	7
8	6	7	1	4	2	5	3	9
2	1	9	3	5	7	6	8	4
5	4	3	8	9	6	7	1	2

83

5	2	1	9	7	3	6	4	8
9	8	7	2	4	6	3	1	5
4	3	6	5	1	8	2	9	7
1	9	4	6	2	7	5	8	3
2	6	8	4	3	5	9	7	1
7	5	3	8	9	1	4	2	6
8	7	9	3	6	4	1	5	2
3	4	5	1	8	2	7	6	9
6	1	2	7	5	9	8	3	4

84

8	7	1	9	5	3	2	6	4
2	6	5	1	7	4	9	8	3
9	3	4	6	8	2	1	5	7
1	9	7	8	2	5	3	4	6
4	5	8	3	6	1	7	9	2
6	2	3	4	9	7	5	1	8
3	1	2	5	4	8	6	7	9
7	8	9	2	1	6	4	3	5
5	4	6	7	3	9	8	2	1

85

9	7	8	3	5	1	2	4	6
6	5	3	7	4	2	1	8	9
2	1	4	8	9	6	7	5	3
8	3	5	6	7	9	4	2	1
4	2	7	5	1	3	9	6	8
1	9	6	2	8	4	5	3	7
3	6	9	1	2	5	8	7	4
7	4	2	9	3	8	6	1	5
5	8	1	4	6	7	3	9	2

86

5	3	8	4	9	6	1	2	7
7	4	9	3	2	1	6	5	8
1	6	2	8	7	5	9	4	3
2	8	5	6	1	9	7	3	4
4	1	3	7	8	2	5	9	6
9	7	6	5	4	3	8	1	2
6	9	4	1	3	8	2	7	5
3	5	1	2	6	7	4	8	9
8	2	7	9	5	4	3	6	1

87

3	9	5	1	4	8	7	2	6
4	8	7	2	6	9	5	3	1
6	1	2	3	5	7	8	4	9
2	6	1	8	3	4	9	7	5
7	5	3	6	9	2	4	1	8
8	4	9	7	1	5	3	6	2
1	3	4	9	8	6	2	5	7
5	2	8	4	7	1	6	9	3
9	7	6	5	2	3	1	8	4

88

9	4	7	5	8	2	3	6	1
1	6	8	7	9	3	4	5	2
3	5	2	6	1	4	7	9	8
7	3	9	1	2	6	5	8	4
4	8	5	9	3	7	1	2	6
6	2	1	4	5	8	9	3	7
5	9	4	2	6	1	8	7	3
8	7	6	3	4	5	2	1	9
2	1	3	8	7	9	6	4	5

89

1	8	2	3	4	9	5	7	6
9	6	5	7	2	1	4	8	3
7	3	4	6	5	8	2	9	1
3	9	7	2	1	4	6	5	8
4	2	6	8	7	5	1	3	9
5	1	8	9	3	6	7	4	2
2	7	9	5	6	3	8	1	4
6	4	3	1	8	7	9	2	5
8	5	1	4	9	2	3	6	7

90

1	2	7	9	4	8	3	6	5
6	5	8	7	2	3	9	1	4
9	3	4	6	5	1	8	7	2
8	6	2	1	3	7	5	4	9
4	7	3	5	9	2	1	8	6
5	1	9	4	8	6	7	2	3
2	8	6	3	7	5	4	9	1
7	9	5	2	1	4	6	3	8
3	4	1	8	6	9	2	5	7

91

1	7	2	6	5	8	9	4	3
8	3	6	9	4	1	5	2	7
5	4	9	2	7	3	6	8	1
3	1	5	4	2	7	8	6	9
4	9	8	3	1	6	7	5	2
2	6	7	8	9	5	3	1	4
7	2	1	5	8	9	4	3	6
9	8	3	1	6	4	2	7	5
6	5	4	7	3	2	1	9	8

92

7	1	8	2	6	3	9	4	5
9	3	4	5	7	1	6	2	8
2	5	6	8	9	4	1	3	7
5	8	7	4	2	6	3	9	1
6	2	9	1	3	8	5	7	4
3	4	1	9	5	7	8	6	2
4	9	3	7	8	5	2	1	6
8	7	2	6	1	9	4	5	3
1	6	5	3	4	2	7	8	9

93

4	1	3	9	6	8	5	2	7
8	6	7	1	5	2	3	9	4
2	5	9	4	3	7	8	6	1
9	7	5	8	2	6	4	1	3
6	4	2	5	1	3	9	7	8
1	3	8	7	9	4	2	5	6
7	8	1	2	4	5	6	3	9
3	2	4	6	7	9	1	8	5
5	9	6	3	8	1	7	4	2

94

7	8	2	9	1	6	4	3	5
9	3	5	7	2	4	6	1	8
4	6	1	8	5	3	9	7	2
8	5	7	2	6	9	1	4	3
2	9	4	3	8	1	5	6	7
6	1	3	5	4	7	2	8	9
5	2	6	1	3	8	7	9	4
1	7	8	4	9	2	3	5	6
3	4	9	6	7	5	8	2	1

95

3	4	1	9	5	6	8	7	2
9	6	2	1	7	8	5	3	4
8	5	7	2	4	3	6	9	1
4	7	6	3	2	9	1	8	5
5	9	3	4	8	1	7	2	6
2	1	8	7	6	5	3	4	9
7	8	9	5	1	4	2	6	3
1	2	4	6	3	7	9	5	8
6	3	5	8	9	2	4	1	7

96

2	3	5	1	6	4	8	9	7
8	9	4	7	3	2	1	6	5
1	6	7	8	9	5	4	3	2
4	1	6	3	2	9	5	7	8
5	2	8	4	7	6	3	1	9
3	7	9	5	8	1	2	4	6
7	8	1	9	5	3	6	2	4
6	5	3	2	4	7	9	8	1
9	4	2	6	1	8	7	5	3

97

2	1	3	8	6	4	5	9	7
8	4	9	7	5	1	3	2	6
7	5	6	3	9	2	4	8	1
6	9	7	1	8	5	2	3	4
5	2	8	4	3	7	6	1	9
4	3	1	9	2	6	8	7	5
3	8	5	6	1	9	7	4	2
1	6	4	2	7	3	9	5	8
9	7	2	5	4	8	1	6	3

98

5	2	6	9	1	3	4	8	7
3	8	1	4	7	2	5	6	9
7	9	4	6	8	5	1	3	2
2	7	5	3	4	9	8	1	6
8	4	9	7	6	1	2	5	3
6	1	3	2	5	8	7	9	4
9	5	7	8	3	4	6	2	1
4	3	8	1	2	6	9	7	5
1	6	2	5	9	7	3	4	8

99

9	1	5	2	4	3	7	8	6
3	7	8	6	1	9	5	2	4
4	6	2	7	8	5	1	3	9
1	2	6	8	3	4	9	5	7
5	3	7	9	2	1	6	4	8
8	9	4	5	7	6	3	1	2
6	8	9	1	5	2	4	7	3
7	4	1	3	9	8	2	6	5
2	5	3	4	6	7	8	9	1

100

3	9	6	5	7	4	1	2	8
4	8	5	9	1	2	7	3	6
7	1	2	8	6	3	4	5	9
2	5	1	6	4	7	8	9	3
6	4	9	1	3	8	5	7	2
8	7	3	2	9	5	6	1	4
5	3	7	4	2	6	9	8	1
9	2	4	7	8	1	3	6	5
1	6	8	3	5	9	2	4	7

101

7	8	5	1	4	3	9	2	6
2	3	1	6	7	9	5	8	4
4	9	6	8	5	2	7	3	1
5	1	2	4	3	8	6	7	9
8	7	9	5	2	6	1	4	3
6	4	3	7	9	1	2	5	8
1	6	4	2	8	5	3	9	7
3	5	8	9	6	7	4	1	2
9	2	7	3	1	4	8	6	5

102

9	2	3	4	6	8	1	5	7
7	4	1	9	5	2	3	8	6
8	6	5	3	7	1	2	9	4
2	7	9	6	8	4	5	3	1
1	8	6	5	3	7	9	4	2
5	3	4	1	2	9	6	7	8
6	5	7	8	1	3	4	2	9
3	9	2	7	4	6	8	1	5
4	1	8	2	9	5	7	6	3

103

9	6	8	7	5	2	1	3	4
7	1	2	4	3	9	8	5	6
5	4	3	6	1	8	7	9	2
4	5	6	1	9	7	2	8	3
1	2	7	8	6	3	9	4	5
3	8	9	5	2	4	6	7	1
6	7	1	9	4	5	3	2	8
8	3	5	2	7	1	4	6	9
2	9	4	3	8	6	5	1	7

104

7	9	2	6	8	1	3	5	4
4	8	3	7	2	5	1	9	6
6	1	5	4	3	9	7	2	8
8	5	9	3	7	2	6	4	1
1	3	4	5	9	6	8	7	2
2	7	6	1	4	8	9	3	5
5	4	1	9	6	3	2	8	7
9	2	7	8	1	4	5	6	3
3	6	8	2	5	7	4	1	9

105

9	5	7	6	2	4	1	8	3
6	4	8	3	5	1	7	9	2
2	3	1	7	9	8	5	4	6
1	6	5	8	3	2	4	7	9
8	2	9	1	4	7	3	6	5
4	7	3	5	6	9	8	2	1
5	8	4	2	1	6	9	3	7
7	1	2	9	8	3	6	5	4
3	9	6	4	7	5	2	1	8

106

3	6	8	9	4	1	2	7	5
5	4	7	2	3	6	9	1	8
9	2	1	7	8	5	3	6	4
1	3	6	4	7	8	5	9	2
4	8	2	6	5	9	7	3	1
7	9	5	3	1	2	8	4	6
6	7	9	8	2	4	1	5	3
8	1	3	5	6	7	4	2	9
2	5	4	1	9	3	6	8	7

107

2	9	7	4	8	1	6	3	5
4	3	6	7	5	9	8	2	1
1	8	5	2	6	3	4	9	7
9	5	2	3	7	6	1	4	8
6	7	3	1	4	8	2	5	9
8	4	1	5	9	2	3	7	6
5	1	4	6	3	7	9	8	2
3	2	9	8	1	5	7	6	4
7	6	8	9	2	4	5	1	3

108

6	5	2	9	7	8	1	3	4
8	3	4	6	5	1	9	7	2
9	1	7	4	3	2	6	8	5
5	6	8	1	4	7	2	9	3
1	2	3	8	9	5	7	4	6
7	4	9	3	2	6	5	1	8
2	8	5	7	1	3	4	6	9
4	7	6	5	8	9	3	2	1
3	9	1	2	6	4	8	5	7

109

6	5	8	1	7	3	4	9	2
1	3	9	8	2	4	7	5	6
2	4	7	6	5	9	1	8	3
3	9	5	4	6	8	2	1	7
8	7	6	5	1	2	3	4	9
4	1	2	9	3	7	8	6	5
7	6	4	2	9	1	5	3	8
9	2	1	3	8	5	6	7	4
5	8	3	7	4	6	9	2	1

110

7	6	1	3	8	5	2	4	9
2	4	3	1	9	6	7	5	8
5	8	9	4	7	2	6	1	3
4	1	8	2	5	9	3	7	6
9	7	2	6	3	1	5	8	4
6	3	5	8	4	7	1	9	2
1	5	6	9	2	4	8	3	7
3	9	7	5	6	8	4	2	1
8	2	4	7	1	3	9	6	5

111

1	3	6	8	2	4	5	9	7
8	9	7	5	6	1	3	4	2
5	4	2	7	3	9	8	1	6
3	6	5	9	4	2	1	7	8
2	1	8	3	7	6	4	5	9
4	7	9	1	5	8	6	2	3
9	5	4	2	8	3	7	6	1
7	2	3	6	1	5	9	8	4
6	8	1	4	9	7	2	3	5

112

6	7	9	1	4	2	3	8	5
8	2	5	6	7	3	4	9	1
3	4	1	5	8	9	6	7	2
9	1	4	2	6	8	7	5	3
7	3	2	9	5	4	1	6	8
5	6	8	7	3	1	9	2	4
2	5	7	3	1	6	8	4	9
4	9	3	8	2	7	5	1	6
1	8	6	4	9	5	2	3	7

113

2	4	3	9	8	1	5	6	7
8	5	7	4	6	2	3	1	9
6	9	1	5	7	3	8	4	2
3	7	2	1	5	8	4	9	6
1	8	9	6	2	4	7	3	5
4	6	5	3	9	7	1	2	8
9	2	4	8	3	5	6	7	1
7	3	8	2	1	6	9	5	4
5	1	6	7	4	9	2	8	3

114

3	8	9	6	1	2	5	7	4
1	6	4	7	5	3	2	9	8
7	2	5	8	9	4	1	3	6
6	1	7	5	3	8	4	2	9
5	4	3	2	6	9	7	8	1
2	9	8	4	7	1	6	5	3
8	7	1	9	2	6	3	4	5
9	3	2	1	4	5	8	6	7
4	5	6	3	8	7	9	1	2

115

3	1	5	9	2	6	8	7	4
8	9	4	7	3	1	5	6	2
7	2	6	4	5	8	9	3	1
2	5	7	8	1	3	6	4	9
1	3	9	6	7	4	2	8	5
6	4	8	5	9	2	7	1	3
5	6	2	3	4	7	1	9	8
9	7	3	1	8	5	4	2	6
4	8	1	2	6	9	3	5	7

116

3	7	9	5	2	6	4	1	8
6	1	8	4	9	7	2	3	5
4	2	5	1	3	8	9	7	6
7	9	4	3	8	2	6	5	1
1	5	2	6	7	4	3	8	9
8	6	3	9	5	1	7	2	4
9	3	1	7	6	5	8	4	2
2	4	7	8	1	9	5	6	3
5	8	6	2	4	3	1	9	7

117

5	1	3	8	6	2	7	9	4
9	2	8	1	7	4	5	6	3
7	4	6	9	5	3	8	1	2
8	5	4	2	3	6	9	7	1
1	3	7	4	9	5	2	8	6
2	6	9	7	1	8	4	3	5
4	9	5	6	8	1	3	2	7
3	7	1	5	2	9	6	4	8
6	8	2	3	4	7	1	5	9

118

9	2	1	7	6	8	5	3	4
3	6	8	4	9	5	7	1	2
5	7	4	3	1	2	6	8	9
2	4	3	5	8	6	1	9	7
1	5	9	2	7	4	8	6	3
7	8	6	9	3	1	2	4	5
6	9	7	1	2	3	4	5	8
8	3	5	6	4	7	9	2	1
4	1	2	8	5	9	3	7	6

119

1	5	8	6	2	7	3	4	9
4	3	6	8	9	1	5	2	7
7	2	9	5	3	4	6	8	1
3	1	4	9	7	8	2	6	5
8	7	2	1	6	5	4	9	3
9	6	5	3	4	2	7	1	8
6	4	3	7	8	9	1	5	2
2	9	1	4	5	3	8	7	6
5	8	7	2	1	6	9	3	4

120

4	9	3	2	8	6	5	7	1
7	6	5	1	3	9	8	2	4
1	2	8	7	4	5	9	6	3
8	7	9	5	1	2	3	4	6
5	4	2	3	6	7	1	9	8
3	1	6	4	9	8	2	5	7
6	5	4	8	2	1	7	3	9
2	3	1	9	7	4	6	8	5
9	8	7	6	5	3	4	1	2

121

1	7	8	3	5	9	2	4	6
4	2	3	1	7	6	8	9	5
5	9	6	4	8	2	1	7	3
3	4	5	6	9	1	7	8	2
8	6	9	7	2	5	4	3	1
2	1	7	8	4	3	6	5	9
6	5	4	9	1	8	3	2	7
7	3	2	5	6	4	9	1	8
9	8	1	2	3	7	5	6	4

122

9	2	5	3	4	6	1	8	7
7	1	6	2	9	8	3	4	5
4	3	8	5	1	7	9	2	6
6	4	2	8	3	9	5	7	1
8	5	7	1	6	2	4	9	3
1	9	3	7	5	4	8	6	2
2	6	1	9	8	5	7	3	4
3	8	4	6	7	1	2	5	9
5	7	9	4	2	3	6	1	8

123

7	2	9	3	4	1	5	6	8
4	6	1	8	5	7	2	3	9
3	8	5	9	6	2	1	7	4
1	7	4	6	9	3	8	5	2
8	9	3	5	2	4	7	1	6
2	5	6	7	1	8	9	4	3
5	3	2	1	8	6	4	9	7
6	1	8	4	7	9	3	2	5
9	4	7	2	3	5	6	8	1

124

3	5	1	7	8	6	4	9	2
8	4	6	5	9	2	3	1	7
9	2	7	4	3	1	8	5	6
2	8	9	1	4	7	6	3	5
6	7	5	3	2	8	1	4	9
4	1	3	6	5	9	7	2	8
5	6	4	9	7	3	2	8	1
1	3	8	2	6	5	9	7	4
7	9	2	8	1	4	5	6	3

125

6	4	1	9	3	5	2	8	7
3	7	5	2	8	4	9	1	6
9	8	2	7	6	1	4	3	5
8	1	9	4	7	2	6	5	3
2	5	6	3	9	8	1	7	4
4	3	7	1	5	6	8	2	9
7	6	3	8	1	9	5	4	2
1	9	4	5	2	3	7	6	8
5	2	8	6	4	7	3	9	1

126

9	8	2	1	4	5	7	3	6
4	1	3	6	7	9	5	2	8
5	7	6	2	3	8	9	4	1
8	4	1	3	2	7	6	9	5
2	5	7	9	6	4	1	8	3
3	6	9	8	5	1	2	7	4
7	9	4	5	8	6	3	1	2
6	3	8	7	1	2	4	5	9
1	2	5	4	9	3	8	6	7

127

8	1	6	7	9	4	3	2	5
4	9	7	3	2	5	8	6	1
2	3	5	8	6	1	9	7	4
7	6	4	1	5	9	2	3	8
1	2	8	4	7	3	5	9	6
9	5	3	2	8	6	4	1	7
3	8	2	5	1	7	6	4	9
5	7	9	6	4	2	1	8	3
6	4	1	9	3	8	7	5	2

128

8	6	9	5	2	4	7	1	3
1	4	7	3	9	6	2	5	8
5	3	2	1	8	7	4	6	9
6	9	5	7	1	8	3	2	4
7	8	1	4	3	2	5	9	6
4	2	3	9	6	5	1	8	7
2	5	4	8	7	9	6	3	1
9	1	6	2	4	3	8	7	5
3	7	8	6	5	1	9	4	2

129

1	3	6	7	5	2	8	4	9
2	8	9	4	1	6	7	5	3
4	7	5	8	9	3	1	2	6
8	2	4	9	3	7	6	1	5
3	5	7	6	4	1	2	9	8
9	6	1	2	8	5	3	7	4
6	9	3	1	2	4	5	8	7
7	1	8	5	6	9	4	3	2
5	4	2	3	7	8	9	6	1

130

1	2	4	9	6	3	8	5	7
9	8	6	2	5	7	4	1	3
7	5	3	1	4	8	9	6	2
3	1	5	7	8	2	6	9	4
4	9	7	5	3	6	2	8	1
8	6	2	4	9	1	3	7	5
6	4	8	3	1	5	7	2	9
2	3	1	6	7	9	5	4	8
5	7	9	8	2	4	1	3	6

131

9	2	5	4	1	3	7	6	8
3	8	4	9	6	7	1	5	2
7	1	6	5	8	2	3	4	9
1	3	2	6	9	4	8	7	5
8	6	7	2	5	1	9	3	4
5	4	9	7	3	8	6	2	1
2	7	3	1	4	9	5	8	6
6	9	8	3	2	5	4	1	7
4	5	1	8	7	6	2	9	3

132

7	2	1	8	3	5	6	4	9
9	4	3	6	7	1	5	2	8
6	5	8	2	9	4	7	3	1
1	7	9	4	5	8	2	6	3
5	8	6	3	2	9	1	7	4
4	3	2	7	1	6	9	8	5
8	6	5	1	4	2	3	9	7
2	9	7	5	8	3	4	1	6
3	1	4	9	6	7	8	5	2

133

9	7	1	3	6	2	8	4	5
2	5	8	9	4	1	7	6	3
4	3	6	5	7	8	9	2	1
6	8	2	4	1	3	5	9	7
7	1	9	8	5	6	2	3	4
3	4	5	7	2	9	1	8	6
5	9	7	2	3	4	6	1	8
1	2	3	6	8	5	4	7	9
8	6	4	1	9	7	3	5	2

134

8	3	4	1	7	6	5	2	9
1	9	7	2	8	5	4	3	6
5	2	6	3	4	9	8	7	1
4	5	3	9	2	8	1	6	7
2	8	9	7	6	1	3	5	4
7	6	1	4	5	3	9	8	2
9	7	2	5	3	4	6	1	8
6	4	5	8	1	7	2	9	3
3	1	8	6	9	2	7	4	5

135

8	4	1	6	7	2	3	9	5
9	2	7	5	3	1	8	4	6
3	6	5	8	4	9	1	2	7
1	5	2	3	9	4	6	7	8
4	3	6	2	8	7	5	1	9
7	8	9	1	5	6	4	3	2
2	7	3	4	6	5	9	8	1
5	9	4	7	1	8	2	6	3
6	1	8	9	2	3	7	5	4

136

1	9	2	8	6	4	5	3	7
7	8	4	1	3	5	2	9	6
3	5	6	7	9	2	4	1	8
2	4	8	3	5	9	6	7	1
5	6	3	4	7	1	8	2	9
9	7	1	6	2	8	3	4	5
6	3	5	9	4	7	1	8	2
4	1	9	2	8	6	7	5	3
8	2	7	5	1	3	9	6	4

137

5	1	7	8	6	2	9	3	4
9	8	4	5	7	3	1	6	2
3	2	6	9	4	1	8	7	5
7	3	2	1	9	6	4	5	8
1	6	8	4	3	5	7	2	9
4	9	5	2	8	7	6	1	3
8	5	1	7	2	9	3	4	6
6	7	9	3	5	4	2	8	1
2	4	3	6	1	8	5	9	7

138

7	8	3	6	1	9	2	4	5
6	5	9	7	4	2	1	8	3
4	1	2	3	5	8	7	6	9
5	2	1	4	9	7	6	3	8
3	9	4	2	8	6	5	1	7
8	7	6	1	3	5	4	9	2
9	4	8	5	7	1	3	2	6
1	6	7	8	2	3	9	5	4
2	3	5	9	6	4	8	7	1

139

3	6	5	2	8	1	7	9	4
4	7	2	9	5	6	3	8	1
1	8	9	7	3	4	2	5	6
7	4	1	5	6	8	9	2	3
5	3	6	4	2	9	8	1	7
9	2	8	3	1	7	6	4	5
2	1	7	6	9	5	4	3	8
8	9	4	1	7	3	5	6	2
6	5	3	8	4	2	1	7	9

140

7	2	4	3	8	9	1	6	5
1	6	8	2	5	4	9	7	3
3	5	9	7	1	6	8	2	4
8	7	2	1	9	5	3	4	6
9	4	5	6	3	2	7	1	8
6	3	1	8	4	7	2	5	9
4	1	6	9	2	8	5	3	7
5	9	3	4	7	1	6	8	2
2	8	7	5	6	3	4	9	1

141

4	1	7	9	6	5	2	3	8
2	3	9	7	1	8	6	4	5
6	5	8	3	2	4	1	7	9
8	4	6	5	9	2	3	1	7
5	7	2	1	4	3	9	8	6
3	9	1	8	7	6	5	2	4
9	8	5	4	3	1	7	6	2
1	6	4	2	5	7	8	9	3
7	2	3	6	8	9	4	5	1

142

6	1	8	4	2	7	9	5	3
4	3	7	5	9	1	8	2	6
5	2	9	3	6	8	4	7	1
3	6	4	1	8	5	2	9	7
2	8	1	9	7	6	3	4	5
7	9	5	2	4	3	6	1	8
8	5	2	7	3	9	1	6	4
9	7	3	6	1	4	5	8	2
1	4	6	8	5	2	7	3	9

143

8	6	7	9	3	1	5	4	2
4	2	9	7	6	5	3	1	8
1	5	3	8	4	2	7	9	6
3	7	4	5	2	8	1	6	9
2	9	8	6	1	7	4	3	5
5	1	6	3	9	4	2	8	7
7	4	5	1	8	6	9	2	3
6	3	2	4	7	9	8	5	1
9	8	1	2	5	3	6	7	4

144

4	1	7	9	3	6	2	8	5
6	5	2	8	4	7	1	9	3
9	8	3	5	2	1	6	7	4
2	6	1	4	7	9	5	3	8
3	7	4	6	8	5	9	2	1
5	9	8	2	1	3	7	4	6
7	2	6	3	5	4	8	1	9
1	4	5	7	9	8	3	6	2
8	3	9	1	6	2	4	5	7

145

5	8	4	9	7	6	1	2	3
2	7	1	8	4	3	5	9	6
9	3	6	1	5	2	7	8	4
1	6	2	3	9	4	8	7	5
3	5	7	6	1	8	9	4	2
8	4	9	5	2	7	3	6	1
6	2	8	7	3	5	4	1	9
4	9	5	2	8	1	6	3	7
7	1	3	4	6	9	2	5	8

146

5	2	9	3	8	1	7	4	6
1	3	6	7	2	4	5	8	9
4	7	8	5	6	9	3	1	2
2	9	4	1	7	8	6	5	3
6	8	3	2	9	5	1	7	4
7	5	1	4	3	6	9	2	8
9	6	5	8	1	2	4	3	7
3	1	2	9	4	7	8	6	5
8	4	7	6	5	3	2	9	1

147

1	5	4	6	7	8	3	2	9
6	9	7	3	2	4	1	5	8
2	8	3	9	1	5	6	7	4
9	1	5	4	6	2	7	8	3
7	6	2	1	8	3	9	4	5
4	3	8	5	9	7	2	1	6
5	7	6	2	4	9	8	3	1
3	2	9	8	5	1	4	6	7
8	4	1	7	3	6	5	9	2

148

4	7	1	6	9	3	5	8	2
3	8	2	7	4	5	1	6	9
5	9	6	1	8	2	7	3	4
7	1	9	8	2	6	3	4	5
6	5	4	3	1	7	2	9	8
2	3	8	4	5	9	6	7	1
9	4	3	2	6	1	8	5	7
1	6	5	9	7	8	4	2	3
8	2	7	5	3	4	9	1	6

149

3	4	5	6	7	1	8	2	9
7	8	1	2	5	9	6	3	4
6	9	2	3	4	8	1	7	5
2	7	4	8	3	6	9	5	1
8	5	3	1	9	7	2	4	6
9	1	6	4	2	5	3	8	7
1	3	7	5	6	2	4	9	8
4	6	9	7	8	3	5	1	2
5	2	8	9	1	4	7	6	3

150

7	1	5	4	3	8	9	6	2
2	4	6	7	5	9	1	8	3
3	9	8	1	6	2	4	7	5
9	3	2	8	7	4	5	1	6
6	8	4	5	9	1	3	2	7
5	7	1	3	2	6	8	4	9
4	2	9	6	1	5	7	3	8
1	6	3	9	8	7	2	5	4
8	5	7	2	4	3	6	9	1

151

8	2	4	6	7	1	3	5	9
5	3	6	8	9	4	1	7	2
9	7	1	5	2	3	6	8	4
7	6	8	1	5	2	4	9	3
2	1	3	9	4	7	5	6	8
4	9	5	3	6	8	2	1	7
6	4	2	7	8	5	9	3	1
3	8	9	4	1	6	7	2	5
1	5	7	2	3	9	8	4	6

152

6	9	7	4	1	2	3	5	8
1	8	2	5	7	3	4	6	9
4	3	5	8	9	6	7	1	2
7	1	8	3	6	9	2	4	5
9	6	4	2	8	5	1	7	3
5	2	3	7	4	1	8	9	6
8	4	9	6	3	7	5	2	1
2	7	1	9	5	8	6	3	4
3	5	6	1	2	4	9	8	7

153

1	4	3	2	8	6	5	9	7
8	6	7	5	9	4	3	1	2
5	2	9	3	1	7	8	6	4
2	8	6	7	5	1	9	4	3
9	5	1	8	4	3	2	7	6
7	3	4	6	2	9	1	8	5
3	1	2	4	6	8	7	5	9
4	7	8	9	3	5	6	2	1
6	9	5	1	7	2	4	3	8

154

9	1	5	7	8	6	3	2	4
2	3	7	5	1	4	9	8	6
6	4	8	2	9	3	1	5	7
1	8	2	4	5	7	6	9	3
5	9	4	6	3	8	7	1	2
7	6	3	1	2	9	8	4	5
3	7	1	8	4	5	2	6	9
8	5	6	9	7	2	4	3	1
4	2	9	3	6	1	5	7	8

155

2	4	9	7	8	5	6	1	3
1	3	8	9	4	6	2	5	7
6	5	7	3	2	1	4	9	8
4	1	5	2	9	7	3	8	6
7	8	2	1	6	3	5	4	9
9	6	3	8	5	4	7	2	1
8	2	6	4	3	9	1	7	5
5	7	4	6	1	8	9	3	2
3	9	1	5	7	2	8	6	4

156

1	9	3	2	8	6	5	7	4
6	4	5	9	3	7	1	8	2
7	2	8	4	1	5	9	3	6
8	6	7	1	9	4	2	5	3
5	1	4	3	7	2	8	6	9
9	3	2	5	6	8	7	4	1
3	7	6	8	2	9	4	1	5
4	8	9	6	5	1	3	2	7
2	5	1	7	4	3	6	9	8

157

1	9	2	7	3	8	4	6	5
3	5	4	6	1	2	8	7	9
6	8	7	4	9	5	1	3	2
5	7	3	1	4	9	6	2	8
4	2	1	8	6	7	9	5	3
8	6	9	5	2	3	7	1	4
9	1	6	3	5	4	2	8	7
2	3	8	9	7	6	5	4	1
7	4	5	2	8	1	3	9	6

158

5	1	2	3	7	6	9	4	8
9	6	4	2	1	8	3	5	7
7	3	8	4	9	5	6	2	1
3	2	1	7	6	4	8	9	5
6	7	5	8	2	9	4	1	3
4	8	9	5	3	1	7	6	2
1	4	3	9	8	2	5	7	6
2	5	7	6	4	3	1	8	9
8	9	6	1	5	7	2	3	4

159

9	2	1	4	5	6	3	8	7
4	8	3	9	7	1	2	5	6
7	6	5	3	8	2	4	9	1
5	9	6	1	3	4	7	2	8
2	1	8	7	9	5	6	4	3
3	7	4	2	6	8	9	1	5
6	4	2	8	1	3	5	7	9
1	5	7	6	4	9	8	3	2
8	3	9	5	2	7	1	6	4

160

3	8	9	5	2	7	1	6	4
4	2	6	3	1	8	7	5	9
7	1	5	9	6	4	3	8	2
5	9	8	2	3	1	4	7	6
6	7	3	4	8	5	9	2	1
2	4	1	6	7	9	8	3	5
9	5	2	8	4	3	6	1	7
8	6	7	1	9	2	5	4	3
1	3	4	7	5	6	2	9	8

161

6	9	8	3	1	5	2	7	4
5	3	4	7	2	9	6	1	8
2	1	7	6	8	4	9	5	3
8	4	6	2	9	1	5	3	7
1	2	3	5	4	7	8	9	6
9	7	5	8	6	3	1	4	2
7	5	2	1	3	6	4	8	9
4	8	1	9	7	2	3	6	5
3	6	9	4	5	8	7	2	1

162

2	9	6	3	7	4	8	1	5
4	5	8	1	6	9	7	3	2
7	3	1	8	2	5	6	4	9
8	2	5	9	3	7	4	6	1
3	7	9	6	4	1	5	2	8
1	6	4	2	5	8	9	7	3
5	4	3	7	8	2	1	9	6
6	1	7	5	9	3	2	8	4
9	8	2	4	1	6	3	5	7

163

3	1	6	4	8	7	2	9	5
9	4	8	2	5	6	1	7	3
7	5	2	9	1	3	4	6	8
2	6	7	3	9	8	5	4	1
4	8	5	1	7	2	9	3	6
1	9	3	6	4	5	8	2	7
8	3	4	5	6	9	7	1	2
5	2	9	7	3	1	6	8	4
6	7	1	8	2	4	3	5	9

164

4	8	3	2	9	6	7	5	1
9	5	7	4	8	1	6	3	2
1	2	6	7	5	3	8	9	4
2	6	1	3	4	8	9	7	5
7	9	5	1	6	2	4	8	3
8	3	4	9	7	5	1	2	6
3	4	9	5	1	7	2	6	8
6	7	2	8	3	4	5	1	9
5	1	8	6	2	9	3	4	7

165

5	9	7	2	4	1	6	8	3
6	4	3	9	7	8	2	5	1
2	1	8	5	6	3	4	9	7
7	6	1	8	3	5	9	2	4
4	3	5	7	2	9	8	1	6
9	8	2	4	1	6	7	3	5
3	7	9	1	8	4	5	6	2
1	5	4	6	9	2	3	7	8
8	2	6	3	5	7	1	4	9

166

6	4	8	9	5	3	1	7	2
3	7	9	6	2	1	5	4	8
1	5	2	4	7	8	6	3	9
7	9	6	8	3	4	2	1	5
2	3	5	7	1	9	4	8	6
4	8	1	5	6	2	3	9	7
9	6	7	1	4	5	8	2	3
8	2	4	3	9	6	7	5	1
5	1	3	2	8	7	9	6	4

167

9	8	5	4	7	3	2	1	6
2	6	7	5	8	1	4	9	3
1	3	4	2	6	9	5	7	8
5	4	3	1	9	2	8	6	7
8	1	2	6	3	7	9	5	4
7	9	6	8	5	4	3	2	1
3	7	8	9	2	6	1	4	5
6	2	1	3	4	5	7	8	9
4	5	9	7	1	8	6	3	2

168

3	1	4	7	5	2	9	6	8
9	6	2	1	8	4	5	3	7
8	7	5	3	9	6	4	2	1
2	5	3	4	1	8	7	9	6
6	9	7	2	3	5	1	8	4
4	8	1	9	6	7	3	5	2
7	4	8	5	2	3	6	1	9
1	3	6	8	4	9	2	7	5
5	2	9	6	7	1	8	4	3

169

9	4	6	7	5	3	1	8	2
1	7	3	4	2	8	6	9	5
8	2	5	6	9	1	4	3	7
3	9	2	1	8	4	7	5	6
4	5	8	9	7	6	3	2	1
7	6	1	5	3	2	8	4	9
5	3	4	2	6	7	9	1	8
6	8	9	3	1	5	2	7	4
2	1	7	8	4	9	5	6	3

170

3	5	9	7	6	4	2	1	8
6	1	7	2	3	8	9	5	4
4	8	2	1	9	5	6	7	3
8	2	5	9	7	3	1	4	6
9	7	4	8	1	6	5	3	2
1	3	6	5	4	2	7	8	9
5	4	3	6	2	1	8	9	7
7	6	8	4	5	9	3	2	1
2	9	1	3	8	7	4	6	5

171

7	8	5	4	3	1	9	6	2
9	6	1	2	8	7	5	3	4
4	3	2	5	6	9	7	8	1
3	1	8	9	7	2	4	5	6
2	4	7	6	1	5	3	9	8
5	9	6	8	4	3	2	1	7
8	5	4	7	9	6	1	2	3
1	7	9	3	2	8	6	4	5
6	2	3	1	5	4	8	7	9

172

7	8	2	5	3	1	6	9	4
3	9	6	4	8	7	1	2	5
1	5	4	6	9	2	8	7	3
8	1	5	2	7	9	4	3	6
6	4	7	3	5	8	9	1	2
9	2	3	1	6	4	7	5	8
5	3	8	9	1	6	2	4	7
4	7	1	8	2	3	5	6	9
2	6	9	7	4	5	3	8	1

173

4	6	3	2	8	5	9	7	1
1	7	2	4	6	9	5	3	8
5	9	8	3	7	1	4	2	6
2	8	4	5	3	7	6	1	9
9	5	7	1	2	6	8	4	3
3	1	6	9	4	8	7	5	2
7	3	5	8	9	2	1	6	4
8	2	1	6	5	4	3	9	7
6	4	9	7	1	3	2	8	5

174

2	6	4	5	1	3	7	9	8
9	8	1	7	2	4	6	3	5
5	7	3	9	6	8	2	4	1
7	2	5	4	9	6	8	1	3
8	1	9	2	3	5	4	6	7
3	4	6	8	7	1	5	2	9
4	9	7	3	5	2	1	8	6
6	5	2	1	8	9	3	7	4
1	3	8	6	4	7	9	5	2

175

7	2	3	1	6	8	9	5	4
5	4	1	2	9	3	8	7	6
6	9	8	7	5	4	1	3	2
8	1	9	5	4	7	2	6	3
3	7	2	9	1	6	5	4	8
4	6	5	8	3	2	7	1	9
1	5	6	3	2	9	4	8	7
9	8	4	6	7	5	3	2	1
2	3	7	4	8	1	6	9	5

176

2	8	3	1	6	5	9	4	7
1	7	4	9	3	8	2	6	5
9	6	5	4	7	2	1	8	3
7	3	9	5	4	1	6	2	8
6	4	8	7	2	9	5	3	1
5	2	1	6	8	3	4	7	9
8	1	7	2	5	4	3	9	6
4	5	6	3	9	7	8	1	2
3	9	2	8	1	6	7	5	4

177

5	1	7	2	3	6	9	8	4
8	4	2	5	1	9	6	3	7
9	6	3	8	4	7	1	5	2
7	2	5	1	9	8	4	6	3
4	8	9	6	2	3	5	7	1
6	3	1	7	5	4	2	9	8
2	7	4	9	8	5	3	1	6
1	9	6	3	7	2	8	4	5
3	5	8	4	6	1	7	2	9

178

5	4	3	8	9	7	2	6	1
6	8	9	4	2	1	5	3	7
1	2	7	5	6	3	8	9	4
9	5	2	7	8	4	6	1	3
8	7	6	1	3	2	9	4	5
4	3	1	9	5	6	7	2	8
3	9	4	2	7	8	1	5	6
7	6	5	3	1	9	4	8	2
2	1	8	6	4	5	3	7	9

179

6	5	4	2	3	1	7	9	8
3	7	2	8	9	6	4	5	1
9	1	8	7	5	4	6	2	3
7	9	1	3	8	2	5	4	6
4	8	3	5	6	9	2	1	7
5	2	6	4	1	7	3	8	9
2	6	7	9	4	8	1	3	5
8	4	5	1	7	3	9	6	2
1	3	9	6	2	5	8	7	4

180

8	7	2	3	6	1	9	5	4
5	6	9	4	8	7	1	2	3
3	1	4	9	5	2	7	6	8
7	9	5	6	1	3	8	4	2
1	3	6	8	2	4	5	9	7
2	4	8	7	9	5	6	3	1
9	5	1	2	4	8	3	7	6
6	2	3	1	7	9	4	8	5
4	8	7	5	3	6	2	1	9

181

5	9	6	4	1	2	8	7	3
2	8	7	9	6	3	5	1	4
1	4	3	5	8	7	2	6	9
4	3	5	2	9	1	6	8	7
6	2	9	7	5	8	3	4	1
8	7	1	6	3	4	9	5	2
3	5	2	1	7	6	4	9	8
9	1	4	8	2	5	7	3	6
7	6	8	3	4	9	1	2	5

182

4	8	5	2	6	1	7	9	3
7	3	2	8	9	4	6	5	1
6	9	1	7	5	3	4	8	2
5	1	6	4	3	8	2	7	9
2	4	8	9	1	7	5	3	6
9	7	3	5	2	6	1	4	8
8	2	7	6	4	9	3	1	5
3	6	4	1	8	5	9	2	7
1	5	9	3	7	2	8	6	4

183

1	5	3	9	6	2	7	8	4
8	7	4	1	3	5	6	2	9
6	2	9	8	4	7	1	3	5
3	8	1	7	5	6	4	9	2
5	4	6	2	9	1	3	7	8
2	9	7	3	8	4	5	6	1
4	6	2	5	7	9	8	1	3
7	1	8	4	2	3	9	5	6
9	3	5	6	1	8	2	4	7

184

4	1	7	6	5	9	3	2	8
2	9	3	1	8	7	4	6	5
5	6	8	3	2	4	9	1	7
6	7	5	9	1	8	2	4	3
9	8	1	2	4	3	5	7	6
3	4	2	5	7	6	1	8	9
8	3	6	4	9	1	7	5	2
7	5	4	8	3	2	6	9	1
1	2	9	7	6	5	8	3	4

185

6	4	8	7	2	3	5	9	1
5	1	2	9	6	4	7	3	8
9	7	3	8	1	5	2	6	4
7	8	5	3	4	6	9	1	2
3	2	1	5	9	7	8	4	6
4	6	9	2	8	1	3	5	7
2	9	6	1	5	8	4	7	3
1	5	7	4	3	2	6	8	9
8	3	4	6	7	9	1	2	5

186

5	1	2	9	4	7	8	6	3
7	4	8	3	6	2	5	1	9
3	6	9	8	1	5	7	4	2
6	2	4	5	7	9	3	8	1
9	3	7	1	2	8	6	5	4
8	5	1	4	3	6	9	2	7
4	8	3	7	5	1	2	9	6
1	9	6	2	8	3	4	7	5
2	7	5	6	9	4	1	3	8

187

2	4	3	9	5	8	1	6	7
5	8	7	1	3	6	4	2	9
6	9	1	2	7	4	3	5	8
8	1	6	7	9	5	2	3	4
7	5	4	3	8	2	6	9	1
9	3	2	6	4	1	8	7	5
4	7	8	5	6	3	9	1	2
3	2	9	8	1	7	5	4	6
1	6	5	4	2	9	7	8	3

188

9	1	4	8	2	3	5	7	6
6	8	2	1	7	5	9	3	4
5	7	3	6	9	4	1	8	2
7	9	8	3	4	6	2	5	1
4	6	1	2	5	8	7	9	3
3	2	5	7	1	9	6	4	8
8	3	9	5	6	2	4	1	7
1	5	6	4	3	7	8	2	9
2	4	7	9	8	1	3	6	5

189

4	5	1	9	6	2	3	7	8
7	2	9	8	1	3	4	6	5
6	8	3	5	4	7	2	9	1
9	1	8	6	2	5	7	4	3
5	6	7	3	8	4	9	1	2
3	4	2	1	7	9	8	5	6
8	7	5	2	9	1	6	3	4
2	3	4	7	5	6	1	8	9
1	9	6	4	3	8	5	2	7

190

9	6	4	3	8	1	2	7	5
5	8	2	9	7	6	4	3	1
3	7	1	4	5	2	6	9	8
7	1	6	2	3	8	9	5	4
4	9	3	7	6	5	1	8	2
2	5	8	1	4	9	3	6	7
6	4	9	8	1	7	5	2	3
8	3	5	6	2	4	7	1	9
1	2	7	5	9	3	8	4	6

191

8	3	4	5	1	2	7	6	9
2	7	5	9	6	4	3	8	1
6	1	9	3	7	8	4	2	5
3	5	1	2	4	6	8	9	7
9	6	7	1	8	3	2	5	4
4	2	8	7	5	9	1	3	6
5	9	3	4	2	1	6	7	8
7	4	6	8	3	5	9	1	2
1	8	2	6	9	7	5	4	3

192

4	9	6	5	8	7	1	3	2
8	2	3	9	1	6	7	4	5
7	1	5	2	4	3	8	6	9
3	5	9	6	2	8	4	1	7
2	4	8	1	7	5	6	9	3
6	7	1	3	9	4	2	5	8
9	6	4	8	5	2	3	7	1
1	3	2	7	6	9	5	8	4
5	8	7	4	3	1	9	2	6

193

1	4	2	6	8	9	7	3	5
9	5	6	7	2	3	4	8	1
8	3	7	1	4	5	2	6	9
5	2	9	8	7	4	3	1	6
6	7	8	9	3	1	5	2	4
3	1	4	5	6	2	9	7	8
4	6	1	2	9	7	8	5	3
2	9	5	3	1	8	6	4	7
7	8	3	4	5	6	1	9	2

194

9	1	2	5	3	8	4	7	6
6	8	7	4	9	2	5	1	3
4	3	5	6	1	7	8	2	9
8	4	9	1	7	6	3	5	2
2	5	3	9	8	4	1	6	7
7	6	1	2	5	3	9	4	8
5	7	8	3	6	1	2	9	4
3	9	4	7	2	5	6	8	1
1	2	6	8	4	9	7	3	5

195

8	6	2	9	7	4	1	5	3
4	7	3	5	8	1	6	2	9
1	5	9	2	3	6	8	4	7
5	2	7	1	4	3	9	8	6
3	8	1	6	9	2	4	7	5
6	9	4	7	5	8	2	3	1
9	3	8	4	6	7	5	1	2
2	4	6	3	1	5	7	9	8
7	1	5	8	2	9	3	6	4

196

3	9	6	2	4	8	5	1	7
5	4	2	7	1	3	6	9	8
8	1	7	5	9	6	3	4	2
4	2	8	9	6	1	7	5	3
7	6	3	8	5	4	1	2	9
1	5	9	3	7	2	4	8	6
9	3	4	6	8	5	2	7	1
2	7	5	1	3	9	8	6	4
6	8	1	4	2	7	9	3	5

197

6	7	5	9	4	8	3	2	1
1	3	2	6	5	7	8	9	4
9	8	4	1	3	2	6	5	7
2	1	6	5	7	4	9	8	3
5	9	3	8	2	1	4	7	6
7	4	8	3	9	6	5	1	2
4	2	9	7	8	3	1	6	5
3	5	1	2	6	9	7	4	8
8	6	7	4	1	5	2	3	9

198

6	4	9	8	3	1	2	5	7
1	5	2	4	7	6	9	8	3
7	3	8	9	5	2	6	4	1
3	9	1	5	8	7	4	2	6
4	2	7	6	9	3	8	1	5
5	8	6	2	1	4	7	3	9
8	6	5	3	4	9	1	7	2
9	7	4	1	2	5	3	6	8
2	1	3	7	6	8	5	9	4

199

1	4	3	2	5	8	9	6	7
5	6	9	1	4	7	2	8	3
8	2	7	3	9	6	1	4	5
7	9	6	5	2	3	8	1	4
2	3	1	4	8	9	5	7	6
4	5	8	7	6	1	3	2	9
9	7	2	8	3	4	6	5	1
6	1	5	9	7	2	4	3	8
3	8	4	6	1	5	7	9	2

200

7	5	9	2	4	3	6	1	8
4	2	1	8	6	9	5	7	3
6	3	8	5	7	1	9	4	2
1	7	5	6	9	2	8	3	4
2	9	3	4	8	7	1	5	6
8	6	4	3	1	5	7	2	9
9	1	2	7	3	6	4	8	5
5	4	7	9	2	8	3	6	1
3	8	6	1	5	4	2	9	7

201

5	7	8	9	2	4	6	3	1
3	4	6	1	5	7	2	8	9
2	1	9	6	3	8	7	5	4
7	8	3	4	9	5	1	6	2
1	5	4	2	8	6	9	7	3
6	9	2	7	1	3	8	4	5
9	3	5	8	6	2	4	1	7
8	2	7	5	4	1	3	9	6
4	6	1	3	7	9	5	2	8

202

3	7	2	8	6	4	1	5	9
8	9	4	3	5	1	6	7	2
5	6	1	2	9	7	3	8	4
9	1	6	5	4	3	8	2	7
2	4	5	1	7	8	9	6	3
7	3	8	6	2	9	5	4	1
4	5	7	9	3	6	2	1	8
6	8	3	7	1	2	4	9	5
1	2	9	4	8	5	7	3	6

203

3	2	7	6	9	8	4	1	5
1	8	9	5	2	4	7	3	6
6	4	5	1	3	7	2	9	8
7	9	1	4	5	3	6	8	2
4	5	8	9	6	2	3	7	1
2	3	6	7	8	1	9	5	4
9	7	4	8	1	6	5	2	3
8	6	3	2	7	5	1	4	9
5	1	2	3	4	9	8	6	7

204

7	5	4	3	6	1	2	9	8
3	6	9	2	7	8	4	5	1
1	2	8	4	9	5	3	7	6
8	7	5	1	2	6	9	4	3
6	3	1	9	5	4	7	8	2
4	9	2	8	3	7	6	1	5
2	4	3	5	8	9	1	6	7
5	1	7	6	4	2	8	3	9
9	8	6	7	1	3	5	2	4

205

6	1	2	9	7	8	3	4	5
9	5	4	1	2	3	8	7	6
8	7	3	4	5	6	2	1	9
5	2	7	3	1	9	4	6	8
1	9	8	6	4	2	7	5	3
3	4	6	5	8	7	1	9	2
2	8	5	7	9	4	6	3	1
7	3	9	8	6	1	5	2	4
4	6	1	2	3	5	9	8	7

206

2	3	8	6	1	5	4	7	9
6	1	9	7	4	3	5	2	8
4	5	7	8	9	2	3	6	1
7	9	3	2	5	6	8	1	4
5	8	4	3	7	1	6	9	2
1	2	6	9	8	4	7	5	3
3	4	1	5	2	7	9	8	6
9	7	2	4	6	8	1	3	5
8	6	5	1	3	9	2	4	7

207

2	3	5	4	9	1	7	8	6
6	4	8	3	7	5	1	2	9
7	9	1	8	2	6	4	5	3
1	2	7	9	5	4	3	6	8
5	8	9	1	6	3	2	4	7
4	6	3	7	8	2	9	1	5
9	5	6	2	4	7	8	3	1
8	1	2	5	3	9	6	7	4
3	7	4	6	1	8	5	9	2

208

2	6	9	8	5	7	3	4	1
8	5	3	9	1	4	2	7	6
1	7	4	6	2	3	9	5	8
5	1	2	7	8	9	4	6	3
9	4	8	3	6	5	7	1	2
6	3	7	2	4	1	5	8	9
4	2	5	1	9	6	8	3	7
3	8	6	5	7	2	1	9	4
7	9	1	4	3	8	6	2	5

209

8	5	9	4	3	2	7	6	1
1	3	6	8	5	7	2	4	9
7	4	2	6	9	1	5	3	8
9	1	4	7	6	3	8	5	2
5	7	3	1	2	8	4	9	6
6	2	8	9	4	5	3	1	7
3	8	1	5	7	6	9	2	4
2	9	7	3	1	4	6	8	5
4	6	5	2	8	9	1	7	3

210

3	4	8	9	2	6	7	1	5
1	5	9	3	7	8	6	2	4
7	2	6	4	5	1	9	3	8
9	6	7	5	1	4	3	8	2
4	8	3	7	9	2	5	6	1
2	1	5	6	8	3	4	7	9
5	9	2	8	3	7	1	4	6
6	7	1	2	4	5	8	9	3
8	3	4	1	6	9	2	5	7

211

3	4	6	8	7	9	2	5	1
9	2	7	5	1	4	8	3	6
8	5	1	2	3	6	4	7	9
5	1	4	7	6	8	9	2	3
7	6	3	9	2	1	5	8	4
2	9	8	3	4	5	6	1	7
1	8	2	6	9	3	7	4	5
6	3	5	4	8	7	1	9	2
4	7	9	1	5	2	3	6	8

212

2	6	9	5	8	7	3	4	1
3	4	7	9	6	1	8	5	2
1	5	8	2	4	3	7	9	6
7	9	1	6	3	4	5	2	8
5	2	3	1	9	8	4	6	7
6	8	4	7	5	2	9	1	3
9	1	5	8	7	6	2	3	4
8	3	6	4	2	9	1	7	5
4	7	2	3	1	5	6	8	9

213

2	3	7	1	9	5	8	4	6
6	8	1	7	3	4	2	5	9
5	9	4	2	8	6	3	1	7
8	7	2	3	5	1	6	9	4
1	4	3	6	2	9	7	8	5
9	6	5	8	4	7	1	3	2
3	5	8	9	6	2	4	7	1
7	2	9	4	1	3	5	6	8
4	1	6	5	7	8	9	2	3

214

3	5	6	8	7	1	2	4	9
1	9	7	4	2	5	6	3	8
8	4	2	9	6	3	7	1	5
4	7	8	1	3	9	5	2	6
2	6	1	7	5	8	4	9	3
9	3	5	6	4	2	1	8	7
7	8	4	2	9	6	3	5	1
6	1	3	5	8	4	9	7	2
5	2	9	3	1	7	8	6	4

215

4	1	3	9	8	5	6	7	2
6	7	8	3	4	2	5	1	9
5	9	2	6	1	7	4	8	3
8	3	4	7	9	6	2	5	1
2	6	7	5	3	1	8	9	4
1	5	9	4	2	8	3	6	7
9	4	6	8	7	3	1	2	5
3	8	1	2	5	9	7	4	6
7	2	5	1	6	4	9	3	8

216

7	5	2	8	3	9	4	6	1
3	4	9	6	1	2	7	8	5
8	6	1	7	4	5	3	2	9
6	2	7	4	5	3	1	9	8
4	9	8	1	7	6	2	5	3
1	3	5	2	9	8	6	7	4
2	7	3	9	8	1	5	4	6
5	8	4	3	6	7	9	1	2
9	1	6	5	2	4	8	3	7

217

1	6	7	4	2	8	9	3	5
5	9	8	1	6	3	2	4	7
4	2	3	5	7	9	6	8	1
9	3	4	6	1	5	8	7	2
8	5	1	2	9	7	3	6	4
6	7	2	3	8	4	5	1	9
2	4	9	7	3	6	1	5	8
7	8	6	9	5	1	4	2	3
3	1	5	8	4	2	7	9	6

218

5	3	1	8	7	6	2	9	4
2	9	4	5	1	3	8	7	6
8	6	7	4	2	9	3	5	1
9	4	3	7	5	1	6	2	8
6	1	2	9	4	8	7	3	5
7	5	8	3	6	2	1	4	9
4	7	6	2	8	5	9	1	3
1	2	9	6	3	4	5	8	7
3	8	5	1	9	7	4	6	2

219

9	4	8	3	2	1	5	6	7
6	3	5	4	9	7	1	2	8
1	7	2	8	6	5	9	4	3
8	5	3	2	7	4	6	9	1
2	1	6	5	3	9	7	8	4
7	9	4	6	1	8	2	3	5
5	6	7	9	4	3	8	1	2
4	2	1	7	8	6	3	5	9
3	8	9	1	5	2	4	7	6

220

8	1	7	6	5	9	2	3	4
6	2	5	4	3	8	7	9	1
3	4	9	2	1	7	5	6	8
5	7	3	8	4	2	6	1	9
4	9	8	7	6	1	3	5	2
2	6	1	3	9	5	4	8	7
1	5	4	9	7	3	8	2	6
7	3	2	1	8	6	9	4	5
9	8	6	5	2	4	1	7	3

221

1	9	8	4	2	5	7	3	6
4	7	2	6	1	3	9	5	8
6	5	3	8	9	7	2	1	4
7	2	5	3	4	1	6	8	9
9	8	1	7	5	6	4	2	3
3	4	6	2	8	9	5	7	1
2	6	7	1	3	4	8	9	5
5	3	4	9	7	8	1	6	2
8	1	9	5	6	2	3	4	7

222

2	9	5	1	4	6	3	7	8
6	4	8	7	3	2	5	1	9
1	3	7	5	9	8	6	2	4
8	6	9	2	7	4	1	3	5
4	1	2	3	8	5	7	9	6
7	5	3	6	1	9	8	4	2
9	7	4	8	5	3	2	6	1
5	2	1	9	6	7	4	8	3
3	8	6	4	2	1	9	5	7

223

9	8	6	1	5	4	3	2	7
3	4	2	8	7	9	6	1	5
5	1	7	2	6	3	9	4	8
6	2	8	7	9	1	5	3	4
4	9	3	5	2	6	7	8	1
1	7	5	3	4	8	2	9	6
7	5	9	4	1	2	8	6	3
8	6	1	9	3	5	4	7	2
2	3	4	6	8	7	1	5	9

224

7	3	1	5	4	9	2	6	8
2	6	5	1	8	3	7	4	9
4	8	9	7	2	6	5	1	3
9	5	8	3	1	2	6	7	4
6	2	7	4	5	8	3	9	1
1	4	3	6	9	7	8	5	2
8	1	2	9	7	5	4	3	6
3	7	4	8	6	1	9	2	5
5	9	6	2	3	4	1	8	7

225

5	2	7	3	8	1	6	4	9
3	8	9	5	4	6	1	7	2
1	6	4	7	9	2	8	5	3
6	5	8	9	2	4	7	3	1
2	4	1	8	7	3	5	9	6
7	9	3	1	6	5	2	8	4
9	3	2	6	5	8	4	1	7
4	7	5	2	1	9	3	6	8
8	1	6	4	3	7	9	2	5

226

1	8	4	7	3	2	9	6	5
6	2	3	9	5	1	7	8	4
9	5	7	6	8	4	3	1	2
8	4	1	5	2	9	6	3	7
3	7	2	4	6	8	5	9	1
5	9	6	3	1	7	2	4	8
4	3	9	1	7	5	8	2	6
7	6	8	2	4	3	1	5	9
2	1	5	8	9	6	4	7	3

227

4	1	9	3	2	8	6	7	5
5	2	3	1	6	7	9	8	4
7	8	6	9	4	5	2	1	3
9	4	1	2	7	6	3	5	8
6	5	2	8	3	4	1	9	7
3	7	8	5	9	1	4	2	6
2	3	4	7	8	9	5	6	1
1	6	7	4	5	2	8	3	9
8	9	5	6	1	3	7	4	2

228

3	7	1	6	8	2	5	4	9
9	8	2	5	4	3	6	7	1
4	5	6	7	9	1	2	8	3
6	4	9	2	3	7	1	5	8
8	3	5	1	6	4	9	2	7
1	2	7	8	5	9	3	6	4
5	1	4	3	2	8	7	9	6
7	6	8	9	1	5	4	3	2
2	9	3	4	7	6	8	1	5

229

1	7	9	8	6	2	3	5	4
2	5	4	1	7	3	8	6	9
8	3	6	4	5	9	1	2	7
6	2	3	5	9	8	7	4	1
7	4	8	3	1	6	2	9	5
9	1	5	2	4	7	6	8	3
4	8	1	7	2	5	9	3	6
3	6	7	9	8	4	5	1	2
5	9	2	6	3	1	4	7	8

230

3	2	9	4	8	1	5	7	6
4	7	8	5	3	6	1	2	9
1	5	6	9	7	2	4	3	8
8	4	3	2	5	9	7	6	1
2	9	1	6	4	7	8	5	3
5	6	7	8	1	3	2	9	4
9	8	5	3	2	4	6	1	7
6	1	2	7	9	8	3	4	5
7	3	4	1	6	5	9	8	2

231

2	9	1	8	4	5	7	6	3
8	7	4	3	2	6	9	1	5
6	3	5	1	9	7	8	4	2
7	4	2	9	1	3	6	5	8
5	1	9	6	7	8	3	2	4
3	8	6	4	5	2	1	9	7
9	5	7	2	3	1	4	8	6
4	2	8	7	6	9	5	3	1
1	6	3	5	8	4	2	7	9

232

7	4	6	3	1	2	8	9	5
2	5	1	7	9	8	6	3	4
3	9	8	4	5	6	7	1	2
1	2	3	5	6	7	4	8	9
9	8	4	2	3	1	5	7	6
6	7	5	8	4	9	3	2	1
8	6	7	1	2	5	9	4	3
5	3	2	9	8	4	1	6	7
4	1	9	6	7	3	2	5	8

233

1	9	2	6	7	3	5	4	8
3	7	4	9	5	8	6	1	2
6	8	5	4	2	1	7	3	9
7	3	8	1	9	5	4	2	6
4	5	9	2	3	6	8	7	1
2	6	1	7	8	4	3	9	5
8	1	7	3	6	2	9	5	4
9	2	6	5	4	7	1	8	3
5	4	3	8	1	9	2	6	7

234

5	6	7	4	8	2	3	1	9
4	9	8	3	1	7	5	6	2
1	2	3	9	5	6	4	8	7
9	5	6	7	4	1	8	2	3
8	4	1	5	2	3	9	7	6
7	3	2	6	9	8	1	5	4
6	8	4	1	7	9	2	3	5
3	1	9	2	6	5	7	4	8
2	7	5	8	3	4	6	9	1

235

5	3	1	4	9	2	7	8	6
9	6	4	1	7	8	5	3	2
8	2	7	6	3	5	1	9	4
1	7	6	9	8	4	2	5	3
2	4	9	5	6	3	8	1	7
3	5	8	7	2	1	6	4	9
6	8	3	2	1	9	4	7	5
7	1	5	3	4	6	9	2	8
4	9	2	8	5	7	3	6	1

236

7	6	4	1	2	5	3	8	9
1	2	8	3	9	6	7	4	5
3	5	9	4	8	7	2	1	6
6	1	5	8	4	2	9	3	7
8	3	7	5	1	9	6	2	4
9	4	2	7	6	3	1	5	8
4	8	3	6	7	1	5	9	2
2	7	1	9	5	8	4	6	3
5	9	6	2	3	4	8	7	1

237

8	6	4	3	9	2	1	5	7
1	7	9	4	5	6	3	8	2
3	2	5	1	8	7	6	4	9
6	5	7	8	2	1	9	3	4
2	1	3	6	4	9	5	7	8
9	4	8	5	7	3	2	1	6
4	9	1	7	6	5	8	2	3
7	3	2	9	1	8	4	6	5
5	8	6	2	3	4	7	9	1

238

4	9	2	8	7	1	3	5	6
6	1	7	5	3	9	2	4	8
5	8	3	4	2	6	7	1	9
9	5	8	7	1	3	4	6	2
7	3	4	6	8	2	1	9	5
1	2	6	9	5	4	8	7	3
8	7	9	2	4	5	6	3	1
2	6	1	3	9	7	5	8	4
3	4	5	1	6	8	9	2	7

239

6	5	2	3	7	8	9	4	1
1	7	3	5	9	4	6	8	2
9	4	8	6	2	1	5	7	3
4	6	1	2	8	7	3	9	5
5	2	7	4	3	9	8	1	6
8	3	9	1	6	5	4	2	7
7	8	6	9	1	3	2	5	4
3	1	5	8	4	2	7	6	9
2	9	4	7	5	6	1	3	8

240

4	2	8	9	7	1	6	3	5
5	6	7	4	8	3	2	1	9
3	9	1	6	5	2	7	8	4
7	1	9	5	3	4	8	6	2
8	3	4	7	2	6	9	5	1
2	5	6	8	1	9	4	7	3
9	8	3	2	6	5	1	4	7
1	7	2	3	4	8	5	9	6
6	4	5	1	9	7	3	2	8

241

5	4	7	9	3	2	1	8	6
3	1	8	5	6	4	9	7	2
9	2	6	1	7	8	5	3	4
1	9	4	2	5	7	8	6	3
6	7	5	3	8	1	4	2	9
8	3	2	4	9	6	7	5	1
7	8	1	6	4	3	2	9	5
2	6	9	7	1	5	3	4	8
4	5	3	8	2	9	6	1	7

242

5	3	8	9	1	6	7	2	4
1	4	2	3	7	5	8	9	6
6	7	9	2	8	4	5	1	3
3	2	6	8	9	1	4	7	5
9	1	4	6	5	7	3	8	2
8	5	7	4	2	3	1	6	9
2	8	5	1	3	9	6	4	7
4	9	3	7	6	8	2	5	1
7	6	1	5	4	2	9	3	8

243

9	4	7	2	6	5	8	1	3
1	2	8	9	7	3	6	4	5
5	6	3	1	4	8	7	9	2
7	3	2	8	1	4	9	5	6
6	5	9	3	2	7	1	8	4
4	8	1	6	5	9	2	3	7
2	1	5	4	8	6	3	7	9
3	7	6	5	9	1	4	2	8
8	9	4	7	3	2	5	6	1

244

8	9	4	6	2	3	1	7	5
7	2	5	9	8	1	3	6	4
3	6	1	7	5	4	2	9	8
6	3	9	8	7	5	4	2	1
2	5	7	4	1	6	8	3	9
1	4	8	3	9	2	7	5	6
4	8	6	2	3	9	5	1	7
5	7	2	1	6	8	9	4	3
9	1	3	5	4	7	6	8	2

245

9	1	5	2	4	6	3	8	7
2	3	7	5	1	8	4	6	9
6	8	4	3	7	9	5	1	2
8	9	3	7	6	4	2	5	1
5	6	2	9	3	1	7	4	8
7	4	1	8	5	2	9	3	6
1	7	6	4	2	3	8	9	5
4	2	8	6	9	5	1	7	3
3	5	9	1	8	7	6	2	4

246

9	3	2	1	6	4	8	5	7
7	1	8	5	2	9	6	4	3
4	5	6	7	8	3	2	9	1
8	6	3	9	4	1	5	7	2
1	4	7	2	3	5	9	8	6
5	2	9	6	7	8	3	1	4
2	8	1	3	5	7	4	6	9
6	7	5	4	9	2	1	3	8
3	9	4	8	1	6	7	2	5

247

2	7	1	8	5	3	4	9	6
6	4	5	9	2	1	8	3	7
3	8	9	7	4	6	5	1	2
7	5	6	3	8	4	1	2	9
8	2	3	1	9	5	6	7	4
9	1	4	6	7	2	3	8	5
1	3	2	4	6	7	9	5	8
5	6	8	2	1	9	7	4	3
4	9	7	5	3	8	2	6	1

248

6	2	7	5	3	1	9	8	4
9	3	1	4	8	2	7	6	5
8	4	5	6	7	9	1	2	3
2	1	4	8	9	7	3	5	6
7	5	8	1	6	3	2	4	9
3	9	6	2	4	5	8	7	1
1	8	3	7	5	4	6	9	2
4	7	9	3	2	6	5	1	8
5	6	2	9	1	8	4	3	7

249

5	9	4	6	2	8	1	3	7
1	2	7	3	4	9	5	8	6
8	6	3	5	1	7	9	2	4
9	8	6	2	3	4	7	5	1
7	3	1	9	5	6	8	4	2
4	5	2	8	7	1	6	9	3
3	1	5	7	8	2	4	6	9
6	7	8	4	9	3	2	1	5
2	4	9	1	6	5	3	7	8

250

7	3	8	2	1	4	9	6	5
5	2	9	3	6	8	1	4	7
1	4	6	9	7	5	2	3	8
9	8	4	1	5	6	7	2	3
2	1	7	4	9	3	5	8	6
3	6	5	7	8	2	4	9	1
8	5	1	6	4	9	3	7	2
4	7	3	8	2	1	6	5	9
6	9	2	5	3	7	8	1	4

251

7	3	5	2	9	1	4	6	8
1	4	6	7	8	3	9	5	2
2	8	9	4	6	5	3	7	1
6	9	4	3	7	2	8	1	5
3	5	7	9	1	8	2	4	6
8	1	2	5	4	6	7	9	3
9	6	1	8	3	7	5	2	4
4	2	8	6	5	9	1	3	7
5	7	3	1	2	4	6	8	9

252

8	1	7	5	2	6	9	4	3
2	9	3	4	8	1	7	6	5
6	4	5	3	7	9	2	1	8
7	5	9	6	4	3	8	2	1
1	6	2	7	9	8	3	5	4
4	3	8	1	5	2	6	9	7
3	7	6	9	1	4	5	8	2
5	8	1	2	6	7	4	3	9
9	2	4	8	3	5	1	7	6

253

5	8	1	6	3	9	7	2	4
2	6	3	5	7	4	8	1	9
7	9	4	8	1	2	6	5	3
6	2	5	3	9	8	4	7	1
9	1	8	4	5	7	2	3	6
3	4	7	2	6	1	9	8	5
1	5	2	9	8	6	3	4	7
8	7	6	1	4	3	5	9	2
4	3	9	7	2	5	1	6	8

254

2	8	7	4	3	6	9	5	1
4	1	5	8	2	9	3	6	7
9	3	6	7	1	5	4	2	8
1	2	8	3	5	4	6	7	9
7	6	3	2	9	8	1	4	5
5	9	4	6	7	1	2	8	3
8	7	1	9	4	2	5	3	6
6	5	2	1	8	3	7	9	4
3	4	9	5	6	7	8	1	2

255

7	5	3	6	1	8	2	4	9
1	4	2	5	9	3	6	7	8
9	6	8	7	2	4	1	5	3
8	9	5	3	6	1	7	2	4
4	1	6	8	7	2	3	9	5
2	3	7	4	5	9	8	1	6
3	8	9	2	4	7	5	6	1
6	7	1	9	3	5	4	8	2
5	2	4	1	8	6	9	3	7

256

2	7	8	5	4	6	1	9	3
6	3	5	7	1	9	4	8	2
1	9	4	8	2	3	7	5	6
7	2	3	1	9	8	6	4	5
5	4	6	3	7	2	9	1	8
8	1	9	6	5	4	3	2	7
4	6	7	9	8	5	2	3	1
9	5	1	2	3	7	8	6	4
3	8	2	4	6	1	5	7	9

257

1	7	5	6	9	3	8	2	4
8	4	9	5	7	2	6	1	3
2	3	6	8	4	1	5	9	7
9	1	4	7	5	6	3	8	2
7	2	8	4	3	9	1	5	6
5	6	3	2	1	8	7	4	9
3	9	7	1	8	4	2	6	5
4	8	2	3	6	5	9	7	1
6	5	1	9	2	7	4	3	8

258

7	8	6	4	3	5	1	2	9
5	1	4	2	9	8	7	3	6
3	9	2	7	1	6	8	4	5
4	7	3	1	6	2	9	5	8
8	2	1	5	4	9	3	6	7
6	5	9	3	8	7	2	1	4
1	3	7	9	5	4	6	8	2
2	4	8	6	7	3	5	9	1
9	6	5	8	2	1	4	7	3

259

8	3	4	7	9	6	1	5	2
2	7	5	4	1	8	3	9	6
6	1	9	2	5	3	8	7	4
9	8	1	6	2	4	7	3	5
3	4	6	5	8	7	2	1	9
5	2	7	1	3	9	4	6	8
7	5	3	8	6	2	9	4	1
4	6	8	9	7	1	5	2	3
1	9	2	3	4	5	6	8	7

260

2	5	6	7	8	3	4	1	9
3	9	7	4	1	2	8	5	6
1	8	4	5	9	6	2	3	7
9	4	8	2	7	1	3	6	5
6	7	1	3	5	4	9	8	2
5	2	3	9	6	8	1	7	4
7	1	5	8	2	9	6	4	3
8	3	2	6	4	5	7	9	1
4	6	9	1	3	7	5	2	8

261

1	3	5	9	2	6	8	4	7
8	7	2	4	1	3	9	6	5
4	9	6	5	7	8	2	1	3
3	1	4	2	5	7	6	8	9
6	2	7	8	4	9	5	3	1
9	5	8	6	3	1	4	7	2
2	4	1	7	8	5	3	9	6
7	8	9	3	6	2	1	5	4
5	6	3	1	9	4	7	2	8

262

2	4	3	5	7	6	9	1	8
5	9	7	1	8	3	4	2	6
6	1	8	4	9	2	5	7	3
9	6	5	8	2	4	7	3	1
3	8	1	9	6	7	2	5	4
4	7	2	3	5	1	8	6	9
7	3	4	2	1	9	6	8	5
8	2	9	6	3	5	1	4	7
1	5	6	7	4	8	3	9	2

263

4	5	2	6	9	3	8	7	1
1	9	3	8	7	4	6	5	2
7	6	8	5	1	2	4	9	3
5	2	1	3	8	7	9	4	6
8	3	7	9	4	6	1	2	5
6	4	9	1	2	5	7	3	8
2	8	4	7	5	1	3	6	9
3	1	5	4	6	9	2	8	7
9	7	6	2	3	8	5	1	4

264

7	1	2	3	4	5	9	8	6
6	5	4	9	8	1	2	3	7
9	3	8	2	7	6	4	1	5
1	6	9	8	5	4	3	7	2
5	2	3	1	9	7	8	6	4
4	8	7	6	2	3	1	5	9
3	4	6	5	1	2	7	9	8
8	7	5	4	3	9	6	2	1
2	9	1	7	6	8	5	4	3

265

8	4	2	7	1	3	5	6	9
5	7	6	8	9	2	3	1	4
9	3	1	6	4	5	7	2	8
6	5	9	4	7	1	8	3	2
2	8	7	9	3	6	1	4	5
3	1	4	2	5	8	9	7	6
7	6	8	1	2	9	4	5	3
1	2	5	3	8	4	6	9	7
4	9	3	5	6	7	2	8	1

266

6	3	1	4	2	7	8	9	5
4	9	2	5	8	1	3	7	6
8	5	7	9	6	3	2	4	1
9	8	4	6	3	5	7	1	2
7	2	5	1	9	4	6	3	8
1	6	3	2	7	8	9	5	4
2	1	8	3	5	9	4	6	7
3	4	6	7	1	2	5	8	9
5	7	9	8	4	6	1	2	3

267

9	7	3	1	2	4	8	5	6
2	6	5	9	8	7	1	4	3
1	8	4	5	3	6	9	7	2
3	2	6	4	1	5	7	9	8
4	9	8	7	6	3	2	1	5
7	5	1	2	9	8	3	6	4
5	4	9	3	7	2	6	8	1
8	3	7	6	4	1	5	2	9
6	1	2	8	5	9	4	3	7

268

9	3	2	1	6	5	4	7	8
1	5	8	4	7	2	6	3	9
4	7	6	8	9	3	5	1	2
5	4	7	6	1	8	2	9	3
6	2	3	7	5	9	1	8	4
8	1	9	2	3	4	7	6	5
3	6	4	5	8	7	9	2	1
7	8	5	9	2	1	3	4	6
2	9	1	3	4	6	8	5	7

269

4	8	7	2	5	3	1	6	9
9	5	6	7	8	1	2	4	3
1	3	2	9	6	4	7	8	5
2	1	5	8	3	7	4	9	6
8	7	3	6	4	9	5	1	2
6	9	4	1	2	5	3	7	8
3	6	8	4	1	2	9	5	7
5	4	9	3	7	8	6	2	1
7	2	1	5	9	6	8	3	4

270

6	4	1	2	5	3	8	9	7
7	3	9	8	6	1	4	5	2
2	8	5	9	7	4	3	6	1
8	9	4	5	2	7	1	3	6
1	7	2	3	8	6	9	4	5
5	6	3	4	1	9	7	2	8
3	5	8	7	4	2	6	1	9
4	2	6	1	9	8	5	7	3
9	1	7	6	3	5	2	8	4

271

3	1	8	7	9	4	5	2	6
2	7	9	3	5	6	8	4	1
4	6	5	2	8	1	9	7	3
8	9	4	6	1	2	3	5	7
1	2	7	5	4	3	6	8	9
5	3	6	8	7	9	4	1	2
6	4	1	9	2	8	7	3	5
7	8	3	1	6	5	2	9	4
9	5	2	4	3	7	1	6	8

272

2	3	8	6	4	5	9	7	1
1	9	4	2	3	7	8	5	6
5	6	7	8	9	1	3	4	2
3	8	2	4	7	9	1	6	5
7	1	6	3	5	8	4	2	9
9	4	5	1	2	6	7	8	3
4	2	9	7	6	3	5	1	8
8	7	3	5	1	2	6	9	4
6	5	1	9	8	4	2	3	7

273

7	9	6	2	3	8	1	4	5
1	8	5	9	7	4	6	3	2
3	2	4	5	1	6	9	7	8
4	7	9	1	6	2	5	8	3
2	6	8	3	5	7	4	9	1
5	1	3	8	4	9	7	2	6
9	3	7	6	2	5	8	1	4
6	4	2	7	8	1	3	5	9
8	5	1	4	9	3	2	6	7

274

1	8	7	6	3	4	9	5	2
4	2	9	5	7	8	3	6	1
3	6	5	9	1	2	7	4	8
9	1	2	8	6	3	4	7	5
6	3	8	7	4	5	2	1	9
5	7	4	1	2	9	8	3	6
2	4	6	3	9	1	5	8	7
7	5	3	2	8	6	1	9	4
8	9	1	4	5	7	6	2	3

275

5	2	4	7	6	8	3	9	1
6	3	1	9	4	5	8	2	7
7	8	9	2	1	3	5	6	4
9	6	8	1	2	7	4	5	3
1	5	2	3	9	4	6	7	8
3	4	7	8	5	6	2	1	9
2	1	5	4	8	9	7	3	6
4	9	3	6	7	2	1	8	5
8	7	6	5	3	1	9	4	2

276

6	2	4	9	8	5	1	3	7
1	3	7	2	6	4	9	8	5
8	9	5	3	7	1	6	4	2
5	4	8	7	9	2	3	1	6
7	6	9	5	1	3	4	2	8
2	1	3	6	4	8	5	7	9
9	8	1	4	5	7	2	6	3
3	7	6	1	2	9	8	5	4
4	5	2	8	3	6	7	9	1

277

9	7	3	5	1	8	2	6	4
2	4	8	7	6	9	5	3	1
6	1	5	2	3	4	9	7	8
5	2	1	6	9	3	4	8	7
8	3	6	4	7	5	1	2	9
7	9	4	8	2	1	3	5	6
3	8	7	1	4	2	6	9	5
4	5	9	3	8	6	7	1	2
1	6	2	9	5	7	8	4	3

278

4	9	3	2	8	5	7	1	6
7	2	5	6	1	4	8	3	9
6	1	8	7	9	3	2	4	5
8	4	1	5	6	7	9	2	3
3	7	6	8	2	9	4	5	1
2	5	9	4	3	1	6	8	7
5	3	7	9	4	8	1	6	2
9	8	2	1	5	6	3	7	4
1	6	4	3	7	2	5	9	8

279

8	6	9	3	4	1	7	5	2
1	2	5	6	9	7	3	8	4
4	3	7	8	2	5	9	1	6
9	7	1	5	6	2	8	4	3
5	8	2	4	1	3	6	9	7
3	4	6	7	8	9	1	2	5
2	5	8	9	3	6	4	7	1
7	9	3	1	5	4	2	6	8
6	1	4	2	7	8	5	3	9

280

5	3	6	9	4	2	7	1	8
4	7	8	3	1	6	9	2	5
2	9	1	5	7	8	3	4	6
1	2	7	8	6	4	5	3	9
3	6	5	2	9	1	8	7	4
9	8	4	7	5	3	2	6	1
8	1	3	6	2	9	4	5	7
6	5	2	4	8	7	1	9	3
7	4	9	1	3	5	6	8	2

281

7	5	2	8	9	4	3	6	1
3	9	6	1	2	7	5	8	4
8	4	1	5	3	6	7	9	2
2	1	7	9	5	3	8	4	6
9	3	4	6	1	8	2	5	7
5	6	8	4	7	2	9	1	3
1	2	9	3	6	5	4	7	8
6	8	3	7	4	9	1	2	5
4	7	5	2	8	1	6	3	9

282

6	1	3	8	9	7	2	5	4
7	9	5	2	6	4	1	3	8
8	2	4	5	3	1	6	9	7
5	6	8	7	4	2	9	1	3
3	7	1	6	8	9	5	4	2
2	4	9	3	1	5	8	7	6
1	5	7	4	2	6	3	8	9
4	8	2	9	5	3	7	6	1
9	3	6	1	7	8	4	2	5

283

1	7	4	2	6	8	3	5	9
9	2	8	3	1	5	7	6	4
5	3	6	9	7	4	2	1	8
3	4	1	7	9	2	5	8	6
2	8	9	5	3	6	4	7	1
6	5	7	4	8	1	9	2	3
4	6	2	8	5	3	1	9	7
7	1	3	6	2	9	8	4	5
8	9	5	1	4	7	6	3	2

284

5	7	1	8	6	3	9	4	2
6	4	8	1	9	2	5	3	7
2	3	9	4	7	5	1	8	6
4	8	5	3	2	1	6	7	9
7	1	6	9	5	4	8	2	3
3	9	2	6	8	7	4	1	5
1	2	4	5	3	6	7	9	8
9	5	7	2	4	8	3	6	1
8	6	3	7	1	9	2	5	4

285

8	7	6	3	4	1	5	2	9
5	2	1	9	8	7	4	6	3
3	4	9	6	5	2	7	8	1
4	5	7	8	1	3	6	9	2
6	1	3	2	9	4	8	5	7
9	8	2	5	7	6	1	3	4
7	6	8	4	3	9	2	1	5
1	3	5	7	2	8	9	4	6
2	9	4	1	6	5	3	7	8

286

1	7	5	3	9	6	2	8	4
8	3	4	1	5	2	7	6	9
2	6	9	4	8	7	3	5	1
6	9	3	2	4	5	1	7	8
5	4	8	9	7	1	6	2	3
7	1	2	6	3	8	4	9	5
9	2	7	8	1	4	5	3	6
3	5	1	7	6	9	8	4	2
4	8	6	5	2	3	9	1	7

287

1	3	2	8	5	4	9	7	6
6	5	7	9	3	1	2	4	8
9	8	4	6	2	7	5	3	1
3	9	1	7	8	5	4	6	2
2	7	6	4	9	3	1	8	5
5	4	8	1	6	2	3	9	7
4	1	3	2	7	6	8	5	9
8	6	5	3	1	9	7	2	4
7	2	9	5	4	8	6	1	3

288

1	6	4	8	5	7	9	3	2
9	3	5	2	4	6	7	1	8
8	2	7	3	1	9	5	6	4
6	9	8	4	7	1	3	2	5
5	4	2	6	8	3	1	9	7
7	1	3	5	9	2	4	8	6
3	5	6	9	2	4	8	7	1
2	8	1	7	3	5	6	4	9
4	7	9	1	6	8	2	5	3

289

1	2	4	3	9	6	5	7	8
5	3	6	7	4	8	9	1	2
9	7	8	5	1	2	3	6	4
6	4	5	8	2	9	1	3	7
7	1	2	6	5	3	8	4	9
8	9	3	1	7	4	2	5	6
2	6	9	4	3	5	7	8	1
4	5	1	9	8	7	6	2	3
3	8	7	2	6	1	4	9	5

290

5	4	6	9	3	8	2	1	7
8	2	7	6	5	1	9	3	4
3	9	1	2	7	4	8	6	5
9	3	4	8	6	7	1	5	2
1	8	5	4	2	3	7	9	6
6	7	2	5	1	9	3	4	8
2	5	8	1	9	6	4	7	3
4	1	3	7	8	5	6	2	9
7	6	9	3	4	2	5	8	1

291

1	4	8	6	3	7	2	9	5
7	6	9	2	5	4	1	3	8
3	2	5	1	8	9	6	4	7
2	8	7	3	1	6	4	5	9
5	1	4	8	9	2	3	7	6
9	3	6	7	4	5	8	1	2
8	9	2	4	7	3	5	6	1
4	5	1	9	6	8	7	2	3
6	7	3	5	2	1	9	8	4

292

1	9	3	6	8	2	4	7	5
4	6	7	1	5	9	8	2	3
5	8	2	3	7	4	6	1	9
6	7	5	9	2	8	1	3	4
3	2	8	4	6	1	9	5	7
9	4	1	5	3	7	2	8	6
2	1	9	7	4	3	5	6	8
7	5	4	8	1	6	3	9	2
8	3	6	2	9	5	7	4	1

293

8	3	7	2	5	1	9	4	6
9	5	6	3	8	4	2	7	1
1	2	4	6	7	9	3	8	5
4	1	8	7	9	3	5	6	2
6	9	5	1	2	8	7	3	4
2	7	3	5	4	6	8	1	9
3	4	9	8	1	2	6	5	7
7	8	1	9	6	5	4	2	3
5	6	2	4	3	7	1	9	8

294

8	7	9	2	5	4	1	6	3
5	4	6	7	1	3	8	2	9
1	3	2	8	9	6	7	5	4
9	8	1	5	3	2	6	4	7
4	5	7	9	6	8	3	1	2
6	2	3	4	7	1	5	9	8
3	9	4	1	8	5	2	7	6
7	1	8	6	2	9	4	3	5
2	6	5	3	4	7	9	8	1

295

2	4	3	1	9	8	7	5	6
7	8	9	4	6	5	2	1	3
5	6	1	7	3	2	8	4	9
3	5	7	2	4	6	9	8	1
6	1	8	9	5	3	4	7	2
4	9	2	8	1	7	6	3	5
9	2	4	3	8	1	5	6	7
1	7	6	5	2	4	3	9	8
8	3	5	6	7	9	1	2	4

296

3	4	2	5	1	7	9	6	8
1	9	8	2	6	4	3	5	7
5	7	6	8	9	3	1	4	2
9	3	4	1	7	8	5	2	6
6	5	7	4	2	9	8	3	1
8	2	1	6	3	5	4	7	9
4	1	9	7	5	6	2	8	3
2	6	5	3	8	1	7	9	4
7	8	3	9	4	2	6	1	5

297

4	6	9	3	1	7	5	8	2
8	3	7	9	2	5	1	4	6
2	1	5	8	4	6	9	7	3
5	9	1	4	6	8	3	2	7
7	8	3	1	9	2	4	6	5
6	2	4	5	7	3	8	9	1
9	4	2	7	3	1	6	5	8
3	7	8	6	5	9	2	1	4
1	5	6	2	8	4	7	3	9

298

1	2	7	3	6	4	5	9	8
5	4	3	8	7	9	2	6	1
8	6	9	5	2	1	3	4	7
7	8	4	6	9	5	1	2	3
2	5	6	1	3	8	4	7	9
9	3	1	2	4	7	6	8	5
3	7	5	4	8	6	9	1	2
6	1	8	9	5	2	7	3	4
4	9	2	7	1	3	8	5	6

299

1	2	6	7	8	4	5	3	9
9	7	5	6	2	3	8	4	1
4	3	8	5	9	1	2	7	6
5	9	7	2	4	8	6	1	3
8	1	2	3	6	9	7	5	4
6	4	3	1	5	7	9	2	8
2	6	9	4	3	5	1	8	7
3	5	1	8	7	6	4	9	2
7	8	4	9	1	2	3	6	5

300

7	1	8	6	5	4	2	3	9
5	9	6	3	8	2	4	1	7
3	2	4	1	9	7	5	6	8
9	3	1	2	6	8	7	5	4
6	4	5	9	7	1	3	8	2
8	7	2	4	3	5	6	9	1
1	6	3	7	2	9	8	4	5
4	8	7	5	1	3	9	2	6
2	5	9	8	4	6	1	7	3

301

8	9	7	1	5	6	4	3	2
1	4	6	3	8	2	9	7	5
2	5	3	9	7	4	1	6	8
6	1	8	7	4	5	2	9	3
3	2	4	6	9	8	7	5	1
9	7	5	2	1	3	8	4	6
5	8	9	4	6	1	3	2	7
7	3	1	5	2	9	6	8	4
4	6	2	8	3	7	5	1	9

302

5	4	7	8	1	3	6	2	9
3	2	1	6	4	9	7	8	5
9	6	8	2	7	5	3	1	4
1	3	9	4	5	6	2	7	8
6	7	5	9	2	8	4	3	1
4	8	2	1	3	7	9	5	6
8	5	6	7	9	2	1	4	3
7	9	4	3	8	1	5	6	2
2	1	3	5	6	4	8	9	7

303

7	4	8	9	3	6	5	2	1
6	9	1	5	2	8	3	7	4
2	3	5	1	4	7	6	8	9
1	2	7	3	6	4	8	9	5
4	8	6	2	9	5	7	1	3
3	5	9	8	7	1	4	6	2
9	1	4	6	8	3	2	5	7
8	7	2	4	5	9	1	3	6
5	6	3	7	1	2	9	4	8

304

3	7	5	2	1	6	9	4	8
1	9	6	8	7	4	3	2	5
8	2	4	9	3	5	1	6	7
9	1	2	4	5	7	8	3	6
4	8	7	6	9	3	2	5	1
6	5	3	1	2	8	4	7	9
5	4	1	7	8	2	6	9	3
2	3	9	5	6	1	7	8	4
7	6	8	3	4	9	5	1	2

305

9	4	7	3	1	2	6	5	8
1	3	8	5	4	6	2	9	7
6	5	2	9	7	8	4	3	1
5	6	3	1	9	7	8	4	2
4	7	9	8	2	5	1	6	3
2	8	1	6	3	4	9	7	5
8	1	5	4	6	3	7	2	9
3	2	6	7	8	9	5	1	4
7	9	4	2	5	1	3	8	6

306

2	3	7	5	4	8	9	6	1
8	9	6	2	3	1	4	7	5
4	1	5	6	9	7	3	2	8
3	6	8	7	1	2	5	4	9
1	2	4	9	5	3	6	8	7
5	7	9	4	8	6	1	3	2
6	8	3	1	2	9	7	5	4
9	5	2	3	7	4	8	1	6
7	4	1	8	6	5	2	9	3

307

7	4	9	8	3	5	2	6	1
3	1	6	7	2	4	8	5	9
8	5	2	1	9	6	7	3	4
5	8	3	4	7	1	9	2	6
2	7	1	5	6	9	4	8	3
9	6	4	2	8	3	5	1	7
6	3	7	9	5	2	1	4	8
4	9	5	3	1	8	6	7	2
1	2	8	6	4	7	3	9	5

308

9	5	1	7	4	3	8	2	6
7	8	6	5	1	2	9	3	4
4	2	3	9	6	8	1	7	5
3	6	2	8	5	1	4	9	7
8	4	7	3	2	9	6	5	1
5	1	9	6	7	4	3	8	2
1	3	5	4	9	7	2	6	8
6	9	4	2	8	5	7	1	3
2	7	8	1	3	6	5	4	9

309

6	5	7	2	1	4	8	3	9
1	2	3	8	7	9	4	6	5
9	8	4	5	6	3	2	1	7
2	6	5	9	4	1	7	8	3
8	7	9	6	3	2	5	4	1
3	4	1	7	5	8	6	9	2
5	1	8	4	9	7	3	2	6
4	3	6	1	2	5	9	7	8
7	9	2	3	8	6	1	5	4

310

6	7	4	3	1	8	2	9	5
3	2	1	7	5	9	8	4	6
9	8	5	4	6	2	7	1	3
7	6	3	2	9	4	5	8	1
1	4	2	8	7	5	6	3	9
5	9	8	1	3	6	4	2	7
4	5	9	6	2	3	1	7	8
8	1	6	9	4	7	3	5	2
2	3	7	5	8	1	9	6	4

311

7	3	8	6	1	9	5	4	2
6	9	2	5	8	4	7	1	3
1	5	4	7	2	3	6	8	9
4	1	9	3	6	2	8	7	5
2	8	7	1	4	5	3	9	6
5	6	3	9	7	8	4	2	1
9	2	6	8	5	7	1	3	4
8	4	5	2	3	1	9	6	7
3	7	1	4	9	6	2	5	8

312

9	4	1	3	7	5	8	6	2
5	7	2	4	8	6	3	9	1
8	3	6	9	2	1	7	4	5
3	5	8	1	9	7	6	2	4
6	1	9	8	4	2	5	3	7
4	2	7	5	6	3	9	1	8
7	6	4	2	5	9	1	8	3
2	9	3	7	1	8	4	5	6
1	8	5	6	3	4	2	7	9

313

2	4	9	7	3	6	5	8	1
5	3	6	9	8	1	7	4	2
7	8	1	2	4	5	9	3	6
6	5	7	3	2	4	8	1	9
3	1	4	8	5	9	6	2	7
8	9	2	1	6	7	3	5	4
1	6	3	5	9	2	4	7	8
4	7	5	6	1	8	2	9	3
9	2	8	4	7	3	1	6	5

314

6	2	9	4	3	5	8	1	7
4	7	5	1	9	8	2	3	6
3	1	8	7	2	6	9	5	4
1	6	2	9	5	7	4	8	3
5	8	3	6	1	4	7	9	2
7	9	4	2	8	3	1	6	5
2	5	6	8	4	9	3	7	1
9	4	7	3	6	1	5	2	8
8	3	1	5	7	2	6	4	9

315

9	7	6	3	4	1	5	2	8
1	8	5	6	7	2	4	3	9
4	2	3	9	5	8	6	7	1
8	3	1	2	6	9	7	5	4
2	5	4	1	3	7	9	8	6
7	6	9	4	8	5	3	1	2
5	9	8	7	2	4	1	6	3
3	4	7	8	1	6	2	9	5
6	1	2	5	9	3	8	4	7

316

8	1	9	3	7	4	5	2	6
5	3	6	8	9	2	1	7	4
4	2	7	5	1	6	3	9	8
7	4	2	9	3	1	6	8	5
3	6	8	2	5	7	4	1	9
9	5	1	6	4	8	2	3	7
6	8	5	1	2	9	7	4	3
1	9	4	7	6	3	8	5	2
2	7	3	4	8	5	9	6	1

317

4	9	8	1	2	6	3	7	5
6	2	3	5	4	7	1	8	9
5	1	7	3	9	8	4	6	2
8	5	2	7	6	4	9	3	1
9	3	6	8	1	2	5	4	7
1	7	4	9	3	5	6	2	8
3	6	9	2	7	1	8	5	4
7	4	5	6	8	9	2	1	3
2	8	1	4	5	3	7	9	6

318

1	5	7	4	6	3	2	9	8
4	3	9	8	7	2	6	1	5
2	6	8	9	1	5	3	7	4
8	4	1	3	5	7	9	2	6
6	7	3	2	9	8	5	4	1
9	2	5	1	4	6	8	3	7
3	1	4	6	8	9	7	5	2
7	9	6	5	2	1	4	8	3
5	8	2	7	3	4	1	6	9

319

1	8	2	4	6	7	5	3	9
7	3	9	5	2	1	8	4	6
5	6	4	3	9	8	7	2	1
3	7	8	1	5	6	4	9	2
4	9	6	2	7	3	1	5	8
2	1	5	8	4	9	3	6	7
9	5	3	7	1	2	6	8	4
6	4	1	9	8	5	2	7	3
8	2	7	6	3	4	9	1	5

320

3	5	8	1	7	9	6	2	4
9	1	2	6	4	8	5	3	7
6	7	4	5	3	2	9	8	1
5	2	7	9	8	6	4	1	3
8	3	1	2	5	4	7	6	9
4	6	9	7	1	3	8	5	2
7	9	5	3	6	1	2	4	8
1	8	6	4	2	7	3	9	5
2	4	3	8	9	5	1	7	6

321

9	2	6	4	1	8	5	3	7
4	5	8	7	3	6	2	1	9
3	7	1	2	5	9	4	6	8
6	4	7	5	9	3	8	2	1
5	1	2	8	6	4	7	9	3
8	9	3	1	7	2	6	4	5
7	8	4	9	2	1	3	5	6
2	3	9	6	8	5	1	7	4
1	6	5	3	4	7	9	8	2

322

5	9	8	2	4	1	7	6	3
7	4	3	9	6	5	2	1	8
1	2	6	7	8	3	9	5	4
4	3	1	5	2	6	8	7	9
8	6	9	4	3	7	5	2	1
2	7	5	1	9	8	3	4	6
3	8	7	6	5	4	1	9	2
6	1	2	8	7	9	4	3	5
9	5	4	3	1	2	6	8	7

323

9	6	7	2	8	4	1	5	3
3	4	2	9	5	1	8	7	6
5	8	1	3	7	6	4	9	2
8	5	3	1	6	9	7	2	4
4	2	6	7	3	8	5	1	9
1	7	9	4	2	5	3	6	8
2	9	8	5	4	7	6	3	1
7	1	4	6	9	3	2	8	5
6	3	5	8	1	2	9	4	7

324

9	1	3	2	4	7	6	5	8
4	6	2	9	5	8	7	3	1
7	5	8	6	1	3	2	9	4
1	7	9	8	3	5	4	6	2
3	2	5	1	6	4	8	7	9
8	4	6	7	9	2	5	1	3
2	3	4	5	7	9	1	8	6
5	9	1	4	8	6	3	2	7
6	8	7	3	2	1	9	4	5

325

3	2	5	4	1	9	7	8	6
8	6	7	2	5	3	4	9	1
4	1	9	7	8	6	2	3	5
2	3	8	1	9	5	6	7	4
5	9	4	3	6	7	1	2	8
1	7	6	8	2	4	9	5	3
7	4	1	9	3	8	5	6	2
6	8	2	5	7	1	3	4	9
9	5	3	6	4	2	8	1	7

326

7	6	5	4	8	9	3	2	1
3	9	1	6	5	2	4	7	8
2	4	8	7	3	1	6	5	9
4	2	7	8	9	6	1	3	5
9	5	6	1	7	3	2	8	4
8	1	3	2	4	5	9	6	7
6	3	4	5	1	8	7	9	2
5	7	2	9	6	4	8	1	3
1	8	9	3	2	7	5	4	6

327

9	4	5	3	8	7	6	2	1
7	3	1	5	2	6	9	8	4
8	6	2	1	4	9	3	7	5
6	2	3	4	7	8	5	1	9
4	5	7	2	9	1	8	3	6
1	9	8	6	5	3	2	4	7
3	8	9	7	6	4	1	5	2
5	7	6	8	1	2	4	9	3
2	1	4	9	3	5	7	6	8

328

8	2	3	4	1	6	7	5	9
9	6	7	8	5	2	1	4	3
4	1	5	9	3	7	8	6	2
1	7	6	2	4	5	3	9	8
5	8	2	3	7	9	4	1	6
3	4	9	6	8	1	5	2	7
6	5	1	7	2	3	9	8	4
2	3	4	1	9	8	6	7	5
7	9	8	5	6	4	2	3	1

329

7	2	6	9	8	5	4	3	1
9	8	3	7	1	4	5	2	6
5	4	1	2	6	3	7	9	8
8	7	2	5	9	1	3	6	4
6	9	4	8	3	2	1	5	7
1	3	5	4	7	6	9	8	2
4	5	7	3	2	8	6	1	9
2	6	9	1	5	7	8	4	3
3	1	8	6	4	9	2	7	5

330

2	9	3	6	8	1	4	7	5
8	7	6	9	5	4	1	3	2
5	1	4	3	2	7	9	6	8
3	2	7	5	4	8	6	1	9
4	6	1	7	9	2	8	5	3
9	8	5	1	6	3	2	4	7
7	4	8	2	3	6	5	9	1
1	5	2	4	7	9	3	8	6
6	3	9	8	1	5	7	2	4

331

6	3	7	1	2	8	5	9	4
4	5	8	7	6	9	3	1	2
9	2	1	5	4	3	6	7	8
5	1	2	4	3	7	8	6	9
3	4	9	8	1	6	7	2	5
7	8	6	9	5	2	4	3	1
8	6	3	2	9	4	1	5	7
2	7	5	6	8	1	9	4	3
1	9	4	3	7	5	2	8	6

332

7	6	2	5	1	3	9	8	4
4	3	1	8	9	2	6	5	7
8	9	5	4	7	6	1	2	3
6	1	3	7	2	4	8	9	5
9	2	8	3	5	1	4	7	6
5	4	7	9	6	8	3	1	2
3	7	4	1	8	5	2	6	9
2	8	9	6	3	7	5	4	1
1	5	6	2	4	9	7	3	8

333

6	4	3	8	7	9	1	5	2
9	8	1	5	2	3	7	4	6
5	7	2	4	6	1	9	8	3
8	9	4	6	5	2	3	7	1
7	2	5	3	1	8	6	9	4
1	3	6	9	4	7	5	2	8
2	5	7	1	8	6	4	3	9
3	6	8	7	9	4	2	1	5
4	1	9	2	3	5	8	6	7

334

2	8	9	3	7	1	5	4	6
1	3	6	9	5	4	2	8	7
7	4	5	2	8	6	3	1	9
6	5	4	7	3	9	1	2	8
3	9	2	8	1	5	7	6	4
8	7	1	6	4	2	9	3	5
4	2	7	5	6	3	8	9	1
5	6	3	1	9	8	4	7	2
9	1	8	4	2	7	6	5	3

335

8	5	3	7	4	2	6	9	1
6	7	9	5	8	1	4	2	3
2	1	4	9	6	3	5	7	8
7	9	5	8	1	6	3	4	2
4	2	6	3	7	5	1	8	9
1	3	8	4	2	9	7	6	5
9	6	7	1	3	8	2	5	4
3	8	2	6	5	4	9	1	7
5	4	1	2	9	7	8	3	6

336

1	2	5	8	6	3	4	9	7
4	6	7	2	1	9	3	8	5
3	9	8	4	7	5	6	2	1
8	3	1	5	4	7	9	6	2
2	7	4	1	9	6	5	3	8
6	5	9	3	8	2	1	7	4
5	4	2	6	3	8	7	1	9
7	1	6	9	2	4	8	5	3
9	8	3	7	5	1	2	4	6

337

5	8	6	2	7	1	3	4	9
4	1	9	5	8	3	7	6	2
3	2	7	4	9	6	8	5	1
8	5	2	7	1	4	6	9	3
6	7	1	3	5	9	2	8	4
9	3	4	6	2	8	5	1	7
2	4	8	9	3	5	1	7	6
7	6	5	1	4	2	9	3	8
1	9	3	8	6	7	4	2	5

338

5	2	4	7	1	9	6	3	8
8	3	1	6	2	5	4	7	9
9	6	7	4	3	8	2	5	1
1	4	6	2	5	3	8	9	7
7	8	3	9	4	6	5	1	2
2	9	5	1	8	7	3	4	6
6	7	8	3	9	4	1	2	5
4	5	2	8	7	1	9	6	3
3	1	9	5	6	2	7	8	4

339

3	5	7	8	2	1	9	4	6
8	2	9	5	6	4	3	1	7
1	4	6	7	3	9	8	2	5
9	7	4	3	1	2	5	6	8
2	3	5	4	8	6	7	9	1
6	8	1	9	7	5	2	3	4
7	1	2	6	9	8	4	5	3
5	9	8	1	4	3	6	7	2
4	6	3	2	5	7	1	8	9

340

5	2	7	1	4	9	6	8	3
6	3	1	2	8	5	7	9	4
8	9	4	7	3	6	2	5	1
4	7	8	9	6	1	5	3	2
2	6	5	3	7	8	1	4	9
3	1	9	5	2	4	8	7	6
1	8	2	4	5	3	9	6	7
7	4	6	8	9	2	3	1	5
9	5	3	6	1	7	4	2	8

341

9	3	1	5	7	4	8	6	2
8	7	6	1	2	9	4	3	5
4	5	2	6	8	3	9	1	7
5	2	8	7	1	6	3	4	9
1	9	3	2	4	5	6	7	8
6	4	7	9	3	8	5	2	1
2	6	9	4	5	1	7	8	3
3	1	5	8	6	7	2	9	4
7	8	4	3	9	2	1	5	6

342

6	4	8	2	3	9	5	1	7
9	7	3	1	5	6	4	8	2
5	2	1	8	4	7	9	6	3
2	8	6	7	1	4	3	9	5
1	5	7	9	2	3	8	4	6
4	3	9	5	6	8	2	7	1
3	9	5	6	8	1	7	2	4
8	1	4	3	7	2	6	5	9
7	6	2	4	9	5	1	3	8

343

8	7	2	4	5	6	3	9	1
4	1	9	2	7	3	6	8	5
5	6	3	8	1	9	4	7	2
2	8	7	1	4	5	9	6	3
9	4	5	6	3	8	2	1	7
6	3	1	9	2	7	8	5	4
7	2	6	5	8	4	1	3	9
1	5	8	3	9	2	7	4	6
3	9	4	7	6	1	5	2	8

344

8	6	7	5	4	1	9	3	2
4	9	1	3	2	8	5	6	7
2	3	5	7	9	6	8	4	1
3	4	8	6	1	2	7	5	9
9	7	2	8	3	5	6	1	4
5	1	6	4	7	9	3	2	8
7	8	4	1	5	3	2	9	6
1	5	9	2	6	7	4	8	3
6	2	3	9	8	4	1	7	5

345

4	5	9	2	1	6	8	3	7
6	1	3	8	7	4	2	5	9
2	8	7	3	9	5	4	6	1
7	3	2	9	4	8	6	1	5
9	6	8	5	3	1	7	2	4
1	4	5	7	6	2	3	9	8
8	2	4	1	5	3	9	7	6
5	9	6	4	2	7	1	8	3
3	7	1	6	8	9	5	4	2

346

8	6	9	7	1	5	3	4	2
4	5	1	3	6	2	8	7	9
7	2	3	9	4	8	6	1	5
1	3	7	5	9	4	2	8	6
6	9	8	1	2	3	7	5	4
5	4	2	8	7	6	9	3	1
9	7	5	2	3	1	4	6	8
2	8	6	4	5	7	1	9	3
3	1	4	6	8	9	5	2	7

347

1	7	2	5	6	3	8	4	9
3	6	8	4	9	1	7	2	5
9	5	4	7	2	8	6	1	3
6	4	5	2	1	9	3	8	7
8	1	7	3	4	6	5	9	2
2	3	9	8	7	5	1	6	4
5	2	3	6	8	4	9	7	1
4	8	1	9	5	7	2	3	6
7	9	6	1	3	2	4	5	8

348

5	9	8	6	1	3	7	4	2
4	7	3	8	2	5	6	1	9
2	6	1	4	7	9	5	3	8
3	2	7	1	6	8	9	5	4
9	1	6	5	3	4	2	8	7
8	5	4	7	9	2	1	6	3
6	8	5	9	4	7	3	2	1
7	4	2	3	5	1	8	9	6
1	3	9	2	8	6	4	7	5

349

3	1	9	8	4	2	7	5	6
8	6	2	5	3	7	1	9	4
5	4	7	9	1	6	8	3	2
6	8	3	4	9	5	2	7	1
9	7	1	2	6	8	3	4	5
2	5	4	3	7	1	6	8	9
4	9	8	6	2	3	5	1	7
1	3	6	7	5	4	9	2	8
7	2	5	1	8	9	4	6	3

350

8	1	7	3	2	9	6	4	5
2	3	6	4	8	5	7	1	9
9	4	5	6	1	7	3	2	8
6	2	8	7	9	4	5	3	1
1	9	3	5	6	2	8	7	4
5	7	4	1	3	8	9	6	2
7	8	9	2	4	6	1	5	3
3	5	2	9	7	1	4	8	6
4	6	1	8	5	3	2	9	7

351

1	4	9	3	8	7	5	2	6
7	5	3	2	6	4	1	8	9
2	6	8	9	5	1	4	3	7
5	3	1	8	7	6	2	9	4
6	7	2	1	4	9	3	5	8
8	9	4	5	2	3	6	7	1
3	1	7	6	9	2	8	4	5
9	2	5	4	1	8	7	6	3
4	8	6	7	3	5	9	1	2

352

4	9	8	6	5	2	3	1	7
2	3	6	7	8	1	4	9	5
5	7	1	9	3	4	2	6	8
8	5	7	1	2	6	9	4	3
6	4	3	8	7	9	5	2	1
9	1	2	3	4	5	8	7	6
3	8	9	2	6	7	1	5	4
1	6	4	5	9	8	7	3	2
7	2	5	4	1	3	6	8	9

353

8	6	7	2	4	1	3	5	9
4	9	5	8	6	3	7	2	1
2	3	1	5	9	7	6	4	8
9	1	2	3	5	8	4	6	7
6	8	3	4	7	9	2	1	5
7	5	4	6	1	2	8	9	3
5	7	8	9	2	6	1	3	4
1	4	6	7	3	5	9	8	2
3	2	9	1	8	4	5	7	6

354

9	6	1	4	2	7	3	8	5
3	8	4	1	5	6	9	7	2
7	2	5	8	9	3	6	1	4
8	1	2	3	7	5	4	9	6
5	9	3	6	4	1	7	2	8
6	4	7	2	8	9	1	5	3
1	7	6	5	3	8	2	4	9
4	5	9	7	6	2	8	3	1
2	3	8	9	1	4	5	6	7

355

4	5	6	3	2	9	1	7	8
1	8	7	6	4	5	9	3	2
3	2	9	8	7	1	5	4	6
8	1	2	7	6	4	3	5	9
6	7	5	9	3	8	4	2	1
9	4	3	5	1	2	6	8	7
2	3	1	4	9	7	8	6	5
7	6	8	1	5	3	2	9	4
5	9	4	2	8	6	7	1	3

356

9	8	7	3	4	2	5	6	1
1	5	3	8	9	6	7	2	4
6	2	4	5	7	1	8	3	9
5	7	1	4	2	8	6	9	3
8	4	2	6	3	9	1	7	5
3	9	6	1	5	7	2	4	8
2	3	5	7	1	4	9	8	6
4	6	9	2	8	5	3	1	7
7	1	8	9	6	3	4	5	2

357

8	5	9	3	4	1	2	6	7
4	2	3	9	7	6	1	8	5
6	1	7	2	5	8	4	9	3
3	4	5	8	9	7	6	2	1
2	7	6	4	1	3	9	5	8
9	8	1	5	6	2	7	3	4
7	3	4	6	8	9	5	1	2
5	6	8	1	2	4	3	7	9
1	9	2	7	3	5	8	4	6

358

9	5	4	8	6	2	7	1	3
3	8	7	5	1	4	9	2	6
1	6	2	3	9	7	5	8	4
7	2	9	6	4	8	3	5	1
5	4	1	7	3	9	8	6	2
8	3	6	1	2	5	4	7	9
6	1	8	9	5	3	2	4	7
2	9	5	4	7	6	1	3	8
4	7	3	2	8	1	6	9	5

359

9	1	7	4	2	8	3	5	6
3	6	4	5	1	7	8	9	2
5	2	8	3	6	9	1	7	4
7	8	1	2	9	3	4	6	5
6	9	5	8	4	1	7	2	3
4	3	2	6	7	5	9	1	8
1	4	3	9	5	6	2	8	7
8	5	9	7	3	2	6	4	1
2	7	6	1	8	4	5	3	9

360

8	4	5	2	6	7	3	1	9
9	7	2	1	3	4	5	6	8
3	1	6	8	9	5	4	7	2
7	6	8	4	2	9	1	5	3
4	3	9	7	5	1	8	2	6
5	2	1	6	8	3	9	4	7
2	8	3	5	1	6	7	9	4
6	5	4	9	7	8	2	3	1
1	9	7	3	4	2	6	8	5

361

4	3	9	5	2	8	7	1	6
1	2	7	6	3	4	5	9	8
8	5	6	9	1	7	2	3	4
9	7	1	2	8	6	3	4	5
5	4	3	7	9	1	8	6	2
2	6	8	4	5	3	1	7	9
3	1	5	8	6	9	4	2	7
7	9	2	3	4	5	6	8	1
6	8	4	1	7	2	9	5	3

362

3	5	4	9	1	2	6	7	8
2	8	7	5	4	6	3	1	9
6	1	9	3	8	7	2	5	4
9	3	2	4	5	1	7	8	6
1	7	5	6	3	8	9	4	2
8	4	6	2	7	9	1	3	5
5	2	8	7	9	3	4	6	1
7	9	1	8	6	4	5	2	3
4	6	3	1	2	5	8	9	7

363

7	5	8	2	6	4	3	9	1
4	6	1	5	3	9	2	8	7
9	3	2	8	1	7	5	6	4
1	2	5	3	9	6	4	7	8
8	4	6	7	2	5	9	1	3
3	7	9	1	4	8	6	2	5
6	1	7	9	5	3	8	4	2
2	9	3	4	8	1	7	5	6
5	8	4	6	7	2	1	3	9

364

1	2	5	9	4	7	3	8	6
7	8	4	5	3	6	2	9	1
3	6	9	2	1	8	4	7	5
8	3	7	6	2	1	9	5	4
9	4	6	7	8	5	1	2	3
5	1	2	3	9	4	8	6	7
4	5	3	8	6	2	7	1	9
2	7	1	4	5	9	6	3	8
6	9	8	1	7	3	5	4	2

365

6	7	1	9	5	2	8	4	3
8	5	2	1	3	4	9	6	7
9	3	4	7	6	8	5	2	1
3	6	7	5	4	9	2	1	8
1	2	5	6	8	7	3	9	4
4	8	9	2	1	3	6	7	5
2	4	6	3	7	5	1	8	9
7	1	3	8	9	6	4	5	2
5	9	8	4	2	1	7	3	6

366

8	7	3	5	6	4	1	9	2
4	2	5	3	9	1	7	8	6
6	9	1	7	2	8	5	4	3
1	3	9	4	7	2	6	5	8
5	4	6	8	3	9	2	7	1
7	8	2	1	5	6	4	3	9
3	6	4	2	8	7	9	1	5
2	5	7	9	1	3	8	6	4
9	1	8	6	4	5	3	2	7

367

7	4	8	2	5	9	1	6	3
6	9	2	1	7	3	4	8	5
1	5	3	6	8	4	2	7	9
8	2	1	9	4	7	5	3	6
9	7	5	3	6	1	8	2	4
4	3	6	8	2	5	7	9	1
2	8	9	5	1	6	3	4	7
5	6	7	4	3	8	9	1	2
3	1	4	7	9	2	6	5	8

368

6	3	5	8	1	4	7	9	2
9	2	8	6	7	5	3	4	1
7	1	4	3	2	9	8	5	6
3	5	7	1	8	6	9	2	4
1	8	9	4	3	2	6	7	5
4	6	2	5	9	7	1	8	3
2	4	3	7	6	8	5	1	9
5	7	6	9	4	1	2	3	8
8	9	1	2	5	3	4	6	7

369

8	1	4	5	3	6	7	2	9
3	6	7	9	2	1	8	4	5
2	5	9	4	7	8	1	6	3
4	8	2	3	9	5	6	1	7
1	9	6	2	8	7	5	3	4
5	7	3	1	6	4	2	9	8
6	3	5	8	1	9	4	7	2
9	4	1	7	5	2	3	8	6
7	2	8	6	4	3	9	5	1

370

5	6	7	1	4	9	3	2	8
3	9	8	2	7	5	6	4	1
1	2	4	8	6	3	9	7	5
7	3	6	5	1	8	2	9	4
9	8	5	4	3	2	1	6	7
4	1	2	6	9	7	8	5	3
8	5	3	7	2	6	4	1	9
6	7	1	9	8	4	5	3	2
2	4	9	3	5	1	7	8	6

371

7	1	6	4	8	2	3	9	5
3	2	5	9	1	7	8	6	4
4	8	9	5	6	3	1	2	7
1	9	2	3	7	4	6	5	8
8	6	7	2	5	1	4	3	9
5	4	3	8	9	6	2	7	1
9	7	1	6	2	8	5	4	3
6	3	8	7	4	5	9	1	2
2	5	4	1	3	9	7	8	6

372

3	5	1	8	9	4	6	2	7
4	8	2	1	7	6	9	3	5
9	6	7	2	3	5	4	1	8
7	3	4	5	2	8	1	9	6
8	9	5	3	6	1	7	4	2
1	2	6	7	4	9	5	8	3
6	7	8	9	1	3	2	5	4
2	1	3	4	5	7	8	6	9
5	4	9	6	8	2	3	7	1

373

6	3	1	9	7	5	4	2	8
5	9	2	8	4	3	6	1	7
4	8	7	1	2	6	5	3	9
1	7	9	5	3	4	8	6	2
8	2	4	7	6	1	9	5	3
3	6	5	2	9	8	1	7	4
9	1	8	3	5	7	2	4	6
2	4	3	6	1	9	7	8	5
7	5	6	4	8	2	3	9	1

374

8	9	3	6	1	5	4	2	7
2	5	7	4	8	9	6	3	1
4	1	6	2	3	7	5	8	9
6	2	5	3	7	8	9	1	4
3	4	9	1	2	6	7	5	8
1	7	8	5	9	4	2	6	3
5	8	2	9	4	1	3	7	6
9	6	1	7	5	3	8	4	2
7	3	4	8	6	2	1	9	5

375

2	9	3	1	4	7	5	6	8
1	5	8	6	2	9	7	4	3
4	6	7	5	3	8	2	1	9
9	3	6	8	5	4	1	7	2
7	1	4	2	6	3	9	8	5
5	8	2	7	9	1	6	3	4
8	2	1	3	7	5	4	9	6
6	7	9	4	8	2	3	5	1
3	4	5	9	1	6	8	2	7

376

3	9	8	7	4	5	2	1	6
6	4	2	9	8	1	3	5	7
1	7	5	3	2	6	9	4	8
5	8	7	2	9	3	4	6	1
9	6	1	8	5	4	7	3	2
4	2	3	1	6	7	5	8	9
8	5	4	6	7	2	1	9	3
7	1	9	4	3	8	6	2	5
2	3	6	5	1	9	8	7	4

377

4	2	3	7	9	8	1	5	6
8	5	9	1	6	4	2	3	7
6	1	7	3	2	5	4	9	8
9	7	1	2	4	6	5	8	3
5	3	4	8	1	9	6	7	2
2	6	8	5	3	7	9	4	1
7	8	2	9	5	1	3	6	4
1	4	5	6	7	3	8	2	9
3	9	6	4	8	2	7	1	5

378

3	9	7	5	8	6	4	1	2
5	4	1	7	2	9	8	3	6
8	6	2	4	3	1	7	5	9
7	8	4	1	5	2	9	6	3
6	3	5	8	9	7	1	2	4
1	2	9	6	4	3	5	8	7
2	1	3	9	7	8	6	4	5
4	7	8	3	6	5	2	9	1
9	5	6	2	1	4	3	7	8

379

3	6	4	8	1	9	2	5	7
2	8	5	7	3	6	1	9	4
1	9	7	5	2	4	8	3	6
5	1	8	2	6	7	9	4	3
4	7	2	9	8	3	5	6	1
9	3	6	1	4	5	7	8	2
8	5	3	4	7	2	6	1	9
7	4	9	6	5	1	3	2	8
6	2	1	3	9	8	4	7	5

380

1	7	6	2	4	8	5	3	9
4	9	5	1	3	7	8	2	6
8	3	2	5	6	9	1	4	7
7	5	8	6	9	3	2	1	4
6	1	9	4	2	5	7	8	3
2	4	3	8	7	1	9	6	5
5	6	4	7	1	2	3	9	8
3	2	7	9	8	6	4	5	1
9	8	1	3	5	4	6	7	2

381

4	7	2	8	9	6	3	5	1
6	5	8	1	4	3	9	2	7
1	9	3	7	2	5	4	6	8
8	1	4	6	7	9	5	3	2
5	2	7	4	3	1	6	8	9
3	6	9	5	8	2	1	7	4
2	4	6	9	5	7	8	1	3
7	8	1	3	6	4	2	9	5
9	3	5	2	1	8	7	4	6

382

5	3	2	1	6	4	9	8	7
6	7	9	8	3	2	1	5	4
8	1	4	7	9	5	2	3	6
9	4	7	6	1	8	3	2	5
2	6	5	9	4	3	8	7	1
3	8	1	5	2	7	6	4	9
4	9	8	3	5	1	7	6	2
7	2	6	4	8	9	5	1	3
1	5	3	2	7	6	4	9	8

383

6	3	9	5	4	1	2	7	8
7	5	8	3	6	2	9	4	1
1	4	2	9	8	7	3	5	6
9	7	3	2	1	5	8	6	4
8	6	5	4	7	9	1	3	2
2	1	4	6	3	8	5	9	7
5	9	1	7	2	6	4	8	3
3	2	6	8	5	4	7	1	9
4	8	7	1	9	3	6	2	5

384

3	6	7	8	2	5	1	4	9
2	5	1	7	9	4	3	6	8
9	8	4	3	6	1	5	2	7
1	4	5	2	7	9	6	8	3
6	2	3	4	1	8	9	7	5
7	9	8	5	3	6	2	1	4
4	7	6	1	5	3	8	9	2
8	3	9	6	4	2	7	5	1
5	1	2	9	8	7	4	3	6

385

5	4	3	1	2	9	7	6	8
2	9	8	6	7	5	4	3	1
7	6	1	3	8	4	2	9	5
6	3	4	7	1	8	5	2	9
8	7	9	5	3	2	6	1	4
1	2	5	4	9	6	8	7	3
9	1	2	8	5	7	3	4	6
3	5	6	2	4	1	9	8	7
4	8	7	9	6	3	1	5	2

386

2	4	1	6	5	9	3	7	8
5	7	8	3	1	4	2	9	6
3	9	6	2	8	7	4	5	1
4	6	2	9	7	8	5	1	3
7	3	9	5	6	1	8	4	2
1	8	5	4	3	2	7	6	9
8	5	3	7	9	6	1	2	4
9	2	7	1	4	3	6	8	5
6	1	4	8	2	5	9	3	7

387

8	9	6	4	2	3	7	1	5
5	3	1	7	8	9	6	4	2
2	7	4	1	6	5	8	9	3
7	2	3	8	9	4	5	6	1
1	6	5	3	7	2	9	8	4
4	8	9	5	1	6	3	2	7
3	4	2	6	5	8	1	7	9
9	1	8	2	3	7	4	5	6
6	5	7	9	4	1	2	3	8

388

3	2	5	9	6	7	4	1	8
4	9	1	5	3	8	6	7	2
6	7	8	4	1	2	5	3	9
8	5	2	7	9	1	3	6	4
1	4	3	6	2	5	9	8	7
9	6	7	8	4	3	1	2	5
2	8	6	1	5	4	7	9	3
5	3	9	2	7	6	8	4	1
7	1	4	3	8	9	2	5	6

389

1	9	5	6	7	3	4	2	8
4	2	3	8	1	9	6	7	5
7	6	8	5	2	4	1	9	3
9	3	2	4	6	5	8	1	7
5	1	4	7	3	8	9	6	2
8	7	6	2	9	1	5	3	4
6	4	7	9	5	2	3	8	1
3	5	9	1	8	7	2	4	6
2	8	1	3	4	6	7	5	9

390

2	1	5	8	9	6	4	3	7
3	7	8	4	2	5	6	9	1
9	6	4	1	3	7	2	8	5
8	9	6	7	4	2	5	1	3
7	4	1	9	5	3	8	6	2
5	2	3	6	8	1	9	7	4
1	5	2	3	6	8	7	4	9
6	3	9	5	7	4	1	2	8
4	8	7	2	1	9	3	5	6

391

2	9	1	6	4	8	5	3	7
3	4	6	2	7	5	9	1	8
8	7	5	1	3	9	6	2	4
5	8	7	4	2	3	1	9	6
9	6	2	8	1	7	4	5	3
1	3	4	9	5	6	7	8	2
6	1	9	3	8	4	2	7	5
7	2	8	5	6	1	3	4	9
4	5	3	7	9	2	8	6	1

392

3	1	7	9	2	4	8	6	5
5	2	6	1	8	3	9	4	7
9	8	4	5	6	7	3	1	2
2	5	8	7	9	6	1	3	4
6	9	3	4	1	5	7	2	8
4	7	1	8	3	2	5	9	6
7	4	2	3	5	1	6	8	9
1	6	9	2	7	8	4	5	3
8	3	5	6	4	9	2	7	1

393

6	1	2	5	3	9	7	8	4
3	4	8	2	7	6	1	5	9
7	9	5	8	1	4	6	3	2
1	3	6	9	8	7	4	2	5
9	5	4	3	6	2	8	1	7
8	2	7	4	5	1	9	6	3
4	6	3	7	2	8	5	9	1
5	8	9	1	4	3	2	7	6
2	7	1	6	9	5	3	4	8

394

7	8	6	5	3	2	4	1	9
4	9	2	6	8	1	3	7	5
1	5	3	7	9	4	2	8	6
8	6	7	4	5	9	1	3	2
3	2	5	8	1	6	9	4	7
9	4	1	2	7	3	5	6	8
2	1	8	3	6	5	7	9	4
6	3	4	9	2	7	8	5	1
5	7	9	1	4	8	6	2	3

395

3	1	9	7	4	5	2	8	6
5	6	2	8	1	9	3	4	7
8	7	4	2	3	6	9	1	5
9	8	1	3	6	4	7	5	2
2	4	7	5	9	8	6	3	1
6	3	5	1	7	2	4	9	8
1	2	3	9	5	7	8	6	4
4	9	8	6	2	1	5	7	3
7	5	6	4	8	3	1	2	9

396

2	6	9	1	7	5	4	8	3
5	7	8	3	9	4	6	2	1
3	4	1	2	8	6	9	7	5
9	3	6	4	2	8	5	1	7
8	2	5	6	1	7	3	4	9
4	1	7	5	3	9	2	6	8
7	5	3	8	6	2	1	9	4
1	8	2	9	4	3	7	5	6
6	9	4	7	5	1	8	3	2

397

2	4	9	1	7	6	3	8	5
3	7	5	2	8	4	6	1	9
6	1	8	9	3	5	2	7	4
8	5	3	6	4	1	9	2	7
9	6	1	7	5	2	8	4	3
7	2	4	8	9	3	5	6	1
5	8	7	4	2	9	1	3	6
1	9	2	3	6	7	4	5	8
4	3	6	5	1	8	7	9	2

398

8	5	4	9	6	7	2	1	3
2	3	7	1	8	4	5	9	6
9	6	1	2	5	3	4	8	7
7	8	9	6	2	5	1	3	4
6	1	2	4	3	8	9	7	5
5	4	3	7	9	1	6	2	8
4	2	5	8	7	9	3	6	1
1	9	8	3	4	6	7	5	2
3	7	6	5	1	2	8	4	9

399

3	9	6	1	2	8	4	5	7
1	4	5	7	6	9	3	2	8
2	8	7	5	4	3	1	6	9
4	5	2	8	7	6	9	3	1
6	1	9	4	3	5	7	8	2
8	7	3	2	9	1	6	4	5
7	3	1	6	5	2	8	9	4
9	2	8	3	1	4	5	7	6
5	6	4	9	8	7	2	1	3

400

8	9	3	4	7	2	5	1	6
7	2	1	3	5	6	8	4	9
6	5	4	8	9	1	2	3	7
9	3	8	7	6	5	4	2	1
5	4	2	9	1	3	6	7	8
1	6	7	2	8	4	3	9	5
3	7	5	1	2	8	9	6	4
4	1	6	5	3	9	7	8	2
2	8	9	6	4	7	1	5	3

401

4	3	1	9	5	8	7	6	2
9	8	2	1	7	6	4	5	3
5	6	7	4	2	3	1	9	8
2	4	3	6	8	1	9	7	5
7	5	8	2	4	9	3	1	6
1	9	6	5	3	7	2	8	4
3	7	5	8	9	4	6	2	1
8	1	9	3	6	2	5	4	7
6	2	4	7	1	5	8	3	9

402

4	5	6	8	1	7	3	9	2
9	1	2	3	6	5	4	8	7
7	3	8	4	2	9	6	5	1
2	7	4	5	3	6	9	1	8
3	6	5	9	8	1	2	7	4
8	9	1	7	4	2	5	3	6
6	2	7	1	9	3	8	4	5
5	4	9	6	7	8	1	2	3
1	8	3	2	5	4	7	6	9

403

8	6	1	5	4	9	7	3	2
3	4	9	2	1	7	5	6	8
2	7	5	3	6	8	9	1	4
5	2	7	4	9	3	6	8	1
6	1	8	7	2	5	3	4	9
9	3	4	6	8	1	2	7	5
1	9	3	8	5	6	4	2	7
4	5	6	1	7	2	8	9	3
7	8	2	9	3	4	1	5	6

404

3	5	7	1	2	9	8	6	4
9	2	4	6	8	7	1	3	5
1	6	8	3	5	4	2	9	7
2	1	6	8	7	3	5	4	9
5	7	9	2	4	6	3	1	8
8	4	3	5	9	1	6	7	2
4	3	5	7	6	8	9	2	1
6	9	2	4	1	5	7	8	3
7	8	1	9	3	2	4	5	6

405

6	5	8	3	1	9	4	2	7
3	7	4	2	5	8	1	6	9
9	1	2	4	6	7	8	5	3
1	2	9	5	8	6	3	7	4
8	6	5	7	4	3	9	1	2
7	4	3	1	9	2	6	8	5
5	3	1	6	7	4	2	9	8
2	9	6	8	3	5	7	4	1
4	8	7	9	2	1	5	3	6

406

3	2	4	1	8	5	6	7	9
9	6	8	7	4	3	5	2	1
7	5	1	9	2	6	4	8	3
8	1	5	3	9	2	7	4	6
2	9	6	5	7	4	1	3	8
4	3	7	6	1	8	9	5	2
5	4	3	2	6	9	8	1	7
1	8	9	4	3	7	2	6	5
6	7	2	8	5	1	3	9	4

407

4	8	1	5	9	7	6	3	2
2	7	9	3	1	6	8	5	4
6	3	5	2	8	4	9	7	1
3	2	6	9	7	1	5	4	8
5	4	8	6	3	2	1	9	7
9	1	7	8	4	5	3	2	6
1	9	2	4	5	8	7	6	3
7	5	4	1	6	3	2	8	9
8	6	3	7	2	9	4	1	5

408

7	9	6	1	3	4	8	2	5
1	5	8	2	6	9	4	7	3
3	2	4	8	7	5	1	9	6
4	3	7	6	9	1	2	5	8
6	1	9	5	8	2	3	4	7
5	8	2	3	4	7	9	6	1
9	4	1	7	5	8	6	3	2
2	7	3	9	1	6	5	8	4
8	6	5	4	2	3	7	1	9

409

9	8	6	7	4	2	1	3	5
1	3	2	6	5	9	8	4	7
5	4	7	3	1	8	9	6	2
6	5	9	4	8	3	7	2	1
3	1	8	5	2	7	4	9	6
7	2	4	1	9	6	5	8	3
2	9	5	8	3	1	6	7	4
4	7	3	9	6	5	2	1	8
8	6	1	2	7	4	3	5	9

410

9	4	7	1	2	3	6	5	8
6	2	8	5	7	4	1	9	3
3	1	5	8	6	9	2	4	7
7	6	2	3	5	1	9	8	4
8	3	1	4	9	6	7	2	5
5	9	4	7	8	2	3	1	6
1	7	3	9	4	5	8	6	2
4	8	6	2	1	7	5	3	9
2	5	9	6	3	8	4	7	1

411

7	1	3	5	4	2	9	8	6
6	5	2	3	9	8	7	4	1
4	8	9	1	6	7	5	3	2
3	9	4	2	7	1	6	5	8
8	2	6	9	3	5	1	7	4
1	7	5	4	8	6	2	9	3
5	6	7	8	2	4	3	1	9
9	4	1	6	5	3	8	2	7
2	3	8	7	1	9	4	6	5

412

4	9	1	8	5	6	2	7	3
2	7	6	4	1	3	5	8	9
5	8	3	9	7	2	6	4	1
1	5	8	3	2	9	7	6	4
6	3	2	7	4	8	9	1	5
9	4	7	5	6	1	3	2	8
8	6	4	2	9	5	1	3	7
7	1	5	6	3	4	8	9	2
3	2	9	1	8	7	4	5	6

413

7	6	5	1	4	3	9	2	8
9	8	3	7	2	5	6	4	1
4	2	1	8	9	6	7	5	3
6	1	2	9	8	4	5	3	7
3	7	4	6	5	2	1	8	9
5	9	8	3	7	1	2	6	4
8	3	6	2	1	7	4	9	5
1	4	9	5	6	8	3	7	2
2	5	7	4	3	9	8	1	6

414

2	8	7	9	4	1	5	6	3
6	3	1	7	5	8	9	2	4
9	5	4	3	6	2	1	7	8
4	9	8	6	3	7	2	5	1
3	1	6	2	9	5	4	8	7
5	7	2	1	8	4	3	9	6
8	6	5	4	1	9	7	3	2
1	2	9	8	7	3	6	4	5
7	4	3	5	2	6	8	1	9

415

2	3	1	4	7	8	6	5	9
8	4	7	9	6	5	1	2	3
5	9	6	3	1	2	7	8	4
7	2	4	8	9	6	3	1	5
6	8	9	5	3	1	4	7	2
1	5	3	2	4	7	9	6	8
9	7	8	6	5	3	2	4	1
3	6	5	1	2	4	8	9	7
4	1	2	7	8	9	5	3	6

416

3	5	7	9	4	6	8	2	1
9	2	6	8	3	1	7	4	5
8	1	4	7	2	5	9	3	6
2	9	3	4	5	7	1	6	8
6	8	5	2	1	9	3	7	4
4	7	1	3	6	8	5	9	2
7	3	2	1	8	4	6	5	9
1	6	9	5	7	2	4	8	3
5	4	8	6	9	3	2	1	7

417

9	2	7	1	5	8	4	3	6
4	1	6	7	3	9	5	8	2
5	8	3	4	6	2	1	7	9
6	7	9	5	4	3	8	2	1
1	3	5	8	2	6	7	9	4
8	4	2	9	1	7	3	6	5
3	6	4	2	8	1	9	5	7
7	5	8	6	9	4	2	1	3
2	9	1	3	7	5	6	4	8

418

7	6	3	9	2	5	4	1	8
4	9	2	8	6	1	7	5	3
5	1	8	3	4	7	9	2	6
3	5	9	6	8	4	1	7	2
8	4	7	1	5	2	6	3	9
6	2	1	7	9	3	5	8	4
2	8	5	4	7	6	3	9	1
1	7	6	2	3	9	8	4	5
9	3	4	5	1	8	2	6	7

419

1	8	2	5	6	9	7	4	3
5	6	9	3	7	4	1	8	2
4	3	7	1	8	2	9	6	5
6	5	1	2	9	8	4	3	7
2	9	4	7	5	3	8	1	6
8	7	3	4	1	6	2	5	9
9	2	8	6	4	5	3	7	1
7	4	6	9	3	1	5	2	8
3	1	5	8	2	7	6	9	4

420

9	2	4	3	8	7	1	5	6
8	5	1	6	2	9	3	4	7
6	7	3	4	5	1	2	8	9
7	3	6	2	9	4	8	1	5
1	8	5	7	3	6	9	2	4
2	4	9	5	1	8	6	7	3
4	9	8	1	6	5	7	3	2
3	1	7	9	4	2	5	6	8
5	6	2	8	7	3	4	9	1

421

7	3	9	5	2	8	4	1	6
4	2	8	6	1	3	7	5	9
5	6	1	4	9	7	8	3	2
2	7	4	1	8	6	3	9	5
1	9	5	7	3	4	2	6	8
3	8	6	9	5	2	1	4	7
8	5	7	3	6	1	9	2	4
6	1	2	8	4	9	5	7	3
9	4	3	2	7	5	6	8	1

422

2	1	8	5	9	6	4	7	3
4	9	6	3	2	7	8	5	1
7	5	3	8	1	4	9	2	6
3	7	9	2	4	8	6	1	5
1	8	2	9	6	5	3	4	7
5	6	4	7	3	1	2	8	9
9	2	1	4	5	3	7	6	8
6	3	7	1	8	2	5	9	4
8	4	5	6	7	9	1	3	2

423

6	7	5	4	8	9	1	3	2
9	4	8	3	1	2	6	7	5
3	2	1	5	7	6	8	4	9
4	3	9	8	2	5	7	6	1
8	1	2	6	9	7	4	5	3
7	5	6	1	4	3	9	2	8
1	9	3	2	6	4	5	8	7
2	6	7	9	5	8	3	1	4
5	8	4	7	3	1	2	9	6

424

2	3	5	9	6	7	1	8	4
4	1	9	8	3	2	7	5	6
8	6	7	4	5	1	9	3	2
9	4	1	6	7	8	3	2	5
3	5	2	1	4	9	8	6	7
7	8	6	3	2	5	4	1	9
6	9	3	5	1	4	2	7	8
5	7	8	2	9	3	6	4	1
1	2	4	7	8	6	5	9	3

425

7	6	1	3	2	5	8	4	9
5	8	2	4	9	6	3	1	7
3	9	4	8	1	7	5	6	2
6	2	8	9	7	4	1	5	3
1	4	7	5	6	3	9	2	8
9	3	5	2	8	1	6	7	4
4	7	9	1	5	8	2	3	6
8	5	6	7	3	2	4	9	1
2	1	3	6	4	9	7	8	5

426

7	8	9	4	6	2	5	1	3
5	2	1	7	8	3	6	4	9
6	4	3	5	9	1	2	8	7
8	3	5	6	2	7	1	9	4
1	9	7	8	4	5	3	6	2
4	6	2	3	1	9	8	7	5
2	7	8	1	3	4	9	5	6
9	1	4	2	5	6	7	3	8
3	5	6	9	7	8	4	2	1

427

1	6	9	8	2	3	5	4	7
8	4	5	9	7	1	6	2	3
3	7	2	6	4	5	9	1	8
9	1	8	4	5	7	3	6	2
6	2	3	1	9	8	4	7	5
4	5	7	2	3	6	8	9	1
2	9	1	5	8	4	7	3	6
5	3	6	7	1	9	2	8	4
7	8	4	3	6	2	1	5	9

428

4	8	3	9	5	6	2	7	1
1	9	7	2	3	4	8	6	5
2	6	5	1	8	7	3	9	4
6	5	2	3	4	8	7	1	9
3	4	8	7	1	9	5	2	6
9	7	1	5	6	2	4	3	8
5	3	9	8	7	1	6	4	2
8	2	6	4	9	3	1	5	7
7	1	4	6	2	5	9	8	3

429

7	6	1	3	4	2	8	5	9
2	4	3	9	5	8	6	1	7
9	8	5	1	6	7	2	4	3
5	9	8	6	7	1	3	2	4
1	7	6	4	2	3	9	8	5
3	2	4	5	8	9	7	6	1
4	3	2	8	9	5	1	7	6
8	5	9	7	1	6	4	3	2
6	1	7	2	3	4	5	9	8

430

6	1	4	5	9	7	2	3	8
7	3	5	6	2	8	4	1	9
2	9	8	3	4	1	6	7	5
3	6	9	1	7	5	8	2	4
8	2	1	9	3	4	7	5	6
4	5	7	2	8	6	1	9	3
9	4	2	8	1	3	5	6	7
1	8	6	7	5	9	3	4	2
5	7	3	4	6	2	9	8	1

431

2	9	6	1	4	8	7	5	3
5	4	7	6	2	3	1	9	8
8	1	3	5	7	9	2	4	6
4	6	2	8	3	1	9	7	5
7	3	8	9	5	4	6	1	2
9	5	1	2	6	7	8	3	4
1	7	5	3	8	6	4	2	9
6	2	9	4	1	5	3	8	7
3	8	4	7	9	2	5	6	1

432

3	5	7	1	2	9	8	4	6
6	8	4	3	7	5	2	1	9
1	9	2	4	8	6	5	7	3
4	6	8	7	5	3	9	2	1
7	3	5	2	9	1	6	8	4
2	1	9	8	6	4	3	5	7
8	4	6	5	3	7	1	9	2
9	2	1	6	4	8	7	3	5
5	7	3	9	1	2	4	6	8

433

4	1	5	6	3	9	8	7	2
3	9	6	8	7	2	4	1	5
2	7	8	4	1	5	9	6	3
9	6	3	5	2	1	7	8	4
1	4	7	3	8	6	5	2	9
5	8	2	9	4	7	1	3	6
6	3	4	7	9	8	2	5	1
7	2	9	1	5	3	6	4	8
8	5	1	2	6	4	3	9	7

434

9	2	4	3	7	6	5	8	1
1	5	7	2	4	8	9	3	6
3	6	8	5	9	1	2	7	4
5	9	3	7	6	2	1	4	8
8	7	2	1	5	4	6	9	3
6	4	1	9	8	3	7	2	5
4	1	6	8	2	7	3	5	9
2	8	5	6	3	9	4	1	7
7	3	9	4	1	5	8	6	2

435

3	2	6	4	9	8	5	1	7
5	8	9	2	1	7	4	3	6
4	1	7	3	6	5	9	2	8
9	5	8	6	7	3	1	4	2
1	7	2	8	4	9	3	6	5
6	4	3	1	5	2	8	7	9
2	9	4	7	8	1	6	5	3
7	6	5	9	3	4	2	8	1
8	3	1	5	2	6	7	9	4

436

5	1	8	4	6	7	3	2	9
2	6	3	5	9	8	4	1	7
4	9	7	2	1	3	6	5	8
1	7	2	8	4	9	5	3	6
6	3	9	7	5	1	2	8	4
8	4	5	3	2	6	9	7	1
7	2	4	6	8	5	1	9	3
9	8	6	1	3	2	7	4	5
3	5	1	9	7	4	8	6	2

437

2	3	8	6	7	1	9	5	4
9	1	6	4	5	2	8	3	7
5	4	7	3	9	8	1	2	6
8	5	3	1	4	9	7	6	2
4	9	1	2	6	7	3	8	5
6	7	2	8	3	5	4	9	1
3	6	5	7	8	4	2	1	9
7	2	9	5	1	3	6	4	8
1	8	4	9	2	6	5	7	3

438

7	6	9	2	3	4	1	5	8
3	1	5	8	6	7	4	2	9
4	2	8	1	9	5	7	3	6
9	4	7	5	8	3	6	1	2
1	5	3	6	4	2	9	8	7
2	8	6	7	1	9	3	4	5
8	7	1	4	2	6	5	9	3
6	9	2	3	5	1	8	7	4
5	3	4	9	7	8	2	6	1

439

5	3	8	9	7	4	1	6	2
1	4	9	6	2	3	8	5	7
6	2	7	1	5	8	3	4	9
7	5	2	4	1	9	6	8	3
9	6	4	8	3	2	7	1	5
8	1	3	5	6	7	9	2	4
2	8	6	7	9	5	4	3	1
4	9	5	3	8	1	2	7	6
3	7	1	2	4	6	5	9	8

440

8	9	5	7	6	2	1	3	4
1	4	6	5	3	9	7	8	2
7	3	2	1	8	4	5	6	9
6	5	4	8	2	1	9	7	3
2	1	9	3	4	7	8	5	6
3	7	8	6	9	5	4	2	1
4	2	7	9	5	3	6	1	8
5	8	3	4	1	6	2	9	7
9	6	1	2	7	8	3	4	5

441

4	7	5	2	6	9	1	8	3
6	3	9	8	4	1	2	7	5
2	8	1	5	7	3	4	9	6
3	5	8	1	9	2	7	6	4
7	1	4	6	8	5	9	3	2
9	6	2	7	3	4	5	1	8
8	4	6	9	2	7	3	5	1
1	2	7	3	5	6	8	4	9
5	9	3	4	1	8	6	2	7

442

6	2	7	8	4	5	1	3	9
4	3	9	6	1	2	7	8	5
8	1	5	3	7	9	4	6	2
1	5	3	4	2	8	6	9	7
2	9	8	7	5	6	3	4	1
7	4	6	1	9	3	2	5	8
3	7	4	5	8	1	9	2	6
9	8	1	2	6	4	5	7	3
5	6	2	9	3	7	8	1	4

443

9	8	4	2	3	1	7	6	5
5	2	6	9	7	8	3	1	4
1	7	3	4	5	6	2	9	8
7	9	5	1	4	2	6	8	3
3	4	2	6	8	7	1	5	9
6	1	8	3	9	5	4	2	7
8	6	9	7	1	4	5	3	2
4	5	1	8	2	3	9	7	6
2	3	7	5	6	9	8	4	1

444

1	7	3	8	6	5	4	2	9
6	4	5	1	9	2	8	7	3
8	2	9	3	7	4	6	5	1
2	9	6	4	3	8	5	1	7
3	8	1	2	5	7	9	6	4
7	5	4	6	1	9	2	3	8
5	1	2	9	4	3	7	8	6
4	3	8	7	2	6	1	9	5
9	6	7	5	8	1	3	4	2

445

7	3	6	5	4	8	1	9	2
4	2	1	3	7	9	5	8	6
8	9	5	6	1	2	7	3	4
6	1	9	2	3	5	4	7	8
2	5	4	9	8	7	3	6	1
3	8	7	4	6	1	9	2	5
1	4	8	7	2	3	6	5	9
9	6	3	8	5	4	2	1	7
5	7	2	1	9	6	8	4	3

446

9	5	6	1	3	2	4	7	8
7	3	4	5	6	8	1	2	9
2	8	1	7	4	9	6	3	5
6	9	8	2	7	3	5	4	1
3	1	2	8	5	4	9	6	7
5	4	7	6	9	1	2	8	3
4	6	9	3	1	7	8	5	2
1	2	3	4	8	5	7	9	6
8	7	5	9	2	6	3	1	4

447

2	3	7	4	1	8	9	5	6
5	8	6	3	9	2	4	1	7
4	9	1	5	6	7	2	8	3
7	4	8	6	5	3	1	2	9
3	1	5	2	4	9	6	7	8
9	6	2	8	7	1	3	4	5
1	5	3	7	2	6	8	9	4
6	7	9	1	8	4	5	3	2
8	2	4	9	3	5	7	6	1

448

8	7	4	1	9	2	5	6	3
9	3	1	6	5	7	4	8	2
5	6	2	8	3	4	1	7	9
2	5	6	3	1	9	7	4	8
3	1	9	7	4	8	6	2	5
4	8	7	2	6	5	3	9	1
7	9	5	4	8	3	2	1	6
1	4	8	5	2	6	9	3	7
6	2	3	9	7	1	8	5	4

449

3	2	4	8	9	6	7	5	1
5	9	6	1	7	3	8	2	4
1	8	7	2	4	5	6	3	9
8	7	9	5	2	1	3	4	6
4	1	2	6	3	7	5	9	8
6	5	3	4	8	9	2	1	7
2	6	5	9	1	8	4	7	3
7	4	1	3	6	2	9	8	5
9	3	8	7	5	4	1	6	2

450

8	1	3	4	2	6	9	5	7
7	4	2	3	5	9	1	6	8
9	5	6	7	1	8	4	3	2
4	7	8	9	6	5	3	2	1
1	6	5	2	7	3	8	4	9
2	3	9	8	4	1	6	7	5
3	2	1	5	9	4	7	8	6
5	9	4	6	8	7	2	1	3
6	8	7	1	3	2	5	9	4

451

5	3	2	4	7	9	8	6	1
8	9	6	3	5	1	7	4	2
7	4	1	2	6	8	3	9	5
9	8	4	5	2	3	1	7	6
2	7	5	1	9	6	4	3	8
1	6	3	7	8	4	2	5	9
4	2	9	6	1	7	5	8	3
3	5	8	9	4	2	6	1	7
6	1	7	8	3	5	9	2	4

452

8	3	9	5	1	6	4	7	2
6	7	1	4	3	2	8	9	5
4	5	2	7	9	8	6	1	3
2	1	3	8	4	9	7	5	6
7	9	4	6	5	1	2	3	8
5	6	8	3	2	7	9	4	1
1	2	5	9	6	4	3	8	7
3	4	7	2	8	5	1	6	9
9	8	6	1	7	3	5	2	4

453

6	2	3	4	5	1	7	8	9
1	5	9	8	7	3	4	6	2
4	8	7	6	2	9	5	1	3
7	9	6	2	1	4	8	3	5
2	3	1	5	9	8	6	4	7
5	4	8	7	3	6	2	9	1
9	6	2	3	8	7	1	5	4
8	1	5	9	4	2	3	7	6
3	7	4	1	6	5	9	2	8

454

1	7	2	9	4	6	5	3	8
4	6	3	8	1	5	7	9	2
5	8	9	3	2	7	1	4	6
3	9	7	2	5	1	6	8	4
8	1	6	4	7	3	2	5	9
2	4	5	6	9	8	3	1	7
9	3	4	5	6	2	8	7	1
6	5	1	7	8	9	4	2	3
7	2	8	1	3	4	9	6	5

455

9	1	8	6	7	4	3	2	5
3	7	2	9	5	1	6	4	8
5	6	4	3	8	2	9	1	7
1	3	7	2	6	8	5	9	4
2	9	6	4	3	5	7	8	1
4	8	5	1	9	7	2	3	6
6	4	3	5	1	9	8	7	2
8	5	1	7	2	3	4	6	9
7	2	9	8	4	6	1	5	3

456

8	1	7	4	2	3	5	6	9
6	2	5	9	7	8	1	4	3
3	9	4	1	5	6	2	8	7
1	3	6	2	4	9	7	5	8
7	4	9	8	3	5	6	1	2
5	8	2	6	1	7	9	3	4
4	5	1	7	8	2	3	9	6
9	7	8	3	6	1	4	2	5
2	6	3	5	9	4	8	7	1

457

8	9	4	6	2	5	7	3	1
5	3	2	7	1	9	4	8	6
7	1	6	4	8	3	2	5	9
6	2	7	8	3	1	5	9	4
3	5	9	2	7	4	1	6	8
1	4	8	9	5	6	3	2	7
9	6	5	1	4	2	8	7	3
2	8	1	3	9	7	6	4	5
4	7	3	5	6	8	9	1	2

458

6	5	1	4	7	8	9	2	3
3	9	2	5	1	6	7	8	4
8	4	7	3	9	2	5	1	6
9	2	3	1	6	5	8	4	7
5	1	6	7	8	4	2	3	9
4	7	8	9	2	3	1	6	5
2	3	9	6	5	1	4	7	8
7	8	4	2	3	9	6	5	1
1	6	5	8	4	7	3	9	2

459

7	1	4	3	2	5	8	6	9
8	2	5	6	9	4	3	1	7
3	9	6	8	7	1	2	5	4
1	4	9	5	8	7	6	3	2
6	8	2	1	3	9	7	4	5
5	3	7	4	6	2	9	8	1
9	6	1	2	4	3	5	7	8
4	7	8	9	5	6	1	2	3
2	5	3	7	1	8	4	9	6

460

8	2	4	9	6	7	3	5	1
6	7	5	3	1	2	9	4	8
3	9	1	4	5	8	6	7	2
7	3	2	8	9	4	5	1	6
9	5	6	7	2	1	4	8	3
1	4	8	6	3	5	7	2	9
4	6	7	1	8	3	2	9	5
5	1	3	2	7	9	8	6	4
2	8	9	5	4	6	1	3	7

461

3	1	2	4	7	5	8	6	9
5	4	6	1	8	9	7	2	3
9	8	7	6	3	2	4	5	1
6	2	8	9	1	3	5	4	7
4	3	5	2	6	7	9	1	8
1	7	9	5	4	8	2	3	6
7	9	4	3	2	6	1	8	5
2	5	3	8	9	1	6	7	4
8	6	1	7	5	4	3	9	2

462

8	7	5	1	6	2	4	3	9
6	2	9	5	3	4	8	7	1
3	4	1	8	9	7	2	5	6
2	1	7	9	8	5	6	4	3
5	3	8	4	7	6	1	9	2
9	6	4	2	1	3	7	8	5
7	9	2	6	5	8	3	1	4
4	5	3	7	2	1	9	6	8
1	8	6	3	4	9	5	2	7

463

8	3	6	4	5	9	7	2	1
1	4	9	7	3	2	6	5	8
5	7	2	1	8	6	3	9	4
6	1	7	3	9	8	2	4	5
2	8	3	5	4	7	1	6	9
9	5	4	6	2	1	8	3	7
7	2	1	9	6	5	4	8	3
4	6	5	8	1	3	9	7	2
3	9	8	2	7	4	5	1	6

464

9	2	7	6	1	4	5	8	3
8	3	1	7	2	5	9	4	6
6	5	4	9	8	3	7	1	2
5	7	9	1	3	2	4	6	8
3	4	6	8	9	7	1	2	5
2	1	8	4	5	6	3	9	7
4	6	2	5	7	9	8	3	1
7	8	3	2	4	1	6	5	9
1	9	5	3	6	8	2	7	4

465

2	4	5	6	3	7	1	8	9
6	3	8	2	1	9	4	5	7
9	7	1	4	8	5	6	3	2
4	8	7	1	5	6	2	9	3
3	2	9	8	7	4	5	1	6
5	1	6	3	9	2	7	4	8
1	6	4	9	2	8	3	7	5
8	5	2	7	4	3	9	6	1
7	9	3	5	6	1	8	2	4

466

6	4	2	5	9	8	7	3	1
3	8	9	7	1	2	4	6	5
5	1	7	4	3	6	8	2	9
7	9	3	6	4	1	2	5	8
2	6	4	9	8	5	3	1	7
1	5	8	3	2	7	9	4	6
9	2	5	1	7	3	6	8	4
8	7	6	2	5	4	1	9	3
4	3	1	8	6	9	5	7	2

467

3	8	6	4	2	1	5	9	7
9	1	7	6	5	8	3	4	2
2	4	5	7	3	9	1	8	6
7	3	9	5	8	4	2	6	1
6	5	8	2	1	7	4	3	9
1	2	4	3	9	6	7	5	8
5	6	1	9	7	3	8	2	4
4	7	2	8	6	5	9	1	3
8	9	3	1	4	2	6	7	5

468

2	6	8	7	9	5	1	4	3
9	7	4	3	8	1	2	6	5
5	1	3	4	2	6	7	9	8
3	9	1	6	4	8	5	7	2
6	8	2	5	7	9	3	1	4
7	4	5	2	1	3	9	8	6
8	2	9	1	5	4	6	3	7
1	3	7	8	6	2	4	5	9
4	5	6	9	3	7	8	2	1

469

1	4	2	9	8	6	5	3	7
8	5	3	7	2	1	9	6	4
9	6	7	3	5	4	8	2	1
4	7	1	2	3	8	6	5	9
6	3	9	1	4	5	2	7	8
5	2	8	6	7	9	4	1	3
2	9	6	4	1	7	3	8	5
3	1	5	8	9	2	7	4	6
7	8	4	5	6	3	1	9	2

470

2	6	3	7	5	8	1	9	4
9	7	8	4	1	2	5	6	3
4	5	1	9	6	3	7	8	2
6	4	2	3	7	1	9	5	8
3	1	7	8	9	5	4	2	6
5	8	9	2	4	6	3	1	7
8	2	5	1	3	7	6	4	9
1	3	4	6	8	9	2	7	5
7	9	6	5	2	4	8	3	1

471

5	9	4	6	2	7	3	1	8
3	2	7	8	1	5	4	6	9
6	1	8	9	4	3	7	5	2
8	4	1	5	3	9	2	7	6
2	7	6	4	8	1	5	9	3
9	5	3	2	7	6	8	4	1
7	6	5	3	9	2	1	8	4
4	3	9	1	5	8	6	2	7
1	8	2	7	6	4	9	3	5

472

6	9	2	7	1	3	5	4	8
8	7	1	4	5	9	2	6	3
4	3	5	2	8	6	1	9	7
5	2	7	6	4	8	3	1	9
1	4	9	3	7	5	6	8	2
3	8	6	1	9	2	4	7	5
2	5	8	9	6	1	7	3	4
7	6	3	8	2	4	9	5	1
9	1	4	5	3	7	8	2	6

473

9	1	8	4	5	7	3	6	2
3	6	7	9	2	8	1	4	5
4	2	5	3	1	6	8	9	7
7	3	1	2	4	5	6	8	9
2	9	4	6	8	1	5	7	3
8	5	6	7	9	3	2	1	4
5	8	3	1	7	9	4	2	6
6	4	9	8	3	2	7	5	1
1	7	2	5	6	4	9	3	8

474

9	7	3	5	8	2	4	6	1
2	5	6	4	3	1	7	9	8
1	4	8	7	6	9	3	2	5
7	9	5	1	4	8	2	3	6
6	8	1	2	7	3	9	5	4
4	3	2	9	5	6	1	8	7
8	6	9	3	1	4	5	7	2
5	2	4	8	9	7	6	1	3
3	1	7	6	2	5	8	4	9

475

9	1	3	8	4	2	5	7	6
8	4	5	7	6	1	2	9	3
2	7	6	9	5	3	8	4	1
4	2	8	6	3	9	7	1	5
1	6	7	5	2	8	9	3	4
3	5	9	4	1	7	6	2	8
7	8	4	3	9	5	1	6	2
5	3	2	1	7	6	4	8	9
6	9	1	2	8	4	3	5	7

476

1	6	5	9	3	8	7	4	2
8	2	4	1	6	7	3	9	5
3	7	9	2	5	4	6	1	8
4	5	3	6	1	2	8	7	9
7	8	6	4	9	5	1	2	3
9	1	2	8	7	3	4	5	6
2	4	1	3	8	9	5	6	7
5	9	8	7	4	6	2	3	1
6	3	7	5	2	1	9	8	4

477

8	4	1	7	6	3	9	2	5
5	3	2	8	1	9	4	7	6
9	7	6	2	4	5	1	3	8
3	2	5	9	7	6	8	1	4
1	8	4	3	5	2	6	9	7
7	6	9	4	8	1	2	5	3
6	1	3	5	2	4	7	8	9
4	9	7	1	3	8	5	6	2
2	5	8	6	9	7	3	4	1

478

6	3	8	1	7	2	4	9	5
1	9	5	6	8	4	3	2	7
7	4	2	3	9	5	1	8	6
8	6	4	2	1	3	5	7	9
3	2	1	9	5	7	8	6	4
5	7	9	4	6	8	2	3	1
4	8	6	5	3	9	7	1	2
2	1	3	7	4	6	9	5	8
9	5	7	8	2	1	6	4	3

479

9	2	6	5	3	8	4	1	7
1	5	4	2	6	7	3	9	8
8	3	7	1	9	4	2	6	5
7	8	5	3	2	9	6	4	1
4	1	2	8	7	6	5	3	9
6	9	3	4	5	1	8	7	2
5	7	9	6	4	2	1	8	3
3	4	1	7	8	5	9	2	6
2	6	8	9	1	3	7	5	4

480

6	9	2	5	3	8	1	7	4
7	8	1	9	4	2	6	5	3
5	4	3	7	6	1	9	2	8
4	5	7	6	8	9	2	3	1
2	6	9	1	7	3	8	4	5
1	3	8	4	2	5	7	6	9
9	7	6	8	5	4	3	1	2
8	2	5	3	1	7	4	9	6
3	1	4	2	9	6	5	8	7

481

2	8	5	4	7	9	1	6	3
3	1	6	8	2	5	4	9	7
7	4	9	1	3	6	8	5	2
9	7	8	3	6	4	2	1	5
5	2	1	7	9	8	3	4	6
6	3	4	2	5	1	7	8	9
4	6	7	5	1	3	9	2	8
8	9	2	6	4	7	5	3	1
1	5	3	9	8	2	6	7	4

482

2	6	9	3	1	4	8	5	7
5	4	1	8	7	6	3	9	2
8	3	7	2	9	5	6	1	4
9	5	4	6	8	1	7	2	3
6	1	3	7	5	2	9	4	8
7	8	2	4	3	9	1	6	5
1	9	8	5	2	7	4	3	6
3	2	6	9	4	8	5	7	1
4	7	5	1	6	3	2	8	9

483

2	5	1	4	3	6	9	7	8
7	9	3	2	5	8	6	4	1
6	8	4	9	1	7	3	5	2
4	7	6	3	2	1	8	9	5
9	3	2	7	8	5	1	6	4
5	1	8	6	4	9	2	3	7
8	2	9	5	6	4	7	1	3
1	6	5	8	7	3	4	2	9
3	4	7	1	9	2	5	8	6

484

8	6	5	9	3	1	2	4	7
4	3	7	2	8	5	6	9	1
2	1	9	7	6	4	5	3	8
7	9	1	6	5	3	8	2	4
3	5	4	8	2	7	1	6	9
6	2	8	4	1	9	7	5	3
5	4	2	1	9	8	3	7	6
9	8	6	3	7	2	4	1	5
1	7	3	5	4	6	9	8	2

485

2	1	3	8	6	9	5	4	7
8	7	9	4	5	1	3	6	2
5	4	6	2	3	7	1	9	8
1	5	4	7	8	6	2	3	9
9	3	2	5	1	4	7	8	6
6	8	7	3	9	2	4	5	1
4	6	1	9	2	3	8	7	5
3	9	5	1	7	8	6	2	4
7	2	8	6	4	5	9	1	3

486

9	1	2	5	8	4	7	6	3
8	3	7	1	9	6	5	2	4
5	6	4	2	7	3	8	1	9
2	4	8	3	5	9	1	7	6
1	7	6	4	2	8	9	3	5
3	5	9	6	1	7	4	8	2
7	2	1	9	3	5	6	4	8
6	8	5	7	4	2	3	9	1
4	9	3	8	6	1	2	5	7

487

5	3	4	6	7	2	8	9	1
8	2	9	5	3	1	6	7	4
6	1	7	9	8	4	2	5	3
4	6	5	8	2	9	1	3	7
1	8	2	7	4	3	9	6	5
9	7	3	1	5	6	4	2	8
2	4	1	3	6	7	5	8	9
7	9	8	2	1	5	3	4	6
3	5	6	4	9	8	7	1	2

488

3	6	2	9	5	7	1	8	4
1	4	5	2	8	3	7	6	9
8	7	9	4	1	6	2	5	3
7	2	6	5	3	9	8	4	1
4	9	3	8	7	1	6	2	5
5	1	8	6	2	4	9	3	7
6	5	4	7	9	2	3	1	8
9	8	1	3	6	5	4	7	2
2	3	7	1	4	8	5	9	6

489

8	9	3	1	7	6	4	2	5
1	5	7	8	4	2	3	6	9
6	4	2	3	5	9	8	7	1
2	8	1	9	6	3	7	5	4
5	7	6	4	8	1	2	9	3
9	3	4	5	2	7	6	1	8
7	1	9	2	3	4	5	8	6
4	2	5	6	1	8	9	3	7
3	6	8	7	9	5	1	4	2

490

8	4	7	9	3	1	2	5	6
5	9	6	2	4	8	3	7	1
3	2	1	6	5	7	9	4	8
7	8	5	1	2	4	6	3	9
2	6	3	8	9	5	4	1	7
9	1	4	7	6	3	5	8	2
4	7	2	5	1	6	8	9	3
6	5	8	3	7	9	1	2	4
1	3	9	4	8	2	7	6	5

491

4	6	2	5	9	7	3	8	1
1	9	5	2	8	3	4	6	7
3	8	7	6	1	4	5	2	9
2	7	8	3	5	9	1	4	6
6	4	1	8	7	2	9	3	5
5	3	9	1	4	6	8	7	2
8	2	3	9	6	1	7	5	4
7	1	6	4	3	5	2	9	8
9	5	4	7	2	8	6	1	3

492

8	2	7	4	6	9	1	5	3
1	4	9	5	2	3	7	6	8
6	3	5	8	7	1	4	2	9
7	1	4	2	8	6	9	3	5
5	6	3	9	1	7	2	8	4
9	8	2	3	5	4	6	1	7
4	5	8	1	9	2	3	7	6
3	7	1	6	4	8	5	9	2
2	9	6	7	3	5	8	4	1

493

4	8	1	3	2	7	6	9	5
7	2	3	9	6	5	1	8	4
9	5	6	4	1	8	7	2	3
1	9	4	5	8	6	3	7	2
5	7	8	2	4	3	9	6	1
6	3	2	7	9	1	4	5	8
3	4	9	6	5	2	8	1	7
8	6	5	1	7	4	2	3	9
2	1	7	8	3	9	5	4	6

494

5	8	3	9	7	2	1	4	6
6	7	2	4	1	8	3	9	5
1	4	9	5	3	6	8	7	2
3	5	1	8	9	4	6	2	7
7	2	8	6	5	1	4	3	9
4	9	6	3	2	7	5	8	1
8	6	5	2	4	9	7	1	3
9	1	4	7	6	3	2	5	8
2	3	7	1	8	5	9	6	4

495

5	7	8	4	2	9	1	6	3
4	6	1	5	7	3	8	9	2
2	3	9	1	6	8	7	4	5
3	1	7	6	9	2	5	8	4
6	5	4	8	1	7	2	3	9
9	8	2	3	4	5	6	7	1
7	2	6	9	5	4	3	1	8
1	9	3	2	8	6	4	5	7
8	4	5	7	3	1	9	2	6

496

7	8	1	2	3	9	5	4	6
4	9	2	6	8	5	1	3	7
6	5	3	4	1	7	9	8	2
3	2	9	7	6	8	4	1	5
8	6	5	9	4	1	2	7	3
1	7	4	5	2	3	6	9	8
2	3	6	1	7	4	8	5	9
9	1	7	8	5	6	3	2	4
5	4	8	3	9	2	7	6	1

497

9	6	3	2	5	1	4	8	7
1	4	5	6	8	7	9	3	2
2	8	7	3	9	4	6	5	1
8	2	4	1	3	5	7	6	9
7	3	1	9	2	6	8	4	5
5	9	6	7	4	8	1	2	3
3	7	8	5	6	9	2	1	4
6	5	9	4	1	2	3	7	8
4	1	2	8	7	3	5	9	6

498

1	6	7	5	3	9	2	8	4
2	8	4	1	6	7	5	3	9
5	3	9	2	8	4	1	6	7
8	4	1	6	7	5	3	9	2
6	7	5	3	9	2	8	4	1
3	9	2	8	4	1	6	7	5
4	1	6	7	5	3	9	2	8
9	2	8	4	1	6	7	5	3
7	5	3	9	2	8	4	1	6

499

3	7	4	1	6	5	9	8	2
2	8	5	3	9	7	1	6	4
9	1	6	8	4	2	3	5	7
5	9	3	2	8	6	7	4	1
7	4	1	5	3	9	6	2	8
8	6	2	7	1	4	5	3	9
6	3	8	9	2	1	4	7	5
1	2	7	4	5	3	8	9	6
4	5	9	6	7	8	2	1	3

500

7	4	1	3	2	8	5	6	9
9	5	6	1	7	4	8	3	2
2	8	3	6	9	5	4	1	7
1	7	5	4	3	2	9	8	6
6	9	8	5	1	7	2	4	3
3	2	4	8	6	9	7	5	1
5	1	9	7	4	3	6	2	8
8	6	2	9	5	1	3	7	4
4	3	7	2	8	6	1	9	5

501

2	4	7	1	9	5	3	8	6
6	5	3	8	7	4	1	2	9
8	1	9	2	6	3	4	7	5
4	6	8	5	1	7	2	9	3
1	7	2	3	8	9	5	6	4
3	9	5	4	2	6	8	1	7
9	3	1	7	5	8	6	4	2
7	8	4	6	3	2	9	5	1
5	2	6	9	4	1	7	3	8

502

4	5	7	2	1	8	3	6	9
8	3	2	5	6	9	1	4	7
6	1	9	3	4	7	8	5	2
1	4	8	9	2	6	7	3	5
2	6	5	7	3	4	9	1	8
9	7	3	1	8	5	4	2	6
7	9	6	4	5	1	2	8	3
3	8	4	6	7	2	5	9	1
5	2	1	8	9	3	6	7	4

503

1	3	5	2	8	9	7	6	4
6	4	7	1	3	5	8	2	9
9	8	2	7	4	6	1	3	5
2	6	3	9	5	8	4	7	1
4	1	9	6	7	3	2	5	8
5	7	8	4	1	2	6	9	3
3	9	4	8	6	7	5	1	2
8	5	6	3	2	1	9	4	7
7	2	1	5	9	4	3	8	6

504

4	1	9	7	5	6	8	2	3
2	3	5	4	8	9	6	7	1
8	7	6	2	3	1	4	9	5
9	5	2	6	7	3	1	8	4
3	6	7	1	4	8	9	5	2
1	4	8	9	2	5	7	3	6
6	2	4	3	9	7	5	1	8
7	8	3	5	1	4	2	6	9
5	9	1	8	6	2	3	4	7

505

6	9	7	4	8	1	5	2	3
3	2	1	9	5	7	4	6	8
5	4	8	2	6	3	1	7	9
2	6	4	1	9	8	7	3	5
7	5	9	6	3	2	8	1	4
1	8	3	7	4	5	2	9	6
8	1	5	3	7	6	9	4	2
4	7	6	8	2	9	3	5	1
9	3	2	5	1	4	6	8	7

506

8	9	1	2	6	3	5	7	4
6	3	5	7	4	9	2	1	8
2	7	4	8	5	1	3	9	6
4	1	7	5	2	6	8	3	9
5	8	3	9	1	4	6	2	7
9	6	2	3	7	8	1	4	5
3	4	8	6	9	2	7	5	1
7	2	9	1	8	5	4	6	3
1	5	6	4	3	7	9	8	2

507

8	2	6	5	3	9	1	7	4
3	7	9	4	1	6	5	2	8
1	5	4	8	7	2	9	3	6
4	6	2	9	5	7	3	8	1
5	9	1	6	8	3	7	4	2
7	3	8	1	2	4	6	5	9
6	1	3	2	4	5	8	9	7
9	4	7	3	6	8	2	1	5
2	8	5	7	9	1	4	6	3

508

9	5	2	6	4	7	3	1	8
3	6	8	2	5	1	4	9	7
1	4	7	8	3	9	2	5	6
4	2	1	3	7	6	9	8	5
5	8	6	4	9	2	1	7	3
7	3	9	5	1	8	6	2	4
6	7	4	1	2	5	8	3	9
8	1	5	9	6	3	7	4	2
2	9	3	7	8	4	5	6	1

509

3	1	5	8	9	2	4	6	7
2	8	4	7	1	6	3	5	9
6	9	7	4	5	3	1	8	2
5	4	8	1	3	7	2	9	6
1	7	6	2	8	9	5	3	4
9	2	3	5	6	4	7	1	8
8	6	2	3	4	1	9	7	5
7	3	9	6	2	5	8	4	1
4	5	1	9	7	8	6	2	3

510

5	1	4	3	9	7	2	6	8
7	3	8	4	6	2	9	5	1
6	9	2	5	1	8	3	4	7
2	8	5	7	4	3	1	9	6
4	6	9	2	8	1	7	3	5
1	7	3	6	5	9	8	2	4
9	5	1	8	2	4	6	7	3
8	4	7	9	3	6	5	1	2
3	2	6	1	7	5	4	8	9

511

6	4	7	3	1	9	2	5	8
9	1	3	8	5	2	4	7	6
2	5	8	6	7	4	1	3	9
4	7	6	9	3	1	5	8	2
1	3	9	2	8	5	7	6	4
5	8	2	4	6	7	3	9	1
7	6	4	1	9	3	8	2	5
3	9	1	5	2	8	6	4	7
8	2	5	7	4	6	9	1	3

512

9	5	1	6	4	3	7	8	2
6	3	4	8	7	2	9	5	1
7	8	2	9	1	5	4	6	3
2	7	8	1	5	9	3	4	6
1	9	5	4	3	6	2	7	8
4	6	3	7	2	8	1	9	5
3	4	6	2	8	7	5	1	9
8	2	7	5	9	1	6	3	4
5	1	9	3	6	4	8	2	7

513

3	1	9	2	8	5	7	6	4
2	8	4	6	7	3	9	1	5
7	5	6	1	9	4	8	3	2
5	2	3	9	6	7	1	4	8
9	6	1	3	4	8	2	5	7
4	7	8	5	2	1	3	9	6
8	9	5	4	3	2	6	7	1
1	3	7	8	5	6	4	2	9
6	4	2	7	1	9	5	8	3

514

9	5	7	2	6	8	3	1	4
8	3	1	5	7	4	2	9	6
4	2	6	1	9	3	5	8	7
6	1	9	7	3	5	4	2	8
7	4	3	6	8	2	1	5	9
2	8	5	4	1	9	7	6	3
3	9	4	8	5	1	6	7	2
1	6	8	3	2	7	9	4	5
5	7	2	9	4	6	8	3	1

515

9	8	7	2	3	1	6	4	5
3	2	4	6	9	5	8	1	7
1	5	6	8	7	4	2	9	3
4	6	5	7	1	2	3	8	9
2	1	9	3	6	8	7	5	4
7	3	8	4	5	9	1	6	2
5	9	3	1	2	6	4	7	8
8	7	1	5	4	3	9	2	6
6	4	2	9	8	7	5	3	1

516

5	2	4	6	7	1	9	3	8
6	7	3	2	8	9	5	4	1
9	8	1	5	3	4	7	2	6
1	9	2	4	5	7	8	6	3
3	6	7	8	9	2	4	1	5
8	4	5	3	1	6	2	7	9
4	5	9	7	6	3	1	8	2
2	1	6	9	4	8	3	5	7
7	3	8	1	2	5	6	9	4

517

2	1	9	5	8	6	4	3	7
8	7	3	9	2	4	1	5	6
6	5	4	7	1	3	8	2	9
1	8	2	4	5	9	6	7	3
9	6	7	8	3	2	5	4	1
3	4	5	1	6	7	9	8	2
5	3	6	2	9	8	7	1	4
4	9	1	3	7	5	2	6	8
7	2	8	6	4	1	3	9	5

518

8	6	1	2	9	5	7	4	3
5	2	3	4	7	6	8	9	1
4	9	7	1	8	3	2	6	5
9	1	8	5	3	2	6	7	4
7	3	5	6	4	9	1	2	8
6	4	2	8	1	7	5	3	9
1	8	6	9	2	4	3	5	7
2	7	4	3	5	1	9	8	6
3	5	9	7	6	8	4	1	2

519

4	2	7	9	6	3	8	1	5
8	3	9	5	1	4	7	6	2
5	1	6	8	7	2	3	9	4
6	8	3	4	5	7	1	2	9
2	9	1	3	8	6	4	5	7
7	4	5	2	9	1	6	8	3
3	6	4	1	2	9	5	7	8
1	5	2	7	3	8	9	4	6
9	7	8	6	4	5	2	3	1

520

3	7	5	4	6	8	9	2	1
1	4	9	3	5	2	8	6	7
6	8	2	9	7	1	3	5	4
7	3	8	6	1	9	5	4	2
9	6	1	5	2	4	7	3	8
5	2	4	7	8	3	1	9	6
4	1	6	8	9	5	2	7	3
8	9	3	2	4	7	6	1	5
2	5	7	1	3	6	4	8	9

521

8	7	5	9	4	6	3	1	2
2	4	3	8	1	5	9	6	7
9	1	6	7	3	2	4	5	8
5	3	7	2	8	1	6	9	4
4	2	9	6	7	3	5	8	1
1	6	8	5	9	4	7	2	3
6	5	1	3	2	7	8	4	9
7	9	4	1	5	8	2	3	6
3	8	2	4	6	9	1	7	5

522

7	5	2	4	8	9	3	6	1
9	3	8	6	7	1	2	5	4
4	6	1	3	2	5	7	8	9
1	4	6	8	9	3	5	7	2
5	2	7	1	6	4	8	9	3
8	9	3	2	5	7	1	4	6
3	7	9	5	4	2	6	1	8
2	8	4	7	1	6	9	3	5
6	1	5	9	3	8	4	2	7

523

1	5	6	3	8	7	2	9	4
9	7	8	1	4	2	6	3	5
4	3	2	6	9	5	1	7	8
5	6	3	4	2	9	7	8	1
8	1	7	5	6	3	4	2	9
2	4	9	8	7	1	3	5	6
7	2	1	9	5	6	8	4	3
6	8	5	2	3	4	9	1	7
3	9	4	7	1	8	5	6	2

524

3	6	1	4	8	5	7	2	9
4	5	8	2	7	9	1	3	6
2	9	7	3	1	6	8	4	5
9	1	3	6	4	8	2	5	7
5	7	2	9	3	1	4	6	8
6	8	4	5	2	7	3	9	1
8	2	5	7	9	3	6	1	4
7	3	9	1	6	4	5	8	2
1	4	6	8	5	2	9	7	3

525

1	6	2	3	7	5	8	9	4
4	3	8	6	2	9	5	1	7
9	5	7	8	4	1	6	2	3
6	4	9	2	5	3	1	7	8
5	2	1	7	9	8	3	4	6
8	7	3	4	1	6	9	5	2
7	8	5	9	3	2	4	6	1
2	9	6	1	8	4	7	3	5
3	1	4	5	6	7	2	8	9

526

7	5	9	8	6	1	2	4	3
1	2	3	9	5	4	7	8	6
6	4	8	7	3	2	1	5	9
8	9	6	4	7	5	3	1	2
2	3	7	6	1	8	5	9	4
5	1	4	2	9	3	6	7	8
3	7	2	5	8	9	4	6	1
4	8	5	1	2	6	9	3	7
9	6	1	3	4	7	8	2	5

527

2	9	6	8	4	1	5	3	7
8	5	3	6	2	7	1	4	9
4	7	1	9	3	5	8	2	6
9	2	8	4	7	6	3	1	5
6	4	5	1	8	3	9	7	2
1	3	7	2	5	9	4	6	8
3	8	2	5	6	4	7	9	1
5	1	4	7	9	2	6	8	3
7	6	9	3	1	8	2	5	4

528

7	1	8	3	6	2	9	4	5
4	6	3	5	1	9	2	8	7
2	5	9	4	8	7	6	3	1
5	9	6	8	3	1	4	7	2
1	8	4	7	2	6	3	5	9
3	2	7	9	4	5	8	1	6
9	4	2	1	5	8	7	6	3
8	7	5	6	9	3	1	2	4
6	3	1	2	7	4	5	9	8

529

2	1	6	8	4	7	9	3	5
5	9	3	6	1	2	7	4	8
8	7	4	3	9	5	2	1	6
7	4	8	5	3	9	1	6	2
9	3	5	2	6	1	4	8	7
1	6	2	7	8	4	3	5	9
6	2	1	4	7	8	5	9	3
3	5	9	1	2	6	8	7	4
4	8	7	9	5	3	6	2	1

530

7	2	8	1	6	4	3	5	9
5	9	4	3	8	7	6	1	2
6	3	1	2	5	9	4	8	7
1	4	7	5	3	8	2	9	6
3	6	5	9	4	2	1	7	8
2	8	9	6	7	1	5	3	4
9	7	3	4	1	6	8	2	5
4	5	2	8	9	3	7	6	1
8	1	6	7	2	5	9	4	3

531

6	4	9	2	8	3	7	5	1
7	5	8	4	1	9	2	3	6
2	1	3	7	6	5	4	9	8
5	2	1	3	4	8	6	7	9
3	7	4	9	2	6	1	8	5
9	8	6	5	7	1	3	2	4
8	6	5	1	3	2	9	4	7
1	3	7	8	9	4	5	6	2
4	9	2	6	5	7	8	1	3

532

4	5	2	1	8	9	3	6	7
3	9	8	7	6	4	2	1	5
7	6	1	2	5	3	4	9	8
9	4	3	5	1	8	7	2	6
5	2	7	9	4	6	8	3	1
1	8	6	3	2	7	5	4	9
2	3	9	8	7	1	6	5	4
6	7	5	4	9	2	1	8	3
8	1	4	6	3	5	9	7	2

533

7	8	5	3	2	9	6	4	1
4	9	2	7	6	1	3	8	5
1	3	6	5	4	8	7	2	9
8	2	3	1	7	6	9	5	4
6	7	1	9	5	4	2	3	8
9	5	4	8	3	2	1	6	7
5	4	7	2	1	3	8	9	6
3	1	9	6	8	5	4	7	2
2	6	8	4	9	7	5	1	3

534

9	6	8	2	5	1	7	4	3
3	5	1	4	9	7	8	2	6
7	4	2	3	8	6	5	1	9
1	9	5	7	2	4	3	6	8
2	8	4	9	6	3	1	5	7
6	3	7	8	1	5	4	9	2
8	7	6	1	4	2	9	3	5
4	2	9	5	3	8	6	7	1
5	1	3	6	7	9	2	8	4

535

9	2	8	1	6	7	4	3	5
4	3	1	9	5	8	6	7	2
7	6	5	3	4	2	1	9	8
1	7	4	5	2	3	8	6	9
8	9	2	6	7	1	3	5	4
6	5	3	8	9	4	7	2	1
3	8	7	2	1	9	5	4	6
2	1	6	4	3	5	9	8	7
5	4	9	7	8	6	2	1	3

536

8	4	7	3	6	2	1	5	9
6	5	1	9	7	4	2	8	3
9	2	3	5	8	1	6	7	4
4	7	8	2	5	6	9	3	1
1	6	9	7	3	8	5	4	2
5	3	2	4	1	9	8	6	7
3	1	4	6	9	5	7	2	8
7	8	5	1	2	3	4	9	6
2	9	6	8	4	7	3	1	5

537

7	1	9	2	6	5	3	8	4
5	4	2	8	3	1	7	9	6
6	8	3	7	4	9	1	5	2
1	3	7	6	8	4	9	2	5
4	2	5	9	1	3	6	7	8
8	9	6	5	2	7	4	3	1
9	6	4	3	5	2	8	1	7
2	7	8	1	9	6	5	4	3
3	5	1	4	7	8	2	6	9

538

3	5	8	9	6	1	2	4	7
2	4	9	3	8	7	1	5	6
1	6	7	4	2	5	8	3	9
9	8	5	2	1	4	7	6	3
4	3	1	7	5	6	9	2	8
7	2	6	8	9	3	5	1	4
5	9	4	1	3	8	6	7	2
6	7	2	5	4	9	3	8	1
8	1	3	6	7	2	4	9	5

539

3	7	8	9	4	2	1	5	6
2	5	1	6	8	7	3	4	9
4	9	6	5	1	3	2	8	7
8	3	5	4	7	6	9	2	1
1	6	9	8	2	5	7	3	4
7	2	4	1	3	9	5	6	8
9	1	3	2	6	4	8	7	5
5	4	2	7	9	8	6	1	3
6	8	7	3	5	1	4	9	2

540

8	1	6	5	2	4	9	7	3
9	7	5	3	6	1	8	2	4
4	3	2	9	8	7	6	1	5
6	9	1	8	7	3	4	5	2
7	8	3	4	5	2	1	9	6
2	5	4	1	9	6	3	8	7
5	6	9	2	4	8	7	3	1
3	2	7	6	1	9	5	4	8
1	4	8	7	3	5	2	6	9

541

3	8	1	2	4	9	6	5	7
2	5	7	6	8	1	3	9	4
4	6	9	7	3	5	2	1	8
8	1	4	3	7	6	5	2	9
9	3	2	1	5	4	7	8	6
6	7	5	9	2	8	1	4	3
1	2	8	4	6	7	9	3	5
7	4	3	5	9	2	8	6	1
5	9	6	8	1	3	4	7	2

542

9	1	6	5	3	8	7	2	4
4	8	2	6	7	1	3	9	5
7	3	5	2	9	4	8	1	6
3	4	1	8	6	2	5	7	9
6	5	7	4	1	9	2	3	8
2	9	8	7	5	3	6	4	1
1	2	3	9	8	6	4	5	7
5	6	4	1	2	7	9	8	3
8	7	9	3	4	5	1	6	2

543

2	7	5	4	6	9	3	8	1
8	9	1	2	5	3	6	4	7
3	6	4	1	8	7	9	2	5
4	1	3	5	7	2	8	6	9
7	5	9	8	3	6	4	1	2
6	8	2	9	4	1	5	7	3
1	4	6	3	2	5	7	9	8
9	3	7	6	1	8	2	5	4
5	2	8	7	9	4	1	3	6

544

5	6	3	7	8	4	1	9	2
9	8	7	1	6	2	4	3	5
2	4	1	9	5	3	6	8	7
8	7	4	6	9	5	3	2	1
1	5	6	3	2	8	7	4	9
3	9	2	4	7	1	5	6	8
6	2	8	5	4	7	9	1	3
4	1	5	8	3	9	2	7	6
7	3	9	2	1	6	8	5	4

545

1	8	4	6	5	9	3	2	7
5	3	9	8	7	2	4	1	6
7	2	6	1	3	4	5	9	8
6	4	5	2	8	7	1	3	9
2	7	8	9	1	3	6	4	5
3	9	1	4	6	5	7	8	2
8	1	3	5	2	6	9	7	4
9	6	2	7	4	1	8	5	3
4	5	7	3	9	8	2	6	1

546

4	6	2	7	8	9	1	5	3
9	3	8	6	1	5	7	2	4
7	5	1	2	3	4	6	9	8
2	9	3	4	7	8	5	6	1
6	1	5	9	2	3	8	4	7
8	4	7	5	6	1	9	3	2
3	2	6	8	5	7	4	1	9
5	7	9	1	4	2	3	8	6
1	8	4	3	9	6	2	7	5

547

8	3	6	7	1	2	5	9	4
7	1	9	5	8	4	2	6	3
2	5	4	6	3	9	1	7	8
1	4	7	9	5	6	8	3	2
5	9	3	2	4	8	6	1	7
6	2	8	1	7	3	4	5	9
4	8	5	3	9	1	7	2	6
3	6	1	4	2	7	9	8	5
9	7	2	8	6	5	3	4	1

548

7	6	2	3	9	8	4	5	1
1	4	5	6	2	7	9	8	3
9	8	3	5	1	4	7	6	2
4	5	1	2	7	6	8	3	9
8	3	9	1	4	5	6	2	7
6	2	7	9	8	3	5	1	4
3	9	8	4	5	1	2	7	6
2	7	6	8	3	9	1	4	5
5	1	4	7	6	2	3	9	8

549

1	4	6	2	7	8	3	5	9
5	2	9	3	6	4	1	7	8
3	7	8	5	9	1	6	2	4
9	3	5	7	1	2	4	8	6
7	8	2	4	3	6	5	9	1
6	1	4	9	8	5	7	3	2
2	6	3	8	4	7	9	1	5
4	5	7	1	2	9	8	6	3
8	9	1	6	5	3	2	4	7

550

4	1	3	9	8	7	5	2	6
6	5	9	1	4	2	7	8	3
7	2	8	5	6	3	4	1	9
3	8	5	4	7	1	9	6	2
9	4	6	3	2	8	1	5	7
2	7	1	6	9	5	3	4	8
5	6	7	2	1	9	8	3	4
8	3	4	7	5	6	2	9	1
1	9	2	8	3	4	6	7	5

551

7	9	4	3	8	2	1	5	6
3	8	6	4	1	5	9	2	7
1	5	2	9	7	6	3	8	4
6	2	3	1	5	4	7	9	8
5	4	1	8	9	7	2	6	3
8	7	9	6	2	3	4	1	5
2	3	8	7	6	9	5	4	1
9	1	7	5	4	8	6	3	2
4	6	5	2	3	1	8	7	9

552

5	2	7	4	8	3	1	9	6
6	3	9	1	5	7	4	2	8
1	8	4	6	2	9	3	7	5
3	1	5	2	9	6	8	4	7
7	4	8	5	3	1	2	6	9
9	6	2	7	4	8	5	1	3
4	9	3	8	6	2	7	5	1
8	5	1	9	7	4	6	3	2
2	7	6	3	1	5	9	8	4

553

8	1	5	4	7	9	6	3	2
3	2	4	8	6	5	7	9	1
7	9	6	2	3	1	5	4	8
2	5	1	9	4	6	8	7	3
4	3	9	1	8	7	2	6	5
6	8	7	3	5	2	4	1	9
9	6	2	7	1	8	3	5	4
1	7	3	5	2	4	9	8	6
5	4	8	6	9	3	1	2	7

554

2	4	9	8	3	6	7	5	1
7	8	6	1	5	4	2	9	3
5	3	1	9	2	7	8	4	6
6	2	3	4	7	5	9	1	8
9	5	8	6	1	3	4	7	2
4	1	7	2	9	8	3	6	5
8	9	5	7	6	2	1	3	4
1	6	4	3	8	9	5	2	7
3	7	2	5	4	1	6	8	9

555

5	4	9	6	3	1	8	2	7
3	1	6	2	7	8	4	9	5
7	8	2	9	5	4	1	6	3
1	2	3	7	8	9	6	5	4
8	9	7	5	4	6	2	3	1
4	6	5	3	1	2	9	7	8
9	5	8	4	6	3	7	1	2
6	3	4	1	2	7	5	8	9
2	7	1	8	9	5	3	4	6

556

5	8	1	6	7	4	9	2	3
7	9	2	5	3	1	6	4	8
6	4	3	9	8	2	5	1	7
2	3	7	4	6	8	1	5	9
1	6	9	2	5	7	8	3	4
4	5	8	1	9	3	7	6	2
8	1	6	3	2	9	4	7	5
9	2	5	7	4	6	3	8	1
3	7	4	8	1	5	2	9	6

557

3	1	2	6	5	4	7	9	8
5	7	6	8	9	2	3	1	4
9	4	8	1	3	7	6	2	5
6	3	4	5	8	9	1	7	2
1	9	7	2	4	3	8	5	6
2	8	5	7	1	6	9	4	3
7	2	3	9	6	5	4	8	1
4	5	1	3	7	8	2	6	9
8	6	9	4	2	1	5	3	7

558

9	3	5	7	8	1	4	2	6
2	7	1	6	4	9	5	3	8
6	4	8	3	5	2	9	7	1
7	8	2	5	1	3	6	9	4
5	1	3	4	9	6	2	8	7
4	9	6	2	7	8	3	1	5
8	6	9	1	3	5	7	4	2
1	5	4	9	2	7	8	6	3
3	2	7	8	6	4	1	5	9

559

6	5	4	9	8	7	3	2	1
9	7	8	3	1	2	4	6	5
3	2	1	5	4	6	7	8	9
7	4	3	8	5	9	2	1	6
1	9	6	4	2	3	5	7	8
5	8	2	7	6	1	9	3	4
8	3	5	6	7	4	1	9	2
4	1	9	2	3	8	6	5	7
2	6	7	1	9	5	8	4	3

560

9	7	8	4	3	2	1	5	6
6	1	2	9	8	5	7	4	3
5	4	3	6	7	1	8	2	9
1	8	9	5	6	7	4	3	2
7	6	5	3	2	4	9	8	1
2	3	4	8	1	9	5	6	7
8	2	1	7	4	3	6	9	5
3	5	6	1	9	8	2	7	4
4	9	7	2	5	6	3	1	8

561

4	2	8	3	1	6	7	5	9
1	5	7	9	2	4	3	8	6
9	6	3	8	5	7	2	1	4
6	3	9	2	4	8	1	7	5
7	1	5	6	3	9	4	2	8
2	8	4	5	7	1	9	6	3
8	4	1	7	9	5	6	3	2
3	7	6	4	8	2	5	9	1
5	9	2	1	6	3	8	4	7

562

4	7	1	3	2	5	9	8	6
5	2	8	6	4	9	3	1	7
3	9	6	8	7	1	2	5	4
1	3	4	7	5	2	6	9	8
9	8	7	4	6	3	1	2	5
2	6	5	1	9	8	4	7	3
6	4	9	2	8	7	5	3	1
7	1	2	5	3	6	8	4	9
8	5	3	9	1	4	7	6	2

563

4	6	2	5	1	9	8	7	3
7	8	9	3	4	6	5	1	2
3	5	1	8	7	2	4	9	6
2	1	4	7	8	5	6	3	9
6	9	7	2	3	4	1	8	5
8	3	5	6	9	1	2	4	7
1	7	6	9	2	8	3	5	4
9	2	8	4	5	3	7	6	1
5	4	3	1	6	7	9	2	8

564

8	6	9	5	4	2	3	1	7
2	7	4	3	1	6	5	9	8
1	5	3	7	8	9	4	2	6
7	2	5	6	3	1	9	8	4
3	1	6	8	9	4	7	5	2
4	9	8	2	5	7	1	6	3
5	4	2	9	7	8	6	3	1
9	8	1	4	6	3	2	7	5
6	3	7	1	2	5	8	4	9

565

6	5	9	7	4	3	2	1	8
4	3	1	5	2	8	9	7	6
7	2	8	1	9	6	4	3	5
3	7	5	2	8	9	6	4	1
8	9	6	4	1	5	3	2	7
2	1	4	6	3	7	5	8	9
9	4	7	3	5	1	8	6	2
5	6	2	8	7	4	1	9	3
1	8	3	9	6	2	7	5	4

566

1	8	4	6	9	3	5	7	2
5	7	6	4	1	2	9	3	8
3	2	9	8	7	5	4	1	6
2	4	1	3	6	8	7	9	5
6	3	8	7	5	9	2	4	1
7	9	5	2	4	1	6	8	3
4	1	2	5	8	7	3	6	9
8	6	3	9	2	4	1	5	7
9	5	7	1	3	6	8	2	4

567

4	5	8	2	7	3	1	9	6
6	7	2	8	1	9	3	5	4
3	1	9	4	6	5	2	8	7
8	9	4	6	3	2	7	1	5
2	3	1	7	5	8	6	4	9
7	6	5	9	4	1	8	2	3
1	8	7	3	9	4	5	6	2
9	2	6	5	8	7	4	3	1
5	4	3	1	2	6	9	7	8

568

7	3	6	9	1	4	2	8	5
4	5	8	6	2	3	9	7	1
1	2	9	8	7	5	3	6	4
9	4	3	1	8	2	6	5	7
6	1	2	3	5	7	4	9	8
8	7	5	4	6	9	1	2	3
2	8	1	5	3	6	7	4	9
5	9	7	2	4	1	8	3	6
3	6	4	7	9	8	5	1	2

569

3	9	5	4	8	1	2	6	7
4	1	2	6	7	5	3	9	8
7	6	8	3	2	9	4	5	1
9	2	4	8	1	3	6	7	5
1	8	6	7	5	4	9	2	3
5	3	7	2	9	6	1	8	4
8	5	1	9	3	2	7	4	6
2	4	3	5	6	7	8	1	9
6	7	9	1	4	8	5	3	2

570

3	7	9	4	5	8	6	1	2
6	4	8	2	3	1	7	5	9
1	2	5	6	7	9	3	4	8
9	8	3	1	6	5	4	2	7
5	1	2	7	8	4	9	6	3
7	6	4	9	2	3	1	8	5
4	3	7	5	1	2	8	9	6
2	9	6	8	4	7	5	3	1
8	5	1	3	9	6	2	7	4

571

5	9	4	1	3	7	2	8	6
3	2	6	8	4	9	5	1	7
8	1	7	2	5	6	4	9	3
4	7	8	9	1	3	6	5	2
9	5	2	6	8	4	7	3	1
6	3	1	7	2	5	8	4	9
1	4	9	5	6	2	3	7	8
7	6	3	4	9	8	1	2	5
2	8	5	3	7	1	9	6	4

572

7	5	4	6	1	8	9	3	2
6	3	9	4	2	7	5	8	1
8	2	1	5	9	3	6	4	7
1	7	6	3	5	9	8	2	4
5	9	3	8	4	2	1	7	6
4	8	2	7	6	1	3	5	9
3	6	8	9	7	4	2	1	5
2	4	5	1	3	6	7	9	8
9	1	7	2	8	5	4	6	3

573

4	9	1	7	8	6	3	5	2
2	5	7	3	1	4	9	6	8
6	3	8	9	2	5	4	7	1
7	8	3	2	4	1	6	9	5
9	2	4	6	5	3	1	8	7
5	1	6	8	7	9	2	3	4
3	7	5	1	6	2	8	4	9
8	6	2	4	9	7	5	1	3
1	4	9	5	3	8	7	2	6

574

5	1	9	4	7	3	6	8	2
4	7	8	2	6	1	3	5	9
2	3	6	8	9	5	1	4	7
1	9	2	7	5	8	4	6	3
8	6	4	9	3	2	5	7	1
3	5	7	6	1	4	2	9	8
7	2	3	5	4	9	8	1	6
6	4	1	3	8	7	9	2	5
9	8	5	1	2	6	7	3	4

575

5	8	4	9	6	1	2	7	3
7	1	3	4	5	2	9	6	8
2	9	6	8	7	3	4	5	1
1	7	2	3	8	5	6	4	9
3	5	9	6	2	4	1	8	7
4	6	8	1	9	7	5	3	2
9	4	5	7	1	8	3	2	6
8	3	1	2	4	6	7	9	5
6	2	7	5	3	9	8	1	4

576

2	9	7	4	3	6	1	8	5
1	3	8	7	5	2	9	4	6
6	5	4	8	9	1	2	3	7
8	7	1	6	4	5	3	2	9
9	6	5	2	8	3	7	1	4
4	2	3	1	7	9	5	6	8
5	1	9	3	6	4	8	7	2
3	8	6	9	2	7	4	5	1
7	4	2	5	1	8	6	9	3

577

2	1	5	6	7	3	8	4	9
9	8	7	4	1	2	6	3	5
4	3	6	9	8	5	7	2	1
3	7	8	2	6	1	5	9	4
1	5	9	8	3	4	2	6	7
6	2	4	7	5	9	3	1	8
5	6	3	1	9	7	4	8	2
7	9	2	3	4	8	1	5	6
8	4	1	5	2	6	9	7	3

578

2	8	3	4	7	9	6	1	5
9	1	5	8	6	3	7	2	4
4	6	7	2	1	5	8	3	9
1	4	9	5	8	7	2	6	3
5	7	8	3	2	6	4	9	1
6	3	2	9	4	1	5	7	8
3	9	6	7	5	8	1	4	2
8	2	1	6	9	4	3	5	7
7	5	4	1	3	2	9	8	6

579

7	6	9	3	8	2	4	5	1
3	2	5	6	4	1	9	7	8
8	1	4	5	7	9	2	3	6
2	3	8	9	5	4	6	1	7
9	5	7	1	6	8	3	4	2
1	4	6	2	3	7	5	8	9
6	8	3	7	9	5	1	2	4
5	7	2	4	1	6	8	9	3
4	9	1	8	2	3	7	6	5

580

9	7	3	1	4	6	5	8	2
8	6	2	5	7	9	4	1	3
4	1	5	8	3	2	7	9	6
7	3	1	2	8	4	9	6	5
2	8	6	7	9	5	1	3	4
5	9	4	3	6	1	2	7	8
6	5	7	4	1	3	8	2	9
3	4	8	9	2	7	6	5	1
1	2	9	6	5	8	3	4	7

581

6	3	7	9	2	5	4	8	1
4	8	1	3	7	6	2	9	5
9	5	2	1	8	4	7	3	6
3	9	6	7	5	1	8	4	2
7	2	5	4	6	8	3	1	9
8	1	4	2	3	9	6	5	7
2	6	9	5	4	3	1	7	8
1	7	3	8	9	2	5	6	4
5	4	8	6	1	7	9	2	3

582

9	3	2	5	8	4	6	1	7
6	5	1	9	7	2	3	4	8
4	7	8	1	3	6	2	5	9
8	4	7	6	9	3	5	2	1
3	2	5	8	1	7	9	6	4
1	9	6	4	2	5	7	8	3
5	6	3	7	4	8	1	9	2
2	1	4	3	5	9	8	7	6
7	8	9	2	6	1	4	3	5

583

7	6	5	3	2	9	4	1	8
8	9	1	4	5	7	6	3	2
4	2	3	6	1	8	7	9	5
2	4	7	5	6	1	9	8	3
1	3	8	7	9	4	2	5	6
9	5	6	2	8	3	1	7	4
3	8	2	1	7	6	5	4	9
5	1	4	9	3	2	8	6	7
6	7	9	8	4	5	3	2	1

584

1	8	2	6	9	4	3	5	7
7	4	9	1	3	5	2	6	8
5	6	3	8	7	2	9	1	4
6	3	1	7	4	8	5	2	9
2	7	8	9	5	1	6	4	3
9	5	4	2	6	3	8	7	1
4	1	5	3	8	6	7	9	2
8	2	7	5	1	9	4	3	6
3	9	6	4	2	7	1	8	5

585

9	3	4	6	5	1	2	8	7
5	1	2	8	7	3	6	4	9
6	8	7	9	2	4	1	3	5
3	5	6	1	8	9	4	7	2
2	9	1	3	4	7	5	6	8
7	4	8	2	6	5	9	1	3
1	7	9	5	3	6	8	2	4
8	6	3	4	9	2	7	5	1
4	2	5	7	1	8	3	9	6

586

4	5	9	7	2	8	3	6	1
3	7	8	5	1	6	9	4	2
6	1	2	9	4	3	5	7	8
9	3	5	2	6	4	8	1	7
8	6	7	1	5	9	2	3	4
2	4	1	8	3	7	6	9	5
1	9	6	4	8	2	7	5	3
7	8	4	3	9	5	1	2	6
5	2	3	6	7	1	4	8	9

587

9	2	1	5	8	3	4	6	7
4	6	7	2	9	1	3	5	8
8	3	5	4	6	7	1	2	9
7	4	6	8	2	5	9	3	1
3	8	9	7	1	6	5	4	2
1	5	2	9	3	4	8	7	6
5	1	8	3	7	2	6	9	4
2	9	4	6	5	8	7	1	3
6	7	3	1	4	9	2	8	5

588

8	2	3	1	5	9	7	6	4
4	7	5	3	2	6	1	9	8
1	9	6	8	7	4	5	2	3
7	5	1	9	4	3	6	8	2
6	4	2	7	1	8	3	5	9
3	8	9	2	6	5	4	7	1
2	3	7	5	9	1	8	4	6
9	6	8	4	3	7	2	1	5
5	1	4	6	8	2	9	3	7

589

6	2	5	7	8	3	9	4	1
4	9	7	2	6	1	3	8	5
1	3	8	5	4	9	6	7	2
9	1	3	8	7	2	5	6	4
2	7	4	6	1	5	8	9	3
5	8	6	3	9	4	2	1	7
8	4	2	9	5	7	1	3	6
7	5	9	1	3	6	4	2	8
3	6	1	4	2	8	7	5	9

590

2	3	5	4	6	9	8	7	1
4	9	6	1	7	8	2	3	5
1	7	8	5	3	2	6	4	9
8	1	2	9	5	7	4	6	3
7	5	3	6	1	4	9	8	2
6	4	9	2	8	3	5	1	7
5	6	4	7	9	1	3	2	8
9	8	7	3	2	6	1	5	4
3	2	1	8	4	5	7	9	6

591

7	2	4	9	5	1	3	6	8
8	6	9	4	2	3	5	1	7
1	3	5	8	6	7	4	9	2
5	7	1	3	9	4	8	2	6
9	4	6	7	8	2	1	3	5
2	8	3	6	1	5	9	7	4
6	5	2	1	4	9	7	8	3
3	1	8	5	7	6	2	4	9
4	9	7	2	3	8	6	5	1

592

2	3	7	6	8	5	9	1	4
8	5	4	7	1	9	2	3	6
1	6	9	3	4	2	7	5	8
6	9	1	8	5	4	3	7	2
4	8	5	2	3	7	6	9	1
3	7	2	1	9	6	8	4	5
7	1	8	4	2	3	5	6	9
5	2	3	9	6	1	4	8	7
9	4	6	5	7	8	1	2	3

593

6	7	8	2	1	4	5	3	9
3	9	5	8	6	7	4	2	1
4	2	1	9	5	3	6	7	8
8	6	7	4	2	1	9	5	3
1	4	2	3	9	5	8	6	7
5	3	9	7	8	6	1	4	2
2	1	4	5	3	9	7	8	6
7	8	6	1	4	2	3	9	5
9	5	3	6	7	8	2	1	4

594

7	8	3	6	5	4	1	2	9
5	4	6	1	9	2	3	7	8
9	1	2	7	3	8	6	4	5
8	3	7	9	6	1	2	5	4
2	5	9	8	4	3	7	1	6
4	6	1	5	2	7	8	9	3
1	9	4	2	8	6	5	3	7
3	2	8	4	7	5	9	6	1
6	7	5	3	1	9	4	8	2

595

8	4	7	3	5	6	1	2	9
6	2	9	1	7	8	4	3	5
5	1	3	9	2	4	6	7	8
7	8	1	4	6	3	9	5	2
4	3	6	5	9	2	7	8	1
9	5	2	7	8	1	3	4	6
1	7	8	2	4	9	5	6	3
3	6	4	8	1	5	2	9	7
2	9	5	6	3	7	8	1	4

596

4	8	3	7	2	9	6	5	1
2	1	7	5	6	8	3	4	9
5	9	6	1	4	3	8	7	2
9	5	8	4	3	1	7	2	6
3	4	1	6	7	2	9	8	5
6	7	2	9	8	5	4	1	3
7	2	4	3	1	6	5	9	8
1	3	9	8	5	4	2	6	7
8	6	5	2	9	7	1	3	4

597

3	4	8	1	5	7	6	2	9
2	1	5	9	4	6	3	7	8
7	9	6	3	2	8	4	5	1
1	2	9	4	7	3	8	6	5
4	8	3	6	9	5	7	1	2
5	6	7	2	8	1	9	3	4
8	7	1	5	6	9	2	4	3
9	3	4	7	1	2	5	8	6
6	5	2	8	3	4	1	9	7

598

2	1	8	3	9	6	4	5	7
3	6	4	5	8	7	1	9	2
5	7	9	2	4	1	6	3	8
6	3	7	8	1	2	5	4	9
9	8	2	4	6	5	3	7	1
1	4	5	9	7	3	2	8	6
7	5	1	6	3	8	9	2	4
4	2	6	7	5	9	8	1	3
8	9	3	1	2	4	7	6	5

599

2	7	1	3	8	4	6	5	9
3	6	8	5	9	7	4	1	2
9	4	5	6	1	2	8	3	7
7	5	4	1	2	6	9	8	3
6	1	2	9	3	8	5	7	4
8	3	9	4	7	5	2	6	1
1	8	3	2	6	9	7	4	5
4	2	6	7	5	1	3	9	8
5	9	7	8	4	3	1	2	6

600

9	3	2	7	6	4	1	5	8
5	7	4	8	1	2	6	9	3
8	6	1	3	5	9	2	4	7
1	5	9	2	3	8	7	6	4
2	8	7	9	4	6	3	1	5
3	4	6	1	7	5	8	2	9
7	9	3	5	2	1	4	8	6
4	1	5	6	8	7	9	3	2
6	2	8	4	9	3	5	7	1

601

1	5	2	8	7	3	9	6	4
8	4	3	5	6	9	1	2	7
6	9	7	2	4	1	3	5	8
4	2	8	6	1	5	7	9	3
9	6	5	3	8	7	4	1	2
7	3	1	4	9	2	6	8	5
5	8	4	1	3	6	2	7	9
2	7	6	9	5	4	8	3	1
3	1	9	7	2	8	5	4	6

602

2	7	3	6	9	5	8	1	4
1	6	4	8	7	2	9	3	5
5	8	9	1	4	3	6	2	7
6	4	5	3	1	7	2	9	8
3	9	2	5	8	4	1	7	6
8	1	7	2	6	9	5	4	3
7	5	8	4	2	1	3	6	9
4	3	1	9	5	6	7	8	2
9	2	6	7	3	8	4	5	1

603

1	8	4	6	9	7	5	2	3
3	7	2	5	1	8	6	4	9
5	9	6	3	4	2	7	1	8
7	6	5	4	8	9	2	3	1
8	2	3	1	5	6	4	9	7
9	4	1	2	7	3	8	5	6
4	5	7	8	3	1	9	6	2
2	3	9	7	6	5	1	8	4
6	1	8	9	2	4	3	7	5

604

5	4	3	7	2	6	9	1	8
1	2	7	5	9	8	6	4	3
9	8	6	3	4	1	7	5	2
3	1	9	2	8	7	4	6	5
4	5	2	1	6	9	3	8	7
7	6	8	4	5	3	2	9	1
8	3	4	6	7	5	1	2	9
6	7	5	9	1	2	8	3	4
2	9	1	8	3	4	5	7	6

605

8	6	2	7	3	5	9	1	4
3	1	9	4	2	6	8	7	5
7	4	5	8	1	9	3	6	2
5	8	1	9	4	2	6	3	7
9	3	7	5	6	1	4	2	8
4	2	6	3	7	8	5	9	1
6	7	3	2	5	4	1	8	9
2	5	8	1	9	3	7	4	6
1	9	4	6	8	7	2	5	3

606

5	9	4	8	2	3	7	1	6
2	8	6	7	1	9	5	4	3
7	1	3	6	5	4	8	9	2
8	6	2	4	7	5	9	3	1
9	7	1	2	3	8	6	5	4
4	3	5	9	6	1	2	7	8
3	2	9	1	8	7	4	6	5
6	5	7	3	4	2	1	8	9
1	4	8	5	9	6	3	2	7

607

5	8	7	2	3	1	6	9	4
2	6	3	4	9	8	5	7	1
9	4	1	7	6	5	2	8	3
8	1	6	3	2	7	4	5	9
7	9	5	1	4	6	8	3	2
3	2	4	8	5	9	7	1	6
6	3	9	5	7	2	1	4	8
4	5	8	6	1	3	9	2	7
1	7	2	9	8	4	3	6	5

608

6	7	1	3	5	2	8	4	9
5	4	3	9	8	7	2	6	1
2	9	8	1	4	6	3	5	7
9	5	7	8	2	3	4	1	6
8	1	6	4	7	9	5	3	2
4	3	2	5	6	1	7	9	8
7	2	5	6	1	4	9	8	3
3	6	4	7	9	8	1	2	5
1	8	9	2	3	5	6	7	4

609

2	5	4	6	1	7	3	8	9
8	7	9	5	4	3	2	6	1
3	6	1	2	8	9	4	7	5
5	8	3	1	9	6	7	4	2
4	1	2	3	7	8	9	5	6
6	9	7	4	2	5	8	1	3
7	2	6	8	3	1	5	9	4
9	4	5	7	6	2	1	3	8
1	3	8	9	5	4	6	2	7

610

1	8	3	6	5	9	2	4	7
9	4	5	7	2	1	3	6	8
6	7	2	8	4	3	1	5	9
2	1	6	5	9	7	8	3	4
4	3	8	1	6	2	7	9	5
5	9	7	3	8	4	6	1	2
7	2	1	4	3	5	9	8	6
3	6	4	9	7	8	5	2	1
8	5	9	2	1	6	4	7	3

611

5	6	3	9	7	2	4	1	8
4	9	8	5	1	3	6	2	7
1	7	2	8	6	4	9	3	5
8	5	7	4	9	1	2	6	3
9	2	6	7	3	5	1	8	4
3	4	1	2	8	6	7	5	9
6	1	4	3	5	7	8	9	2
7	8	5	6	2	9	3	4	1
2	3	9	1	4	8	5	7	6

612

9	7	6	4	5	1	8	3	2
3	4	5	6	2	8	1	9	7
1	8	2	7	9	3	6	5	4
7	6	4	8	3	9	5	2	1
5	3	8	1	6	2	7	4	9
2	9	1	5	4	7	3	6	8
6	2	7	9	8	5	4	1	3
4	1	3	2	7	6	9	8	5
8	5	9	3	1	4	2	7	6

613

6	9	8	2	1	5	3	7	4
7	2	3	4	9	6	5	8	1
4	1	5	7	3	8	2	9	6
1	6	2	3	7	9	8	4	5
8	5	9	1	6	4	7	2	3
3	4	7	5	8	2	6	1	9
5	8	4	6	2	1	9	3	7
9	3	1	8	5	7	4	6	2
2	7	6	9	4	3	1	5	8

614

8	7	6	2	3	9	4	1	5
2	1	5	4	6	7	8	3	9
4	3	9	1	5	8	6	2	7
7	6	3	9	2	4	1	5	8
5	8	1	6	7	3	9	4	2
9	2	4	8	1	5	3	7	6
6	5	7	3	8	1	2	9	4
3	9	2	7	4	6	5	8	1
1	4	8	5	9	2	7	6	3

615

5	9	6	1	7	4	2	8	3
1	3	4	8	2	9	7	6	5
7	8	2	3	5	6	1	9	4
8	5	9	6	1	2	3	4	7
2	6	1	4	3	7	8	5	9
4	7	3	9	8	5	6	1	2
9	4	7	2	6	1	5	3	8
6	2	8	5	4	3	9	7	1
3	1	5	7	9	8	4	2	6

616

9	1	5	6	7	2	3	4	8
7	3	8	1	5	4	9	2	6
4	2	6	8	9	3	5	1	7
8	7	2	9	3	6	4	5	1
1	9	3	5	4	8	6	7	2
5	6	4	7	2	1	8	9	3
2	5	1	3	8	9	7	6	4
6	8	7	4	1	5	2	3	9
3	4	9	2	6	7	1	8	5

617

8	5	7	4	3	2	9	6	1
6	4	1	9	8	7	2	3	5
2	3	9	6	1	5	7	8	4
4	1	8	2	5	3	6	9	7
7	6	2	1	9	4	8	5	3
5	9	3	7	6	8	1	4	2
3	2	6	8	4	1	5	7	9
9	7	5	3	2	6	4	1	8
1	8	4	5	7	9	3	2	6

618

6	9	2	7	5	4	1	8	3
8	3	7	9	2	1	6	5	4
1	4	5	3	8	6	2	9	7
4	6	8	2	1	3	9	7	5
2	7	3	5	6	9	4	1	8
5	1	9	8	4	7	3	6	2
7	5	4	1	9	2	8	3	6
3	2	1	6	7	8	5	4	9
9	8	6	4	3	5	7	2	1

619

1	3	9	2	7	5	4	8	6
4	8	2	1	9	6	5	3	7
5	7	6	8	4	3	9	1	2
2	9	3	4	5	8	6	7	1
8	1	5	6	3	7	2	4	9
6	4	7	9	2	1	3	5	8
3	2	8	5	1	9	7	6	4
7	6	4	3	8	2	1	9	5
9	5	1	7	6	4	8	2	3

620

9	4	3	2	6	8	5	7	1
2	6	8	5	7	1	9	4	3
5	7	1	9	4	3	2	6	8
4	3	2	6	8	5	7	1	9
6	8	5	7	1	9	4	3	2
7	1	9	4	3	2	6	8	5
3	2	6	8	5	7	1	9	4
8	5	7	1	9	4	3	2	6
1	9	4	3	2	6	8	5	7

621

2	4	8	9	5	3	6	1	7
7	1	6	2	4	8	5	3	9
3	9	5	6	1	7	2	4	8
5	3	9	4	6	2	8	7	1
1	8	4	3	7	5	9	6	2
6	7	2	1	8	9	3	5	4
9	6	1	5	2	4	7	8	3
8	5	3	7	9	1	4	2	6
4	2	7	8	3	6	1	9	5

622

9	4	2	1	6	7	5	8	3
5	7	6	8	4	3	2	9	1
8	1	3	9	5	2	6	4	7
4	3	8	7	1	5	9	6	2
2	6	7	3	9	8	4	1	5
1	5	9	6	2	4	7	3	8
7	2	1	4	8	6	3	5	9
3	8	4	5	7	9	1	2	6
6	9	5	2	3	1	8	7	4

623

2	1	5	8	7	3	6	9	4
7	8	6	2	4	9	5	3	1
3	4	9	1	5	6	8	2	7
8	7	1	6	2	5	3	4	9
9	2	4	7	3	8	1	5	6
5	6	3	9	1	4	2	7	8
6	5	8	3	9	7	4	1	2
4	9	2	5	8	1	7	6	3
1	3	7	4	6	2	9	8	5

624

4	5	9	2	6	3	1	8	7
3	1	8	7	4	9	6	2	5
6	7	2	5	1	8	9	3	4
1	2	5	8	7	4	3	6	9
8	4	3	9	5	6	7	1	2
9	6	7	3	2	1	5	4	8
2	3	6	4	9	7	8	5	1
7	8	4	1	3	5	2	9	6
5	9	1	6	8	2	4	7	3

625

4	7	8	9	6	3	1	5	2
3	9	5	2	7	1	4	6	8
6	2	1	8	5	4	3	7	9
5	1	9	3	8	6	2	4	7
8	3	2	4	9	7	6	1	5
7	4	6	1	2	5	9	8	3
2	5	3	6	4	8	7	9	1
1	6	7	5	3	9	8	2	4
9	8	4	7	1	2	5	3	6

626

2	6	9	5	1	3	7	4	8
3	7	5	4	2	8	1	9	6
4	8	1	9	7	6	2	5	3
7	1	8	3	5	2	4	6	9
5	4	6	8	9	1	3	2	7
9	2	3	6	4	7	8	1	5
8	9	4	1	3	5	6	7	2
6	5	2	7	8	4	9	3	1
1	3	7	2	6	9	5	8	4

627

7	3	4	2	8	5	6	1	9
6	1	8	9	4	7	2	5	3
2	5	9	6	1	3	8	4	7
1	9	3	5	2	8	7	6	4
4	6	7	3	9	1	5	2	8
8	2	5	4	7	6	3	9	1
3	4	1	7	6	2	9	8	5
5	8	6	1	3	9	4	7	2
9	7	2	8	5	4	1	3	6

628

7	8	4	3	5	2	9	1	6
9	5	6	7	8	1	3	2	4
3	1	2	9	4	6	5	8	7
2	3	5	1	9	7	4	6	8
4	9	8	6	2	5	7	3	1
6	7	1	8	3	4	2	5	9
5	2	7	4	1	8	6	9	3
1	6	9	5	7	3	8	4	2
8	4	3	2	6	9	1	7	5

629

2	5	6	3	4	9	1	7	8
8	1	7	5	2	6	3	9	4
4	3	9	1	8	7	5	6	2
5	9	2	7	3	4	6	8	1
1	6	8	9	5	2	7	4	3
3	7	4	6	1	8	9	2	5
9	4	5	8	7	3	2	1	6
6	2	1	4	9	5	8	3	7
7	8	3	2	6	1	4	5	9

630

5	7	6	8	4	1	2	9	3
1	4	8	2	3	9	6	7	5
3	2	9	5	7	6	1	4	8
2	9	3	4	5	8	7	6	1
4	1	7	9	6	3	8	5	2
8	6	5	7	1	2	4	3	9
7	5	2	3	8	4	9	1	6
6	8	4	1	9	5	3	2	7
9	3	1	6	2	7	5	8	4

631

2	9	5	8	1	4	7	6	3
1	8	4	6	7	3	9	5	2
6	3	7	9	2	5	4	8	1
7	2	6	3	9	1	5	4	8
4	5	3	7	8	6	2	1	9
8	1	9	5	4	2	3	7	6
5	4	2	1	3	8	6	9	7
3	7	1	4	6	9	8	2	5
9	6	8	2	5	7	1	3	4

632

1	4	6	8	5	3	2	9	7
2	7	8	9	1	6	4	5	3
9	3	5	7	4	2	8	1	6
6	2	3	5	9	8	1	7	4
8	1	9	4	3	7	5	6	2
4	5	7	2	6	1	3	8	9
7	6	2	3	8	5	9	4	1
3	8	4	1	7	9	6	2	5
5	9	1	6	2	4	7	3	8

633

6	9	8	2	1	7	5	3	4
2	4	5	9	3	6	7	8	1
7	3	1	5	4	8	2	9	6
5	8	2	7	9	1	6	4	3
9	7	3	4	6	2	1	5	8
1	6	4	3	8	5	9	2	7
4	2	7	1	5	3	8	6	9
3	5	6	8	7	9	4	1	2
8	1	9	6	2	4	3	7	5

634

9	5	3	1	6	7	8	4	2
1	6	4	9	8	2	5	3	7
2	7	8	5	4	3	1	6	9
5	4	7	8	3	1	9	2	6
6	9	2	4	7	5	3	8	1
3	8	1	6	2	9	7	5	4
8	1	5	2	9	4	6	7	3
4	3	9	7	5	6	2	1	8
7	2	6	3	1	8	4	9	5

635

2	3	6	9	4	1	8	5	7
9	8	4	6	5	7	2	3	1
1	5	7	3	2	8	4	6	9
3	6	1	4	7	5	9	8	2
5	7	8	1	9	2	3	4	6
4	9	2	8	6	3	1	7	5
6	2	3	5	1	4	7	9	8
7	4	5	2	8	9	6	1	3
8	1	9	7	3	6	5	2	4

636

3	6	9	7	1	8	5	4	2
8	7	1	2	4	5	9	3	6
5	4	2	9	3	6	7	1	8
4	8	6	3	2	7	1	9	5
1	5	7	6	9	4	8	2	3
2	9	3	8	5	1	4	6	7
7	2	5	1	6	9	3	8	4
9	3	8	4	7	2	6	5	1
6	1	4	5	8	3	2	7	9

637

8	2	1	7	4	5	6	3	9
7	6	5	3	9	8	1	2	4
3	4	9	2	1	6	8	5	7
5	3	4	9	8	7	2	6	1
6	1	2	4	5	3	9	7	8
9	7	8	1	6	2	3	4	5
2	8	3	5	7	1	4	9	6
1	9	7	6	3	4	5	8	2
4	5	6	8	2	9	7	1	3

638

3	9	5	4	2	1	8	6	7
6	7	8	5	3	9	1	4	2
2	1	4	6	7	8	5	3	9
8	6	7	9	5	3	2	1	4
5	3	9	1	4	2	7	8	6
4	2	1	8	6	7	9	5	3
7	8	6	3	9	5	4	2	1
1	4	2	7	8	6	3	9	5
9	5	3	2	1	4	6	7	8

639

7	5	6	3	4	9	8	1	2
4	3	2	5	1	8	6	7	9
8	1	9	2	6	7	4	3	5
6	7	1	9	3	4	2	5	8
5	2	8	6	7	1	3	9	4
9	4	3	8	5	2	1	6	7
3	9	4	7	2	6	5	8	1
1	6	7	4	8	5	9	2	3
2	8	5	1	9	3	7	4	6

640

9	7	8	2	1	4	5	3	6
4	2	6	8	3	5	1	9	7
5	1	3	9	6	7	4	2	8
1	4	7	5	9	6	2	8	3
6	8	5	3	4	2	9	7	1
3	9	2	7	8	1	6	4	5
7	6	1	4	2	3	8	5	9
8	5	4	1	7	9	3	6	2
2	3	9	6	5	8	7	1	4

641

5	2	8	7	9	6	3	1	4
3	1	7	8	5	4	6	2	9
9	6	4	2	1	3	5	8	7
6	4	9	5	3	8	2	7	1
2	3	1	6	7	9	4	5	8
8	7	5	1	4	2	9	3	6
4	5	3	9	8	7	1	6	2
7	9	2	3	6	1	8	4	5
1	8	6	4	2	5	7	9	3

642

8	7	2	9	1	6	3	4	5
1	6	5	4	7	3	9	2	8
3	9	4	5	2	8	6	7	1
5	8	7	3	4	2	1	6	9
4	3	1	6	9	7	5	8	2
9	2	6	8	5	1	4	3	7
6	1	3	2	8	5	7	9	4
2	5	9	7	3	4	8	1	6
7	4	8	1	6	9	2	5	3

643

2	7	9	8	6	1	4	3	5
6	3	5	9	2	4	8	1	7
4	8	1	5	7	3	6	2	9
8	5	7	6	1	9	2	4	3
9	4	6	3	5	2	7	8	1
3	1	2	7	4	8	9	5	6
1	2	3	4	9	6	5	7	8
5	9	4	1	8	7	3	6	2
7	6	8	2	3	5	1	9	4

644

3	2	1	8	7	4	5	6	9
4	7	5	1	6	9	2	8	3
8	6	9	3	5	2	1	4	7
5	3	8	6	4	7	9	2	1
7	4	2	5	9	1	8	3	6
9	1	6	2	8	3	4	7	5
2	9	4	7	1	6	3	5	8
1	5	7	4	3	8	6	9	2
6	8	3	9	2	5	7	1	4

645

7	4	3	2	6	9	5	1	8
1	6	5	7	8	3	2	4	9
2	8	9	1	4	5	6	7	3
3	2	7	5	1	6	8	9	4
6	5	8	9	7	4	1	3	2
4	9	1	3	2	8	7	5	6
9	1	2	6	3	7	4	8	5
8	3	6	4	5	1	9	2	7
5	7	4	8	9	2	3	6	1

646

1	7	9	3	2	4	5	6	8
4	5	6	8	1	7	3	2	9
2	3	8	9	6	5	4	7	1
7	8	2	4	3	6	1	9	5
5	4	1	7	9	2	6	8	3
6	9	3	5	8	1	2	4	7
3	2	4	1	7	8	9	5	6
8	1	5	6	4	9	7	3	2
9	6	7	2	5	3	8	1	4

647

9	1	3	5	2	4	6	8	7
8	5	6	7	9	3	4	1	2
2	4	7	6	1	8	9	5	3
6	7	1	2	3	9	5	4	8
3	8	9	1	4	5	2	7	6
5	2	4	8	7	6	1	3	9
4	3	8	9	5	2	7	6	1
7	6	2	4	8	1	3	9	5
1	9	5	3	6	7	8	2	4

648

3	4	2	5	1	9	7	6	8
7	6	9	3	4	8	1	5	2
8	5	1	7	2	6	4	9	3
1	2	5	9	3	4	6	8	7
9	3	4	8	6	7	2	1	5
6	8	7	2	5	1	9	3	4
5	9	3	6	7	2	8	4	1
2	1	8	4	9	3	5	7	6
4	7	6	1	8	5	3	2	9

649

3	2	5	9	8	1	4	6	7
6	4	1	5	2	7	3	8	9
9	7	8	4	6	3	5	2	1
7	8	6	1	9	5	2	3	4
2	5	4	3	7	8	1	9	6
1	3	9	2	4	6	7	5	8
5	6	3	8	1	4	9	7	2
8	1	2	7	3	9	6	4	5
4	9	7	6	5	2	8	1	3

650

9	6	3	5	4	8	7	1	2
4	2	1	9	7	6	3	5	8
5	7	8	1	2	3	4	6	9
3	8	9	4	6	5	1	2	7
6	1	5	7	8	2	9	4	3
7	4	2	3	9	1	6	8	5
1	3	4	8	5	9	2	7	6
2	5	7	6	3	4	8	9	1
8	9	6	2	1	7	5	3	4

651

4	1	2	7	8	3	6	9	5
9	8	7	5	6	2	4	1	3
5	6	3	9	4	1	7	8	2
8	4	9	2	5	7	1	3	6
7	5	6	1	3	8	9	2	4
2	3	1	6	9	4	8	5	7
3	9	4	8	2	6	5	7	1
1	2	5	4	7	9	3	6	8
6	7	8	3	1	5	2	4	9

652

8	3	5	1	7	9	6	4	2
6	9	7	4	8	2	3	1	5
1	4	2	3	6	5	7	9	8
7	2	1	9	4	8	5	6	3
9	6	3	5	1	7	2	8	4
5	8	4	2	3	6	1	7	9
4	7	9	6	5	3	8	2	1
3	1	6	8	2	4	9	5	7
2	5	8	7	9	1	4	3	6

653

4	2	3	1	6	5	9	7	8
8	6	1	7	2	9	3	4	5
7	9	5	4	8	3	1	6	2
1	5	6	2	9	4	8	3	7
3	4	8	6	5	7	2	9	1
9	7	2	8	3	1	4	5	6
6	1	7	3	4	8	5	2	9
5	8	4	9	7	2	6	1	3
2	3	9	5	1	6	7	8	4

654

7	5	1	4	3	2	8	6	9
6	2	3	8	9	7	5	4	1
8	9	4	6	1	5	2	3	7
1	6	9	3	4	8	7	2	5
2	3	5	9	7	6	4	1	8
4	8	7	2	5	1	3	9	6
9	7	2	5	6	4	1	8	3
3	1	8	7	2	9	6	5	4
5	4	6	1	8	3	9	7	2

655

3	2	9	7	8	4	6	1	5
4	1	6	5	9	3	7	2	8
7	5	8	6	2	1	4	9	3
1	4	7	3	5	2	8	6	9
8	3	5	4	6	9	1	7	2
6	9	2	8	1	7	3	5	4
9	8	4	1	7	5	2	3	6
5	6	1	2	3	8	9	4	7
2	7	3	9	4	6	5	8	1

656

6	8	3	1	5	4	7	9	2
1	9	2	8	6	7	3	5	4
7	5	4	9	2	3	6	1	8
9	4	7	2	3	6	5	8	1
2	6	1	5	8	9	4	7	3
8	3	5	7	4	1	9	2	6
3	2	8	6	9	5	1	4	7
4	1	9	3	7	8	2	6	5
5	7	6	4	1	2	8	3	9

657

9	6	4	7	1	8	5	2	3
5	7	3	4	6	2	1	9	8
2	1	8	3	5	9	4	6	7
8	5	9	6	2	3	7	4	1
6	3	7	1	9	4	2	8	5
1	4	2	5	8	7	9	3	6
7	8	1	2	4	6	3	5	9
3	2	6	9	7	5	8	1	4
4	9	5	8	3	1	6	7	2

658

7	5	2	9	4	3	6	8	1
1	6	4	7	8	2	9	5	3
8	9	3	6	5	1	7	4	2
9	1	8	3	7	4	5	2	6
6	3	7	2	9	5	8	1	4
4	2	5	1	6	8	3	7	9
5	4	1	8	3	9	2	6	7
3	8	6	4	2	7	1	9	5
2	7	9	5	1	6	4	3	8

659

7	2	3	6	4	1	9	8	5
4	5	1	8	2	9	6	7	3
6	8	9	3	7	5	4	1	2
5	6	4	9	8	7	3	2	1
1	3	2	5	6	4	8	9	7
9	7	8	1	3	2	5	4	6
3	9	5	7	1	8	2	6	4
2	1	6	4	9	3	7	5	8
8	4	7	2	5	6	1	3	9

660

3	1	4	5	9	6	2	8	7
2	9	6	1	8	7	3	5	4
5	7	8	2	3	4	1	6	9
6	4	1	7	5	8	9	2	3
8	5	2	3	1	9	4	7	6
9	3	7	6	4	2	8	1	5
7	8	9	4	2	5	6	3	1
1	2	5	9	6	3	7	4	8
4	6	3	8	7	1	5	9	2

661

5	9	6	8	4	7	2	3	1
8	4	3	2	1	5	7	9	6
1	7	2	9	6	3	8	5	4
6	5	4	3	9	2	1	8	7
2	1	8	7	5	6	3	4	9
7	3	9	1	8	4	5	6	2
9	8	5	4	2	1	6	7	3
3	6	1	5	7	9	4	2	8
4	2	7	6	3	8	9	1	5

662

7	3	2	6	9	4	8	1	5
4	6	5	7	8	1	2	9	3
1	9	8	5	3	2	4	7	6
6	4	9	2	5	8	7	3	1
5	2	3	1	7	9	6	4	8
8	1	7	4	6	3	5	2	9
9	7	6	3	2	5	1	8	4
3	5	4	8	1	7	9	6	2
2	8	1	9	4	6	3	5	7

663

3	8	6	1	2	9	5	7	4
2	9	4	3	5	7	1	6	8
1	5	7	6	8	4	3	9	2
9	4	8	7	1	2	6	3	5
6	1	5	9	3	8	2	4	7
7	3	2	4	6	5	8	1	9
4	2	1	8	7	6	9	5	3
5	7	3	2	9	1	4	8	6
8	6	9	5	4	3	7	2	1

664

6	3	5	1	7	8	4	2	9
2	7	1	4	5	9	6	8	3
4	8	9	6	2	3	1	7	5
5	9	7	8	4	1	3	6	2
1	6	8	9	3	2	5	4	7
3	2	4	7	6	5	9	1	8
8	1	2	3	9	4	7	5	6
9	4	6	5	8	7	2	3	1
7	5	3	2	1	6	8	9	4

665

3	5	8	2	6	1	4	9	7
2	4	7	5	9	3	6	8	1
6	1	9	7	4	8	2	5	3
8	6	2	1	7	9	3	4	5
5	3	4	8	2	6	1	7	9
7	9	1	3	5	4	8	2	6
9	2	6	4	1	5	7	3	8
4	8	5	6	3	7	9	1	2
1	7	3	9	8	2	5	6	4

666

8	4	7	5	6	9	2	1	3
2	3	6	4	8	1	9	7	5
1	9	5	2	7	3	6	4	8
3	5	9	6	4	7	1	8	2
6	2	4	3	1	8	7	5	9
7	8	1	9	5	2	4	3	6
4	1	2	8	9	5	3	6	7
9	7	8	1	3	6	5	2	4
5	6	3	7	2	4	8	9	1

667

3	8	9	7	1	6	4	2	5
1	5	7	4	8	2	3	9	6
6	2	4	9	5	3	8	1	7
2	6	1	3	7	5	9	8	4
9	3	5	8	2	4	6	7	1
7	4	8	6	9	1	2	5	3
8	7	3	1	4	9	5	6	2
5	1	6	2	3	8	7	4	9
4	9	2	5	6	7	1	3	8

668

5	1	6	4	9	2	8	3	7
2	4	9	8	3	7	6	5	1
7	8	3	5	6	1	2	4	9
6	2	8	9	5	4	7	1	3
4	3	1	6	7	8	5	9	2
9	5	7	2	1	3	4	6	8
8	9	5	1	2	6	3	7	4
3	6	4	7	8	9	1	2	5
1	7	2	3	4	5	9	8	6

669

3	8	5	7	6	1	2	4	9
2	4	9	8	3	5	1	7	6
6	7	1	9	4	2	8	5	3
1	5	6	3	7	8	4	9	2
7	9	8	2	1	4	6	3	5
4	2	3	6	5	9	7	8	1
9	6	4	5	2	7	3	1	8
8	3	7	1	9	6	5	2	4
5	1	2	4	8	3	9	6	7

670

1	5	3	2	9	8	7	4	6
2	7	4	5	1	6	9	3	8
9	8	6	7	4	3	5	1	2
5	2	7	8	3	4	6	9	1
8	3	1	6	2	9	4	5	7
6	4	9	1	5	7	8	2	3
7	9	2	4	8	1	3	6	5
4	1	8	3	6	5	2	7	9
3	6	5	9	7	2	1	8	4

671

7	8	9	6	2	3	5	1	4
6	5	2	4	9	1	8	7	3
4	1	3	8	5	7	6	9	2
5	3	8	1	4	2	7	6	9
9	7	6	3	8	5	2	4	1
2	4	1	7	6	9	3	5	8
1	6	7	9	3	8	4	2	5
8	2	4	5	1	6	9	3	7
3	9	5	2	7	4	1	8	6

672

3	2	1	4	6	8	7	9	5
8	4	6	5	7	9	1	3	2
9	5	7	2	1	3	6	8	4
1	8	2	9	4	6	5	7	3
6	9	4	3	5	7	2	1	8
7	3	5	8	2	1	4	6	9
2	6	8	7	9	4	3	5	1
4	7	9	1	3	5	8	2	6
5	1	3	6	8	2	9	4	7

673

4	6	2	3	7	1	8	9	5
1	3	8	2	5	9	6	4	7
5	7	9	6	8	4	3	2	1
3	2	7	5	1	8	4	6	9
9	1	5	4	3	6	2	7	8
6	8	4	9	2	7	5	1	3
8	4	6	7	9	3	1	5	2
7	5	3	1	4	2	9	8	6
2	9	1	8	6	5	7	3	4

674

7	1	4	6	3	9	2	5	8
8	2	5	7	4	1	3	9	6
9	6	3	8	5	2	7	1	4
6	5	1	2	9	4	8	7	3
4	8	9	3	1	7	6	2	5
2	3	7	5	6	8	1	4	9
1	9	2	4	8	6	5	3	7
3	4	8	1	7	5	9	6	2
5	7	6	9	2	3	4	8	1

675

3	2	8	4	1	7	9	5	6
1	9	4	6	5	2	3	7	8
5	7	6	3	9	8	2	1	4
9	5	3	1	8	4	6	2	7
8	1	7	5	2	6	4	9	3
4	6	2	7	3	9	5	8	1
7	8	9	2	4	3	1	6	5
6	4	1	9	7	5	8	3	2
2	3	5	8	6	1	7	4	9

676

5	7	2	1	4	3	9	6	8
4	9	6	7	8	2	5	3	1
8	1	3	9	5	6	2	4	7
9	3	1	2	7	5	4	8	6
2	5	4	6	1	8	7	9	3
6	8	7	3	9	4	1	5	2
1	2	8	4	6	9	3	7	5
7	6	9	5	3	1	8	2	4
3	4	5	8	2	7	6	1	9

677

8	9	1	2	5	7	3	4	6
6	3	5	4	9	8	2	7	1
4	7	2	3	6	1	8	9	5
7	2	8	5	4	9	1	6	3
1	4	3	8	7	6	5	2	9
5	6	9	1	3	2	7	8	4
9	1	6	7	2	5	4	3	8
2	8	4	9	1	3	6	5	7
3	5	7	6	8	4	9	1	2

678

9	8	6	3	7	4	5	1	2
1	3	5	8	9	2	7	6	4
7	2	4	6	1	5	8	9	3
5	4	7	1	2	8	6	3	9
2	9	3	5	6	7	4	8	1
8	6	1	9	4	3	2	5	7
4	1	9	7	5	6	3	2	8
6	7	8	2	3	9	1	4	5
3	5	2	4	8	1	9	7	6

679

6	9	3	5	2	7	8	4	1
7	4	1	8	9	6	3	2	5
8	2	5	1	3	4	9	7	6
2	8	7	9	6	5	4	1	3
3	1	4	7	8	2	6	5	9
9	5	6	4	1	3	7	8	2
5	7	2	3	4	9	1	6	8
1	6	9	2	7	8	5	3	4
4	3	8	6	5	1	2	9	7

680

3	1	4	8	9	7	5	2	6
5	6	9	4	1	2	8	3	7
8	2	7	5	3	6	4	1	9
9	7	1	2	8	4	6	5	3
4	5	2	7	6	3	9	8	1
6	3	8	1	5	9	7	4	2
2	4	3	6	7	8	1	9	5
1	9	6	3	4	5	2	7	8
7	8	5	9	2	1	3	6	4

681

2	9	7	4	5	3	1	8	6
5	6	4	8	2	1	3	9	7
8	3	1	6	7	9	5	2	4
3	4	9	1	6	8	7	5	2
7	2	6	9	3	5	4	1	8
1	8	5	7	4	2	6	3	9
6	1	3	2	8	7	9	4	5
9	7	8	5	1	4	2	6	3
4	5	2	3	9	6	8	7	1

682

2	5	7	4	8	1	3	9	6
9	6	3	2	7	5	1	8	4
1	8	4	9	3	6	7	5	2
7	9	2	6	5	3	4	1	8
6	1	5	8	2	4	9	3	7
3	4	8	1	9	7	2	6	5
5	3	6	7	1	2	8	4	9
4	2	9	3	6	8	5	7	1
8	7	1	5	4	9	6	2	3

683

4	5	1	7	8	2	9	6	3
7	8	6	4	3	9	1	2	5
3	9	2	6	1	5	8	4	7
8	2	7	9	4	6	3	5	1
6	4	9	1	5	3	7	8	2
5	1	3	2	7	8	6	9	4
2	7	8	5	6	1	4	3	9
1	3	5	8	9	4	2	7	6
9	6	4	3	2	7	5	1	8

684

2	9	5	4	3	7	8	1	6
6	7	4	1	2	8	3	9	5
3	8	1	5	6	9	7	2	4
8	5	6	7	1	3	2	4	9
9	3	2	8	4	6	1	5	7
1	4	7	9	5	2	6	3	8
5	1	8	2	7	4	9	6	3
4	6	9	3	8	1	5	7	2
7	2	3	6	9	5	4	8	1

685

9	1	2	4	8	6	7	5	3
8	4	6	5	3	7	2	9	1
3	5	7	9	2	1	4	6	8
5	3	4	6	7	8	1	2	9
7	6	1	2	5	9	8	3	4
2	8	9	1	4	3	6	7	5
1	2	3	7	9	4	5	8	6
4	9	5	8	6	2	3	1	7
6	7	8	3	1	5	9	4	2

686

5	2	4	6	8	3	7	1	9
1	3	7	9	2	5	8	4	6
9	6	8	4	1	7	3	2	5
2	1	5	7	3	4	6	9	8
8	4	6	1	5	9	2	7	3
7	9	3	8	6	2	4	5	1
3	7	1	2	9	8	5	6	4
4	5	9	3	7	6	1	8	2
6	8	2	5	4	1	9	3	7

687

6	4	1	5	2	8	3	9	7
7	9	8	3	6	1	4	2	5
2	3	5	4	9	7	6	8	1
8	7	2	1	4	9	5	6	3
4	5	6	7	3	2	9	1	8
3	1	9	8	5	6	2	7	4
5	2	7	6	8	3	1	4	9
1	6	3	9	7	4	8	5	2
9	8	4	2	1	5	7	3	6

688

9	5	8	7	2	1	6	3	4
2	1	4	6	3	5	7	8	9
6	7	3	4	8	9	5	2	1
4	3	7	8	5	6	1	9	2
1	8	6	9	4	2	3	5	7
5	2	9	3	1	7	4	6	8
7	6	5	2	9	4	8	1	3
8	9	1	5	7	3	2	4	6
3	4	2	1	6	8	9	7	5

689

2	5	3	1	8	7	6	9	4
9	1	6	4	3	2	7	8	5
7	8	4	6	9	5	3	2	1
8	3	7	5	6	9	4	1	2
4	2	1	8	7	3	5	6	9
5	6	9	2	4	1	8	3	7
1	4	2	3	5	6	9	7	8
3	7	8	9	2	4	1	5	6
6	9	5	7	1	8	2	4	3

690

8	7	1	6	3	4	2	9	5
2	3	6	9	5	1	7	4	8
4	5	9	8	7	2	6	3	1
7	6	4	3	9	5	8	1	2
5	8	2	1	4	7	9	6	3
9	1	3	2	8	6	5	7	4
1	2	7	5	6	3	4	8	9
3	4	8	7	2	9	1	5	6
6	9	5	4	1	8	3	2	7

691

9	6	2	8	1	5	7	4	3
7	4	1	3	2	9	6	5	8
3	5	8	7	4	6	1	2	9
4	3	6	5	9	7	8	1	2
5	1	7	2	8	3	4	9	6
8	2	9	4	6	1	5	3	7
1	8	4	9	7	2	3	6	5
6	9	3	1	5	8	2	7	4
2	7	5	6	3	4	9	8	1

692

8	5	9	2	3	4	6	7	1
6	7	4	8	5	1	3	2	9
1	2	3	6	9	7	5	4	8
7	1	6	9	2	3	4	8	5
4	8	5	1	7	6	9	3	2
3	9	2	4	8	5	7	1	6
2	4	8	7	6	9	1	5	3
9	3	1	5	4	8	2	6	7
5	6	7	3	1	2	8	9	4

693

1	9	3	4	7	2	8	5	6
7	8	6	1	5	9	2	3	4
2	5	4	6	3	8	9	7	1
3	4	5	7	9	1	6	2	8
9	6	2	5	8	4	7	1	3
8	1	7	3	2	6	5	4	9
4	2	8	9	1	5	3	6	7
5	3	1	8	6	7	4	9	2
6	7	9	2	4	3	1	8	5

694

5	8	9	4	1	3	2	7	6
4	7	6	9	2	5	8	3	1
2	1	3	7	6	8	5	9	4
6	3	4	2	8	7	9	1	5
8	9	5	1	3	4	6	2	7
7	2	1	5	9	6	4	8	3
3	5	7	8	4	9	1	6	2
1	4	8	6	7	2	3	5	9
9	6	2	3	5	1	7	4	8

695

7	8	4	2	5	6	9	1	3
3	9	6	4	1	8	5	7	2
5	2	1	7	9	3	6	4	8
1	5	3	9	8	4	2	6	7
8	4	7	6	2	5	3	9	1
2	6	9	3	7	1	4	8	5
4	3	2	8	6	7	1	5	9
6	7	5	1	3	9	8	2	4
9	1	8	5	4	2	7	3	6

696

6	9	1	3	5	7	4	2	8
7	8	5	2	6	4	3	1	9
3	2	4	1	9	8	6	7	5
1	7	6	5	4	2	8	9	3
5	4	2	9	8	3	7	6	1
8	3	9	6	7	1	5	4	2
2	1	7	8	3	6	9	5	4
4	5	3	7	2	9	1	8	6
9	6	8	4	1	5	2	3	7

697

4	5	7	1	8	3	6	2	9
6	1	9	4	2	5	7	3	8
3	8	2	7	6	9	5	4	1
8	9	3	6	4	7	1	5	2
5	4	6	2	9	1	8	7	3
7	2	1	5	3	8	4	9	6
9	7	4	8	1	2	3	6	5
2	6	8	3	5	4	9	1	7
1	3	5	9	7	6	2	8	4

698

1	2	7	6	4	3	8	9	5
9	8	3	1	5	2	7	6	4
4	5	6	9	7	8	2	3	1
2	3	5	7	1	4	9	8	6
6	1	4	8	2	9	3	5	7
8	7	9	5	3	6	4	1	2
7	9	8	2	6	5	1	4	3
3	6	1	4	8	7	5	2	9
5	4	2	3	9	1	6	7	8

699

9	6	2	1	5	8	7	3	4
4	7	3	6	2	9	5	8	1
1	5	8	7	3	4	2	9	6
8	1	5	4	7	3	6	2	9
3	4	7	9	6	2	1	5	8
2	9	6	8	1	5	4	7	3
6	2	9	5	8	1	3	4	7
7	3	4	2	9	6	8	1	5
5	8	1	3	4	7	9	6	2

700

8	3	9	1	4	2	5	6	7
5	6	4	7	9	8	2	3	1
1	2	7	3	5	6	9	4	8
4	9	8	5	6	7	1	2	3
6	7	5	2	1	3	4	8	9
3	1	2	9	8	4	7	5	6
9	4	3	6	7	5	8	1	2
2	5	1	8	3	9	6	7	4
7	8	6	4	2	1	3	9	5

701

2	1	8	3	7	9	5	4	6
4	6	9	5	1	2	7	3	8
5	3	7	4	6	8	1	2	9
7	8	4	6	2	5	3	9	1
6	9	2	1	8	3	4	5	7
1	5	3	7	9	4	6	8	2
8	4	6	9	3	7	2	1	5
9	7	5	2	4	1	8	6	3
3	2	1	8	5	6	9	7	4

702

8	9	5	7	3	6	4	2	1
4	2	3	1	5	8	9	7	6
7	6	1	9	2	4	5	8	3
6	5	4	8	9	1	2	3	7
2	7	8	4	6	3	1	5	9
1	3	9	5	7	2	6	4	8
5	1	2	3	8	9	7	6	4
9	8	6	2	4	7	3	1	5
3	4	7	6	1	5	8	9	2

703

8	4	6	7	3	9	1	2	5
3	1	2	4	8	5	7	6	9
5	7	9	1	6	2	3	4	8
7	9	3	5	1	4	6	8	2
1	6	8	2	9	3	4	5	7
4	2	5	8	7	6	9	1	3
9	3	4	6	5	8	2	7	1
2	5	1	3	4	7	8	9	6
6	8	7	9	2	1	5	3	4

704

7	2	6	4	3	8	5	1	9
1	8	5	9	6	2	7	3	4
3	9	4	7	1	5	2	6	8
9	3	7	1	8	4	6	5	2
4	1	2	5	7	6	9	8	3
5	6	8	3	2	9	1	4	7
8	4	9	6	5	7	3	2	1
6	7	3	2	4	1	8	9	5
2	5	1	8	9	3	4	7	6

705

2	1	7	5	3	8	6	9	4
3	4	5	6	9	2	1	8	7
8	6	9	4	7	1	5	2	3
5	7	4	3	8	6	2	1	9
1	9	8	7	2	5	4	3	6
6	3	2	9	1	4	8	7	5
4	8	3	1	6	7	9	5	2
9	2	6	8	5	3	7	4	1
7	5	1	2	4	9	3	6	8

706

9	6	5	1	7	2	3	8	4
7	3	2	4	8	5	9	6	1
8	4	1	6	9	3	7	2	5
2	9	3	5	4	7	6	1	8
1	5	7	8	3	6	2	4	9
6	8	4	2	1	9	5	3	7
4	7	9	3	6	8	1	5	2
5	1	6	9	2	4	8	7	3
3	2	8	7	5	1	4	9	6

707

9	4	6	1	7	3	2	8	5
8	1	7	2	4	5	6	9	3
3	5	2	9	6	8	7	4	1
2	7	9	5	1	4	8	3	6
1	6	3	8	9	7	5	2	4
4	8	5	6	3	2	1	7	9
6	3	1	7	8	9	4	5	2
7	2	4	3	5	6	9	1	8
5	9	8	4	2	1	3	6	7

708

6	7	3	5	9	8	2	4	1
2	4	1	7	3	6	9	8	5
8	5	9	1	2	4	6	7	3
1	2	4	6	7	3	5	9	8
3	6	7	8	5	9	1	2	4
9	8	5	4	1	2	3	6	7
4	1	2	3	6	7	8	5	9
5	9	8	2	4	1	7	3	6
7	3	6	9	8	5	4	1	2

709

1	5	7	2	3	9	4	6	8
9	8	4	6	1	5	3	7	2
2	3	6	8	4	7	5	1	9
3	7	1	4	6	8	9	2	5
8	2	5	7	9	1	6	4	3
4	6	9	3	5	2	7	8	1
7	1	3	9	2	6	8	5	4
5	4	8	1	7	3	2	9	6
6	9	2	5	8	4	1	3	7

710

4	5	3	9	2	8	1	6	7
8	9	2	6	7	1	3	5	4
7	1	6	3	4	5	2	8	9
2	7	8	4	1	9	6	3	5
3	6	9	8	5	2	7	4	1
5	4	1	7	3	6	9	2	8
1	8	5	2	6	7	4	9	3
6	3	7	5	9	4	8	1	2
9	2	4	1	8	3	5	7	6

711

9	6	8	5	1	4	3	7	2
3	2	1	8	7	6	5	9	4
5	7	4	3	9	2	8	1	6
1	8	2	9	4	3	6	5	7
4	3	6	7	2	5	9	8	1
7	5	9	1	6	8	2	4	3
2	4	5	6	8	7	1	3	9
8	9	7	2	3	1	4	6	5
6	1	3	4	5	9	7	2	8

712

7	5	4	8	9	2	6	1	3
8	9	1	3	4	6	7	5	2
3	6	2	7	5	1	8	4	9
1	7	3	2	6	4	5	9	8
9	2	6	5	3	8	1	7	4
5	4	8	9	1	7	3	2	6
6	1	5	4	8	9	2	3	7
4	3	7	6	2	5	9	8	1
2	8	9	1	7	3	4	6	5

713

3	2	4	9	7	1	6	5	8
9	7	1	8	6	5	3	2	4
5	8	6	3	2	4	1	7	9
2	6	8	5	3	7	4	9	1
4	1	5	6	9	8	2	3	7
7	9	3	4	1	2	5	8	6
1	4	2	7	5	9	8	6	3
6	5	7	1	8	3	9	4	2
8	3	9	2	4	6	7	1	5

714

4	6	9	2	8	3	1	5	7
5	3	2	9	7	1	4	6	8
1	8	7	6	4	5	2	9	3
8	7	4	3	5	2	6	1	9
3	2	1	7	9	6	5	8	4
6	9	5	8	1	4	7	3	2
7	1	6	4	3	8	9	2	5
2	4	3	5	6	9	8	7	1
9	5	8	1	2	7	3	4	6

715

1	2	8	5	4	9	6	7	3
4	3	6	8	7	1	9	2	5
9	5	7	3	2	6	1	4	8
7	6	5	9	8	4	3	1	2
8	9	3	1	5	2	4	6	7
2	1	4	6	3	7	5	8	9
6	4	2	7	9	5	8	3	1
3	7	9	4	1	8	2	5	6
5	8	1	2	6	3	7	9	4

716

5	1	8	3	9	4	2	7	6
7	9	2	5	6	8	3	1	4
3	6	4	7	1	2	9	5	8
1	4	7	8	3	6	5	2	9
9	2	6	4	5	1	7	8	3
8	3	5	2	7	9	6	4	1
4	7	3	9	8	5	1	6	2
6	8	9	1	2	7	4	3	5
2	5	1	6	4	3	8	9	7

717

5	4	6	2	8	1	9	7	3
1	7	3	9	5	6	4	2	8
9	2	8	4	7	3	1	6	5
2	8	1	3	4	9	6	5	7
3	9	4	5	6	7	8	1	2
7	6	5	1	2	8	3	4	9
6	5	7	8	3	4	2	9	1
8	1	2	6	9	5	7	3	4
4	3	9	7	1	2	5	8	6

718

4	7	9	3	8	2	6	1	5
8	6	3	4	1	5	9	7	2
5	2	1	6	7	9	4	8	3
2	9	8	1	4	6	3	5	7
3	1	5	7	9	8	2	4	6
6	4	7	2	5	3	8	9	1
1	5	2	8	6	4	7	3	9
9	3	4	5	2	7	1	6	8
7	8	6	9	3	1	5	2	4

719

5	9	6	8	1	7	2	3	4
3	1	8	2	9	4	5	6	7
2	4	7	6	5	3	1	9	8
4	7	2	5	6	1	3	8	9
8	6	5	3	4	9	7	2	1
9	3	1	7	2	8	4	5	6
1	5	4	9	8	2	6	7	3
7	2	9	4	3	6	8	1	5
6	8	3	1	7	5	9	4	2

720

5	2	9	3	6	4	7	1	8
4	6	3	8	7	1	9	5	2
8	7	1	5	2	9	4	6	3
3	9	7	1	4	2	5	8	6
2	4	8	6	9	5	1	3	7
1	5	6	7	3	8	2	9	4
6	8	2	9	5	7	3	4	1
9	1	4	2	8	3	6	7	5
7	3	5	4	1	6	8	2	9

721

8	2	6	7	5	1	9	3	4
1	4	5	6	9	3	7	8	2
9	7	3	4	2	8	1	5	6
6	5	7	3	8	4	2	1	9
3	8	1	2	7	9	6	4	5
2	9	4	1	6	5	8	7	3
7	3	2	8	4	6	5	9	1
4	6	9	5	1	7	3	2	8
5	1	8	9	3	2	4	6	7

722

3	5	2	4	7	1	8	6	9
9	8	1	3	2	6	5	4	7
6	4	7	9	5	8	2	1	3
1	7	4	2	8	3	6	9	5
5	9	6	7	1	4	3	2	8
8	2	3	6	9	5	4	7	1
2	1	8	5	4	7	9	3	6
7	6	9	8	3	2	1	5	4
4	3	5	1	6	9	7	8	2

723

9	2	5	3	6	7	4	1	8
1	7	3	4	2	8	5	9	6
6	8	4	9	5	1	2	3	7
3	6	7	2	1	9	8	4	5
5	4	9	7	8	3	6	2	1
2	1	8	6	4	5	9	7	3
8	5	2	1	3	4	7	6	9
4	9	1	5	7	6	3	8	2
7	3	6	8	9	2	1	5	4

724

8	7	5	1	6	2	3	4	9
4	1	9	8	3	7	2	6	5
2	3	6	5	9	4	8	1	7
3	9	8	6	5	1	7	2	4
7	6	4	3	2	8	9	5	1
5	2	1	7	4	9	6	8	3
6	4	7	9	8	5	1	3	2
9	5	3	2	1	6	4	7	8
1	8	2	4	7	3	5	9	6

725

8	9	6	1	2	4	3	5	7
3	5	7	8	9	6	4	1	2
2	4	1	3	5	7	6	9	8
4	2	5	9	7	1	8	6	3
1	8	3	4	6	2	9	7	5
7	6	9	5	8	3	2	4	1
5	3	8	6	1	9	7	2	4
6	7	4	2	3	5	1	8	9
9	1	2	7	4	8	5	3	6

726

8	7	3	5	4	1	2	6	9
1	4	5	9	6	2	8	7	3
2	6	9	3	7	8	1	4	5
4	5	8	1	9	6	7	3	2
6	9	1	2	3	7	4	5	8
7	3	2	8	5	4	6	9	1
9	1	4	6	2	3	5	8	7
3	2	6	7	8	5	9	1	4
5	8	7	4	1	9	3	2	6

727

3	2	8	7	9	5	4	6	1
4	5	1	6	2	3	7	8	9
7	9	6	8	1	4	5	2	3
8	1	7	4	6	2	9	3	5
5	4	2	3	8	9	1	7	6
6	3	9	5	7	1	2	4	8
9	7	5	2	3	6	8	1	4
2	6	4	1	5	8	3	9	7
1	8	3	9	4	7	6	5	2

728

5	2	1	3	4	6	7	9	8
9	7	4	5	2	8	1	6	3
6	8	3	9	7	1	5	4	2
8	1	9	2	5	3	6	7	4
3	5	7	6	9	4	8	2	1
4	6	2	1	8	7	9	3	5
1	9	6	4	3	5	2	8	7
7	3	5	8	6	2	4	1	9
2	4	8	7	1	9	3	5	6

729

3	2	6	5	1	8	4	9	7
5	9	4	6	2	7	3	8	1
1	7	8	9	3	4	5	2	6
8	1	5	2	7	3	6	4	9
2	4	3	1	9	6	8	7	5
7	6	9	4	8	5	2	1	3
4	5	2	7	6	1	9	3	8
9	3	1	8	5	2	7	6	4
6	8	7	3	4	9	1	5	2

730

4	7	8	6	5	9	3	1	2
3	5	6	1	2	4	7	8	9
2	9	1	7	3	8	4	5	6
9	3	4	5	8	2	1	6	7
1	8	5	3	7	6	9	2	4
6	2	7	4	9	1	8	3	5
8	6	3	2	4	7	5	9	1
7	1	9	8	6	5	2	4	3
5	4	2	9	1	3	6	7	8

731

2	9	8	4	1	5	7	3	6
7	3	4	6	2	8	9	1	5
1	6	5	9	7	3	8	4	2
4	5	2	8	3	9	1	6	7
3	1	9	7	6	4	5	2	8
8	7	6	1	5	2	3	9	4
9	4	7	2	8	1	6	5	3
5	8	1	3	4	6	2	7	9
6	2	3	5	9	7	4	8	1

732

4	7	5	3	2	8	9	6	1
9	2	8	6	1	5	3	7	4
3	1	6	9	4	7	2	8	5
7	5	1	8	9	4	6	3	2
6	9	2	7	3	1	4	5	8
8	3	4	5	6	2	1	9	7
1	6	7	2	5	3	8	4	9
5	4	9	1	8	6	7	2	3
2	8	3	4	7	9	5	1	6

733

1	2	6	8	4	9	7	3	5
9	5	3	6	1	7	4	2	8
4	7	8	2	3	5	9	1	6
3	1	7	5	9	4	8	6	2
6	8	4	7	2	3	1	5	9
2	9	5	1	6	8	3	7	4
5	4	1	3	8	2	6	9	7
8	3	2	9	7	6	5	4	1
7	6	9	4	5	1	2	8	3

734

1	3	7	6	2	5	9	4	8
2	6	4	3	8	9	5	7	1
9	5	8	1	4	7	2	6	3
8	7	1	4	9	2	6	3	5
5	4	2	8	3	6	7	1	9
6	9	3	7	5	1	4	8	2
7	2	6	9	1	8	3	5	4
4	8	9	5	6	3	1	2	7
3	1	5	2	7	4	8	9	6

735

5	9	2	1	7	4	3	8	6
4	3	6	9	5	8	2	7	1
8	1	7	2	6	3	4	5	9
9	2	1	3	8	5	7	6	4
7	8	3	4	2	6	9	1	5
6	5	4	7	1	9	8	2	3
1	4	8	6	9	2	5	3	7
2	6	9	5	3	7	1	4	8
3	7	5	8	4	1	6	9	2

736

5	7	9	4	1	8	6	2	3
2	3	8	6	5	9	4	1	7
4	1	6	2	7	3	9	8	5
6	9	1	5	3	4	2	7	8
3	5	4	7	8	2	1	6	9
8	2	7	1	9	6	3	5	4
1	8	3	9	6	7	5	4	2
9	4	5	8	2	1	7	3	6
7	6	2	3	4	5	8	9	1

737

2	9	1	6	7	3	8	5	4
3	6	7	4	8	5	9	1	2
4	8	5	9	1	2	7	3	6
7	3	6	5	4	8	2	9	1
1	2	9	3	6	7	4	8	5
5	4	8	2	9	1	6	7	3
6	7	3	8	5	4	1	2	9
8	5	4	1	2	9	3	6	7
9	1	2	7	3	6	5	4	8

738

7	5	8	6	2	3	4	1	9
4	2	3	5	1	9	6	8	7
9	6	1	8	7	4	2	5	3
3	7	4	2	5	1	9	6	8
6	8	5	9	3	7	1	4	2
1	9	2	4	8	6	3	7	5
5	3	9	1	4	8	7	2	6
8	4	6	7	9	2	5	3	1
2	1	7	3	6	5	8	9	4

739

1	2	5	8	3	4	6	7	9
9	6	4	2	7	5	1	8	3
8	3	7	6	1	9	2	5	4
3	9	1	5	8	2	7	4	6
7	5	6	9	4	3	8	1	2
4	8	2	1	6	7	3	9	5
5	1	9	3	2	8	4	6	7
6	4	3	7	5	1	9	2	8
2	7	8	4	9	6	5	3	1

740

4	5	2	9	7	3	8	1	6
6	1	8	2	4	5	9	7	3
9	7	3	6	1	8	5	2	4
3	8	1	7	6	9	4	5	2
2	6	9	5	8	4	1	3	7
5	4	7	1	3	2	6	8	9
8	3	5	4	9	7	2	6	1
1	2	4	3	5	6	7	9	8
7	9	6	8	2	1	3	4	5

741

7	6	1	3	8	5	4	2	9
9	3	8	2	4	6	1	7	5
2	5	4	1	9	7	8	6	3
4	1	3	7	2	9	5	8	6
8	2	6	5	3	4	7	9	1
5	9	7	8	6	1	2	3	4
1	4	9	6	7	8	3	5	2
3	7	5	9	1	2	6	4	8
6	8	2	4	5	3	9	1	7

742

2	9	8	3	6	1	5	7	4
5	1	3	9	4	7	2	6	8
7	4	6	5	2	8	1	9	3
4	3	7	1	8	2	6	5	9
8	2	9	6	7	5	3	4	1
6	5	1	4	3	9	7	8	2
3	6	2	7	9	4	8	1	5
1	8	4	2	5	6	9	3	7
9	7	5	8	1	3	4	2	6

743

5	8	4	3	6	2	7	9	1
2	6	9	7	1	4	3	8	5
7	3	1	5	8	9	2	4	6
9	5	6	1	2	3	8	7	4
3	7	8	6	4	5	1	2	9
4	1	2	8	9	7	6	5	3
8	9	7	4	3	1	5	6	2
6	2	3	9	5	8	4	1	7
1	4	5	2	7	6	9	3	8

744

6	8	7	9	1	5	4	2	3
3	2	1	8	4	7	9	5	6
4	9	5	2	3	6	8	1	7
2	5	6	3	8	1	7	9	4
9	1	3	5	7	4	2	6	8
8	7	4	6	9	2	1	3	5
5	6	9	4	2	8	3	7	1
1	3	8	7	5	9	6	4	2
7	4	2	1	6	3	5	8	9

745

1	8	3	6	9	2	4	7	5
4	5	2	1	8	7	6	9	3
7	6	9	5	4	3	1	2	8
3	7	4	2	6	1	5	8	9
5	1	6	8	3	9	2	4	7
2	9	8	4	7	5	3	1	6
6	4	5	9	1	8	7	3	2
8	2	7	3	5	4	9	6	1
9	3	1	7	2	6	8	5	4

746

2	6	8	1	4	9	5	7	3
9	7	3	5	2	8	4	6	1
5	4	1	6	3	7	9	8	2
4	3	5	8	9	2	7	1	6
1	8	7	4	6	5	2	3	9
6	2	9	7	1	3	8	4	5
7	9	6	2	8	1	3	5	4
3	5	4	9	7	6	1	2	8
8	1	2	3	5	4	6	9	7

747

5	6	9	4	2	3	7	1	8
2	4	1	8	9	7	5	6	3
3	7	8	1	5	6	4	2	9
8	2	7	6	1	9	3	4	5
6	9	5	3	4	2	8	7	1
4	1	3	5	7	8	2	9	6
9	5	2	7	3	1	6	8	4
7	8	4	9	6	5	1	3	2
1	3	6	2	8	4	9	5	7

748

5	8	2	9	1	6	4	7	3
9	1	3	7	4	2	5	8	6
6	7	4	5	3	8	1	2	9
4	3	7	2	9	1	8	6	5
2	9	1	6	8	5	3	4	7
8	6	5	3	7	4	2	9	1
7	2	9	8	5	3	6	1	4
1	5	8	4	6	7	9	3	2
3	4	6	1	2	9	7	5	8

749

7	2	1	4	9	3	8	5	6
3	5	8	7	6	2	9	4	1
9	4	6	8	5	1	7	3	2
5	8	7	1	2	6	4	9	3
1	9	3	5	4	7	2	6	8
2	6	4	9	3	8	5	1	7
8	1	5	3	7	9	6	2	4
6	7	9	2	1	4	3	8	5
4	3	2	6	8	5	1	7	9

750

3	2	7	6	4	1	5	8	9
8	4	6	5	7	9	1	2	3
9	5	1	3	2	8	6	7	4
6	8	4	7	3	2	9	5	1
2	7	3	1	9	5	8	4	6
1	9	5	8	6	4	2	3	7
7	6	8	2	1	3	4	9	5
4	1	2	9	5	7	3	6	8
5	3	9	4	8	6	7	1	2

751

7	1	4	9	5	2	6	8	3
6	5	9	8	3	7	1	2	4
3	2	8	6	4	1	7	5	9
5	7	2	1	9	4	3	6	8
1	4	6	3	7	8	5	9	2
8	9	3	2	6	5	4	7	1
4	6	1	5	8	9	2	3	7
9	3	7	4	2	6	8	1	5
2	8	5	7	1	3	9	4	6

752

7	4	5	9	2	6	1	8	3
2	9	8	1	7	3	4	6	5
3	6	1	5	8	4	2	7	9
8	2	7	6	1	9	5	3	4
9	5	3	7	4	2	6	1	8
4	1	6	8	3	5	7	9	2
1	3	4	2	9	7	8	5	6
5	7	2	3	6	8	9	4	1
6	8	9	4	5	1	3	2	7

753

7	5	9	3	2	6	4	8	1
6	3	8	1	5	4	7	2	9
2	1	4	9	8	7	6	5	3
5	7	2	4	1	8	3	9	6
9	6	1	7	3	5	2	4	8
8	4	3	6	9	2	1	7	5
1	8	6	2	7	9	5	3	4
4	2	5	8	6	3	9	1	7
3	9	7	5	4	1	8	6	2

754

4	8	3	9	2	6	7	5	1
2	7	6	5	1	4	8	3	9
9	5	1	8	3	7	4	2	6
7	2	8	1	4	3	9	6	5
6	1	5	7	9	8	2	4	3
3	9	4	6	5	2	1	7	8
1	3	7	2	6	9	5	8	4
5	6	2	4	8	1	3	9	7
8	4	9	3	7	5	6	1	2

755

4	3	6	7	8	2	5	9	1
1	5	9	6	4	3	2	7	8
8	2	7	9	1	5	3	6	4
3	9	4	8	2	6	7	1	5
2	6	8	1	5	7	9	4	3
5	7	1	4	3	9	6	8	2
6	4	2	5	7	8	1	3	9
9	1	3	2	6	4	8	5	7
7	8	5	3	9	1	4	2	6

756

5	3	2	1	6	9	8	4	7
4	1	9	3	7	8	6	2	5
7	6	8	4	2	5	3	9	1
3	9	7	8	4	2	5	1	6
6	8	1	9	5	7	4	3	2
2	4	5	6	1	3	9	7	8
9	2	3	7	8	6	1	5	4
1	5	6	2	9	4	7	8	3
8	7	4	5	3	1	2	6	9

757

3	8	9	1	2	7	6	5	4
4	2	7	5	3	6	9	1	8
6	5	1	4	9	8	2	7	3
8	4	6	9	7	2	5	3	1
1	9	5	3	8	4	7	2	6
7	3	2	6	1	5	4	8	9
9	6	8	7	5	1	3	4	2
5	1	3	2	4	9	8	6	7
2	7	4	8	6	3	1	9	5

758

3	5	8	6	2	9	4	7	1
1	4	7	8	3	5	9	6	2
2	9	6	7	1	4	5	8	3
5	6	3	2	9	7	8	1	4
4	8	1	3	5	6	7	2	9
9	7	2	1	4	8	6	3	5
6	2	5	9	7	1	3	4	8
8	3	4	5	6	2	1	9	7
7	1	9	4	8	3	2	5	6

759

4	2	6	7	8	3	1	5	9
5	3	9	2	6	1	4	7	8
1	7	8	4	9	5	2	6	3
2	6	7	5	4	8	9	3	1
9	1	4	6	3	7	8	2	5
3	8	5	1	2	9	6	4	7
6	5	3	9	1	4	7	8	2
7	4	1	8	5	2	3	9	6
8	9	2	3	7	6	5	1	4

760

4	3	1	7	6	9	5	2	8
5	7	2	8	3	4	9	6	1
9	8	6	1	5	2	7	4	3
2	6	3	9	4	8	1	7	5
8	5	7	3	1	6	2	9	4
1	9	4	2	7	5	8	3	6
7	1	8	6	9	3	4	5	2
6	2	5	4	8	7	3	1	9
3	4	9	5	2	1	6	8	7

761

6	3	5	7	9	2	8	4	1
9	7	4	1	8	5	3	2	6
2	1	8	4	3	6	7	5	9
1	8	9	3	6	4	5	7	2
5	2	7	9	1	8	6	3	4
3	4	6	5	2	7	9	1	8
7	5	2	6	4	9	1	8	3
4	6	3	8	5	1	2	9	7
8	9	1	2	7	3	4	6	5

762

8	7	1	4	5	3	6	2	9
9	6	5	1	2	8	3	7	4
2	3	4	9	7	6	8	5	1
3	9	2	5	8	4	7	1	6
6	4	8	7	3	1	2	9	5
5	1	7	2	6	9	4	8	3
7	5	9	3	4	2	1	6	8
4	2	6	8	1	5	9	3	7
1	8	3	6	9	7	5	4	2

763

1	2	8	3	7	4	9	6	5
5	7	3	2	9	6	4	8	1
6	4	9	5	8	1	2	3	7
7	6	2	1	3	8	5	4	9
8	9	4	7	5	2	3	1	6
3	1	5	6	4	9	7	2	8
2	8	7	9	6	3	1	5	4
9	3	6	4	1	5	8	7	2
4	5	1	8	2	7	6	9	3

764

8	1	9	7	3	5	2	4	6
3	5	6	2	9	4	1	7	8
2	4	7	6	8	1	5	3	9
1	6	4	9	2	7	8	5	3
7	3	2	5	4	8	6	9	1
9	8	5	1	6	3	4	2	7
6	2	8	3	5	9	7	1	4
4	9	1	8	7	2	3	6	5
5	7	3	4	1	6	9	8	2

765

8	3	7	1	2	4	9	5	6
6	5	9	7	3	8	2	1	4
1	4	2	6	5	9	8	3	7
9	6	8	4	7	5	1	2	3
5	7	3	2	6	1	4	9	8
2	1	4	8	9	3	7	6	5
4	9	5	3	8	2	6	7	1
7	2	1	5	4	6	3	8	9
3	8	6	9	1	7	5	4	2

766

6	3	8	9	7	4	2	5	1
4	2	5	3	1	8	7	6	9
9	7	1	6	5	2	4	3	8
2	9	6	8	4	3	1	7	5
1	4	7	5	6	9	8	2	3
8	5	3	1	2	7	9	4	6
5	1	2	4	9	6	3	8	7
7	8	9	2	3	5	6	1	4
3	6	4	7	8	1	5	9	2

767

8	4	2	3	5	6	9	1	7
1	7	5	2	4	9	3	6	8
3	9	6	7	1	8	4	2	5
9	5	3	8	6	1	7	4	2
4	2	8	9	7	5	6	3	1
6	1	7	4	2	3	5	8	9
2	3	1	5	9	4	8	7	6
5	6	4	1	8	7	2	9	3
7	8	9	6	3	2	1	5	4

768

7	4	1	9	2	3	5	6	8
2	8	3	5	6	7	4	1	9
6	9	5	4	1	8	7	2	3
8	2	7	3	9	6	1	5	4
3	6	4	1	7	5	8	9	2
5	1	9	8	4	2	6	3	7
1	7	2	6	3	4	9	8	5
9	3	8	7	5	1	2	4	6
4	5	6	2	8	9	3	7	1

769

8	6	1	4	2	3	7	5	9
3	9	5	1	8	7	6	4	2
7	2	4	9	5	6	8	3	1
2	3	6	7	1	9	5	8	4
1	4	9	5	3	8	2	6	7
5	7	8	2	6	4	9	1	3
6	5	7	3	4	2	1	9	8
9	8	3	6	7	1	4	2	5
4	1	2	8	9	5	3	7	6

770

6	7	5	9	4	3	2	1	8
4	1	3	2	5	8	7	6	9
2	8	9	7	1	6	3	5	4
1	3	2	8	6	7	4	9	5
7	5	6	4	9	2	8	3	1
8	9	4	5	3	1	6	7	2
9	4	7	3	8	5	1	2	6
5	2	1	6	7	4	9	8	3
3	6	8	1	2	9	5	4	7

771

2	5	4	9	1	8	6	3	7
7	6	8	5	3	4	1	9	2
9	3	1	2	6	7	4	8	5
1	8	2	4	7	9	3	5	6
4	9	3	6	5	2	7	1	8
5	7	6	1	8	3	2	4	9
8	2	7	3	4	5	9	6	1
6	4	9	8	2	1	5	7	3
3	1	5	7	9	6	8	2	4

772

1	5	3	6	7	8	2	9	4
4	2	8	9	5	1	7	6	3
7	9	6	3	4	2	1	5	8
2	8	4	7	1	6	9	3	5
9	1	5	2	3	4	8	7	6
6	3	7	5	8	9	4	1	2
5	6	2	8	9	7	3	4	1
8	7	1	4	6	3	5	2	9
3	4	9	1	2	5	6	8	7

773

9	7	5	8	4	3	6	1	2
3	6	4	1	5	2	9	7	8
2	1	8	9	7	6	4	3	5
1	9	6	2	3	8	5	4	7
5	2	7	4	1	9	8	6	3
8	4	3	7	6	5	1	2	9
4	5	1	3	8	7	2	9	6
7	8	2	6	9	4	3	5	1
6	3	9	5	2	1	7	8	4

774

6	7	3	4	8	5	1	9	2
5	9	1	6	2	3	7	8	4
4	2	8	1	9	7	3	6	5
3	6	5	2	1	9	4	7	8
7	8	4	5	3	6	9	2	1
9	1	2	7	4	8	5	3	6
8	3	6	9	5	1	2	4	7
1	4	7	3	6	2	8	5	9
2	5	9	8	7	4	6	1	3

775

5	2	3	9	4	6	7	8	1
6	8	7	1	2	5	4	9	3
9	4	1	3	7	8	6	5	2
7	1	5	6	9	2	8	3	4
2	3	9	8	1	4	5	6	7
4	6	8	5	3	7	2	1	9
8	9	4	2	6	1	3	7	5
1	5	2	7	8	3	9	4	6
3	7	6	4	5	9	1	2	8

776

8	9	6	1	2	7	3	5	4
4	2	7	5	3	9	1	6	8
3	1	5	4	6	8	9	2	7
6	3	1	7	9	2	8	4	5
7	5	8	3	4	1	2	9	6
2	4	9	8	5	6	7	1	3
9	8	4	2	7	5	6	3	1
5	7	2	6	1	3	4	8	9
1	6	3	9	8	4	5	7	2

777

7	4	9	8	2	1	6	3	5
1	2	3	6	5	7	8	4	9
8	6	5	3	9	4	7	1	2
2	7	4	5	1	8	3	9	6
9	1	6	4	3	2	5	8	7
5	3	8	9	7	6	1	2	4
6	8	7	2	4	3	9	5	1
4	9	1	7	8	5	2	6	3
3	5	2	1	6	9	4	7	8

778

4	6	2	8	9	3	1	7	5
3	7	5	1	4	2	6	9	8
8	1	9	5	7	6	4	2	3
9	4	6	7	1	5	8	3	2
5	2	8	6	3	4	7	1	9
7	3	1	9	2	8	5	6	4
6	9	4	3	8	1	2	5	7
2	5	7	4	6	9	3	8	1
1	8	3	2	5	7	9	4	6

779

8	7	5	2	6	4	3	1	9
6	4	2	3	1	9	5	7	8
3	1	9	7	8	5	4	2	6
5	2	7	8	4	3	6	9	1
4	6	8	9	5	1	2	3	7
9	3	1	6	7	2	8	4	5
7	8	3	1	2	6	9	5	4
2	5	6	4	9	7	1	8	3
1	9	4	5	3	8	7	6	2

780

1	5	4	7	6	9	2	3	8
9	6	8	3	1	2	4	7	5
2	3	7	4	5	8	9	6	1
7	8	6	9	4	5	1	2	3
3	2	1	6	8	7	5	9	4
4	9	5	1	2	3	6	8	7
5	4	2	8	7	6	3	1	9
6	7	9	5	3	1	8	4	2
8	1	3	2	9	4	7	5	6

781

3	2	4	9	7	5	1	6	8
7	9	6	4	1	8	5	3	2
8	5	1	6	3	2	7	4	9
5	7	8	2	4	1	3	9	6
4	3	9	8	6	7	2	1	5
6	1	2	5	9	3	8	7	4
2	6	3	1	8	4	9	5	7
9	8	7	3	5	6	4	2	1
1	4	5	7	2	9	6	8	3

782

9	7	5	8	1	2	4	3	6
2	1	8	4	3	6	5	9	7
4	3	6	5	7	9	1	8	2
3	8	9	7	4	5	6	2	1
5	6	1	3	2	8	7	4	9
7	2	4	9	6	1	3	5	8
6	9	2	1	5	4	8	7	3
8	4	7	6	9	3	2	1	5
1	5	3	2	8	7	9	6	4

783

5	3	9	7	8	1	6	2	4
6	8	1	4	2	9	5	3	7
2	4	7	5	6	3	1	9	8
9	1	4	3	7	5	2	8	6
8	7	6	1	9	2	3	4	5
3	2	5	8	4	6	9	7	1
1	5	8	2	3	4	7	6	9
4	6	2	9	1	7	8	5	3
7	9	3	6	5	8	4	1	2

784

3	1	5	9	8	2	6	4	7
8	6	2	7	4	3	1	5	9
4	9	7	6	1	5	8	2	3
2	5	3	1	6	7	4	9	8
7	8	6	4	3	9	2	1	5
9	4	1	5	2	8	3	7	6
5	3	4	8	7	1	9	6	2
6	2	9	3	5	4	7	8	1
1	7	8	2	9	6	5	3	4

785

1	4	3	5	7	8	6	9	2
6	5	9	3	2	1	4	7	8
8	7	2	9	4	6	1	5	3
9	6	4	8	1	5	2	3	7
2	1	7	4	9	3	8	6	5
3	8	5	2	6	7	9	4	1
7	2	6	1	3	9	5	8	4
4	9	8	7	5	2	3	1	6
5	3	1	6	8	4	7	2	9

786

8	7	4	1	9	6	5	3	2
9	1	6	2	3	5	7	4	8
5	3	2	7	8	4	6	1	9
6	4	9	8	1	7	3	2	5
1	2	7	5	6	3	9	8	4
3	5	8	9	4	2	1	7	6
7	8	1	6	2	9	4	5	3
2	9	3	4	5	1	8	6	7
4	6	5	3	7	8	2	9	1

787

9	1	6	2	5	4	3	7	8
4	5	2	8	7	3	6	9	1
3	7	8	1	9	6	2	4	5
7	8	3	6	1	9	4	5	2
5	2	4	3	8	7	9	1	6
1	6	9	4	2	5	7	8	3
6	9	1	5	4	2	8	3	7
2	4	5	7	3	8	1	6	9
8	3	7	9	6	1	5	2	4

788

5	7	8	2	9	3	1	6	4
9	1	6	4	7	5	3	2	8
2	4	3	1	6	8	7	9	5
6	9	7	3	4	2	5	8	1
3	2	1	5	8	6	4	7	9
8	5	4	7	1	9	6	3	2
7	3	2	8	5	4	9	1	6
1	6	5	9	2	7	8	4	3
4	8	9	6	3	1	2	5	7

789

5	1	6	7	3	4	2	8	9
7	3	4	9	2	8	6	1	5
8	9	2	1	6	5	7	3	4
6	8	5	2	1	9	4	7	3
9	7	1	4	5	3	8	2	6
2	4	3	6	8	7	5	9	1
4	5	8	3	9	2	1	6	7
1	2	9	5	7	6	3	4	8
3	6	7	8	4	1	9	5	2

790

1	9	6	3	2	7	5	8	4
8	2	5	6	9	4	3	1	7
3	7	4	8	5	1	6	2	9
5	8	1	9	7	3	4	6	2
4	6	9	2	1	8	7	3	5
7	3	2	5	4	6	1	9	8
9	4	3	1	8	5	2	7	6
2	1	7	4	6	9	8	5	3
6	5	8	7	3	2	9	4	1

791

7	5	2	4	3	6	9	8	1
9	4	6	8	1	5	2	7	3
8	3	1	7	9	2	4	6	5
2	1	5	3	6	8	7	9	4
6	9	4	2	7	1	5	3	8
3	8	7	9	5	4	6	1	2
4	7	9	5	8	3	1	2	6
1	2	3	6	4	9	8	5	7
5	6	8	1	2	7	3	4	9

792

1	4	9	2	6	3	7	8	5
5	3	2	8	7	9	1	6	4
6	8	7	1	5	4	3	9	2
9	7	6	4	1	2	5	3	8
8	2	5	3	9	7	4	1	6
4	1	3	5	8	6	2	7	9
3	5	1	6	2	8	9	4	7
7	6	4	9	3	5	8	2	1
2	9	8	7	4	1	6	5	3

793

5	8	7	1	2	4	6	9	3
2	6	1	7	3	9	8	4	5
9	3	4	5	6	8	1	2	7
1	7	9	8	4	5	3	6	2
4	2	6	3	7	1	5	8	9
3	5	8	6	9	2	7	1	4
8	1	2	9	5	3	4	7	6
6	9	3	4	1	7	2	5	8
7	4	5	2	8	6	9	3	1

794

1	5	4	9	3	6	2	8	7
3	7	6	4	8	2	5	1	9
8	9	2	1	5	7	4	6	3
9	6	5	2	1	8	3	7	4
7	3	8	5	4	9	6	2	1
4	2	1	6	7	3	8	9	5
2	4	7	8	9	5	1	3	6
5	8	9	3	6	1	7	4	2
6	1	3	7	2	4	9	5	8

795

2	1	4	5	3	6	8	9	7
5	7	9	1	8	2	6	4	3
8	6	3	4	9	7	1	2	5
6	4	5	2	7	9	3	8	1
3	2	7	8	6	1	9	5	4
9	8	1	3	4	5	2	7	6
7	3	2	9	1	4	5	6	8
4	9	8	6	5	3	7	1	2
1	5	6	7	2	8	4	3	9

796

3	2	7	9	1	4	8	5	6
9	1	4	8	5	6	3	2	7
8	5	6	3	2	7	9	1	4
6	3	2	7	9	1	4	8	5
7	9	1	4	8	5	6	3	2
4	8	5	6	3	2	7	9	1
5	6	3	2	7	9	1	4	8
2	7	9	1	4	8	5	6	3
1	4	8	5	6	3	2	7	9

797

2	7	5	3	1	6	4	9	8
4	1	3	9	8	2	6	7	5
8	9	6	5	4	7	3	2	1
9	4	8	2	3	1	5	6	7
1	3	2	6	7	5	9	8	4
5	6	7	4	9	8	1	3	2
3	2	9	7	5	4	8	1	6
7	5	1	8	6	9	2	4	3
6	8	4	1	2	3	7	5	9

798

3	9	4	7	8	1	5	2	6
8	5	6	4	2	9	3	1	7
2	1	7	6	3	5	9	4	8
9	7	8	5	4	3	2	6	1
1	3	2	9	6	8	4	7	5
4	6	5	1	7	2	8	3	9
5	2	3	8	1	7	6	9	4
6	8	1	3	9	4	7	5	2
7	4	9	2	5	6	1	8	3

799

4	8	1	6	3	9	2	7	5
2	3	5	4	7	8	6	9	1
9	6	7	2	5	1	3	8	4
5	4	8	9	2	7	1	3	6
7	9	2	1	6	3	5	4	8
3	1	6	8	4	5	9	2	7
1	7	3	5	9	4	8	6	2
6	5	4	3	8	2	7	1	9
8	2	9	7	1	6	4	5	3

800

7	5	2	6	4	3	9	8	1
8	3	9	2	1	5	7	4	6
1	4	6	7	8	9	3	5	2
5	2	1	8	9	6	4	7	3
9	6	8	3	7	4	1	2	5
3	7	4	5	2	1	8	6	9
6	1	5	4	3	7	2	9	8
2	9	7	1	5	8	6	3	4
4	8	3	9	6	2	5	1	7

801

8	4	9	1	6	7	2	3	5
5	6	2	9	3	4	8	7	1
3	1	7	8	5	2	9	6	4
6	8	3	2	4	1	5	9	7
1	9	5	6	7	8	4	2	3
7	2	4	5	9	3	6	1	8
4	7	8	3	2	9	1	5	6
2	3	6	4	1	5	7	8	9
9	5	1	7	8	6	3	4	2

802

7	5	3	4	9	6	2	8	1
9	2	6	8	7	1	3	5	4
1	4	8	3	2	5	9	6	7
6	7	4	5	3	8	1	9	2
3	9	5	2	1	7	6	4	8
2	8	1	9	6	4	7	3	5
8	3	7	6	5	2	4	1	9
5	6	2	1	4	9	8	7	3
4	1	9	7	8	3	5	2	6

803

7	9	6	8	2	1	5	3	4
3	2	5	9	4	6	1	7	8
1	8	4	7	5	3	6	2	9
8	1	3	5	6	2	9	4	7
4	7	2	1	9	8	3	5	6
6	5	9	3	7	4	8	1	2
2	3	8	6	1	7	4	9	5
9	4	1	2	8	5	7	6	3
5	6	7	4	3	9	2	8	1

804

9	3	5	7	1	8	4	6	2
2	8	4	5	9	6	3	7	1
1	6	7	3	2	4	8	5	9
5	9	6	2	4	1	7	8	3
4	7	8	6	3	9	1	2	5
3	1	2	8	7	5	9	4	6
8	2	9	4	6	3	5	1	7
6	4	1	9	5	7	2	3	8
7	5	3	1	8	2	6	9	4

805

3	5	6	9	8	2	1	7	4
8	9	4	6	7	1	3	5	2
1	7	2	4	3	5	9	8	6
5	2	7	1	9	6	4	3	8
6	3	1	8	2	4	5	9	7
4	8	9	7	5	3	6	2	1
2	6	5	3	4	8	7	1	9
9	1	8	5	6	7	2	4	3
7	4	3	2	1	9	8	6	5

806

1	4	3	6	9	8	2	7	5
7	6	5	2	3	4	1	8	9
2	8	9	5	7	1	3	6	4
4	7	2	8	5	9	6	3	1
3	9	1	7	6	2	5	4	8
8	5	6	4	1	3	7	9	2
6	1	8	9	2	7	4	5	3
5	3	4	1	8	6	9	2	7
9	2	7	3	4	5	8	1	6

807

3	8	6	7	1	5	9	4	2
4	9	1	8	2	6	7	5	3
5	7	2	3	9	4	8	1	6
8	3	7	4	5	2	6	9	1
2	4	9	6	8	1	5	3	7
1	6	5	9	3	7	4	2	8
9	2	3	5	6	8	1	7	4
6	5	4	1	7	3	2	8	9
7	1	8	2	4	9	3	6	5

808

8	9	4	1	6	3	2	7	5
7	5	6	8	9	2	1	3	4
1	3	2	7	5	4	8	6	9
5	8	7	3	2	9	6	4	1
6	1	3	5	4	8	7	9	2
2	4	9	6	7	1	5	8	3
9	7	1	2	3	6	4	5	8
3	6	8	4	1	5	9	2	7
4	2	5	9	8	7	3	1	6

809

2	6	8	4	9	3	7	5	1
4	5	1	8	6	7	2	3	9
7	9	3	5	1	2	4	6	8
9	1	2	7	3	8	6	4	5
6	3	5	2	4	9	8	1	7
8	4	7	1	5	6	3	9	2
3	8	6	9	2	1	5	7	4
1	2	4	6	7	5	9	8	3
5	7	9	3	8	4	1	2	6

810

9	8	1	6	4	7	3	5	2
6	5	3	8	9	2	1	7	4
2	7	4	3	5	1	8	6	9
1	6	2	5	7	9	4	8	3
4	3	7	1	2	8	6	9	5
5	9	8	4	3	6	2	1	7
8	2	5	9	6	3	7	4	1
7	1	9	2	8	4	5	3	6
3	4	6	7	1	5	9	2	8

811

5	8	2	6	7	4	1	3	9
3	6	9	1	2	8	7	4	5
7	4	1	3	5	9	2	8	6
2	5	4	9	3	6	8	1	7
8	3	6	7	4	1	5	9	2
9	1	7	5	8	2	4	6	3
4	2	3	8	9	5	6	7	1
6	7	8	2	1	3	9	5	4
1	9	5	4	6	7	3	2	8

812

5	1	4	8	7	6	9	3	2
9	2	6	1	5	3	7	4	8
8	7	3	4	2	9	1	6	5
2	6	9	7	8	5	3	1	4
7	3	1	6	4	2	8	5	9
4	8	5	3	9	1	6	2	7
6	5	7	9	1	4	2	8	3
1	9	2	5	3	8	4	7	6
3	4	8	2	6	7	5	9	1

813

5	6	8	4	3	2	7	1	9
1	7	3	6	9	8	4	5	2
2	4	9	7	1	5	8	3	6
9	5	6	3	7	1	2	4	8
7	3	4	8	2	9	5	6	1
8	2	1	5	4	6	9	7	3
3	9	5	1	8	7	6	2	4
6	1	2	9	5	4	3	8	7
4	8	7	2	6	3	1	9	5

814

8	4	3	7	5	6	2	1	9
1	5	9	3	2	4	6	8	7
2	7	6	9	1	8	5	4	3
3	6	4	2	9	1	7	5	8
7	1	8	6	4	5	3	9	2
9	2	5	8	3	7	1	6	4
4	3	7	1	6	9	8	2	5
5	8	1	4	7	2	9	3	6
6	9	2	5	8	3	4	7	1

815

1	2	6	3	8	5	4	9	7
8	9	3	1	7	4	5	6	2
5	4	7	2	6	9	8	1	3
3	7	2	6	9	8	1	5	4
4	8	5	7	1	3	9	2	6
9	6	1	4	5	2	7	3	8
6	1	4	5	3	7	2	8	9
7	3	9	8	2	1	6	4	5
2	5	8	9	4	6	3	7	1

816

7	3	5	2	9	1	6	4	8
4	9	1	6	8	7	2	5	3
8	6	2	5	3	4	7	9	1
1	4	9	8	7	3	5	6	2
5	7	8	4	2	6	1	3	9
6	2	3	9	1	5	4	8	7
9	1	6	7	4	8	3	2	5
2	5	7	3	6	9	8	1	4
3	8	4	1	5	2	9	7	6

817

7	4	9	5	1	6	8	2	3
3	2	1	4	7	8	9	5	6
8	5	6	2	3	9	7	1	4
9	1	8	3	4	7	2	6	5
2	6	3	8	9	5	4	7	1
5	7	4	6	2	1	3	8	9
6	8	2	9	5	3	1	4	7
4	9	7	1	6	2	5	3	8
1	3	5	7	8	4	6	9	2

818

6	4	5	8	3	2	9	7	1
7	8	2	1	9	6	4	5	3
1	9	3	7	5	4	6	8	2
2	5	8	3	4	9	1	6	7
3	6	9	5	7	1	2	4	8
4	1	7	2	6	8	3	9	5
5	3	4	6	1	7	8	2	9
8	7	6	9	2	3	5	1	4
9	2	1	4	8	5	7	3	6

819

6	1	9	7	3	4	8	2	5
8	4	5	1	2	6	3	7	9
2	7	3	8	5	9	6	4	1
4	2	7	9	8	5	1	6	3
9	6	1	3	4	2	7	5	8
3	5	8	6	1	7	2	9	4
5	3	4	2	6	1	9	8	7
7	8	2	5	9	3	4	1	6
1	9	6	4	7	8	5	3	2

820

7	5	9	6	3	2	4	8	1
4	3	8	1	5	9	6	2	7
6	2	1	8	4	7	9	3	5
2	4	6	5	8	3	7	1	9
9	1	5	7	2	6	3	4	8
8	7	3	9	1	4	5	6	2
1	9	2	4	6	5	8	7	3
5	8	4	3	7	1	2	9	6
3	6	7	2	9	8	1	5	4

821

7	8	5	2	6	9	1	4	3
4	6	2	3	1	5	7	9	8
3	1	9	7	4	8	2	6	5
6	5	1	8	9	3	4	7	2
9	7	3	1	2	4	8	5	6
2	4	8	6	5	7	3	1	9
8	3	6	9	7	1	5	2	4
1	2	4	5	8	6	9	3	7
5	9	7	4	3	2	6	8	1

822

2	4	6	7	5	1	8	9	3
7	3	1	9	8	4	5	2	6
8	5	9	6	3	2	1	4	7
5	9	8	3	1	6	2	7	4
4	7	3	5	2	8	9	6	1
6	1	2	4	7	9	3	8	5
3	6	4	8	9	5	7	1	2
1	8	5	2	6	7	4	3	9
9	2	7	1	4	3	6	5	8

823

4	7	3	2	8	6	1	5	9
9	6	2	5	4	1	8	3	7
1	8	5	9	3	7	4	2	6
8	3	1	7	6	4	2	9	5
2	9	6	1	5	8	3	7	4
5	4	7	3	9	2	6	1	8
7	2	8	6	1	5	9	4	3
3	5	4	8	2	9	7	6	1
6	1	9	4	7	3	5	8	2

824

4	7	2	6	1	8	9	5	3
8	1	9	3	7	5	6	4	2
6	5	3	2	9	4	8	1	7
2	8	4	1	5	9	7	3	6
7	9	6	4	3	2	1	8	5
5	3	1	8	6	7	4	2	9
1	6	5	7	8	3	2	9	4
3	4	7	9	2	1	5	6	8
9	2	8	5	4	6	3	7	1

825

9	7	4	1	3	6	5	8	2
2	3	8	7	5	9	1	4	6
5	1	6	4	2	8	7	3	9
7	2	9	8	4	5	3	6	1
3	4	5	6	7	1	9	2	8
8	6	1	2	9	3	4	5	7
1	8	3	9	6	4	2	7	5
6	5	7	3	1	2	8	9	4
4	9	2	5	8	7	6	1	3

826

6	2	4	5	8	9	3	7	1
9	1	5	6	3	7	2	4	8
7	3	8	1	2	4	5	9	6
2	5	7	9	4	8	1	6	3
4	6	3	7	1	2	9	8	5
8	9	1	3	6	5	7	2	4
1	7	2	8	5	6	4	3	9
3	4	6	2	9	1	8	5	7
5	8	9	4	7	3	6	1	2

827

3	2	9	6	1	5	8	7	4
6	4	8	2	9	7	5	1	3
1	5	7	3	4	8	9	6	2
9	7	5	1	3	4	2	8	6
2	3	6	8	5	9	1	4	7
8	1	4	7	2	6	3	5	9
7	6	2	9	8	1	4	3	5
5	8	3	4	7	2	6	9	1
4	9	1	5	6	3	7	2	8

828

1	2	4	8	9	3	7	6	5
6	3	9	1	7	5	2	8	4
7	5	8	4	2	6	3	1	9
5	7	2	3	8	4	6	9	1
4	9	1	5	6	7	8	3	2
3	8	6	9	1	2	5	4	7
8	4	7	6	5	9	1	2	3
9	1	5	2	3	8	4	7	6
2	6	3	7	4	1	9	5	8

829

6	9	4	5	1	3	2	7	8
1	2	8	7	4	6	9	5	3
3	7	5	9	2	8	4	1	6
9	4	7	1	6	5	3	8	2
2	8	1	3	7	9	6	4	5
5	6	3	2	8	4	7	9	1
4	3	9	6	5	1	8	2	7
8	1	2	4	3	7	5	6	9
7	5	6	8	9	2	1	3	4

830

6	1	5	9	4	3	8	2	7
4	7	2	1	8	6	3	5	9
8	9	3	7	2	5	1	4	6
2	3	6	5	9	1	4	7	8
9	4	7	6	3	8	2	1	5
1	5	8	4	7	2	6	9	3
5	8	4	2	6	7	9	3	1
3	2	1	8	5	9	7	6	4
7	6	9	3	1	4	5	8	2

831

9	3	1	2	5	6	4	7	8
2	5	4	9	8	7	1	3	6
6	8	7	1	3	4	5	2	9
4	7	3	6	2	9	8	5	1
8	6	9	5	1	3	7	4	2
1	2	5	4	7	8	9	6	3
5	4	2	3	9	1	6	8	7
3	9	8	7	6	5	2	1	4
7	1	6	8	4	2	3	9	5

832

1	5	3	9	6	4	7	8	2
2	4	8	7	5	1	3	6	9
6	7	9	2	8	3	4	5	1
5	8	7	1	2	6	9	3	4
9	2	6	4	3	5	1	7	8
4	3	1	8	7	9	5	2	6
8	6	4	3	9	7	2	1	5
3	9	2	5	1	8	6	4	7
7	1	5	6	4	2	8	9	3

833

1	7	9	2	4	6	3	8	5
3	4	8	5	9	7	1	6	2
5	6	2	1	3	8	9	7	4
7	2	6	3	8	9	5	4	1
8	3	4	6	5	1	7	2	9
9	1	5	4	7	2	6	3	8
6	9	1	7	2	4	8	5	3
4	8	3	9	6	5	2	1	7
2	5	7	8	1	3	4	9	6

834

1	5	6	4	2	3	9	7	8
9	8	3	7	1	6	2	4	5
4	7	2	5	8	9	6	1	3
3	2	9	8	7	1	4	5	6
7	4	5	6	9	2	8	3	1
8	6	1	3	4	5	7	2	9
2	1	8	9	5	7	3	6	4
5	3	4	2	6	8	1	9	7
6	9	7	1	3	4	5	8	2

835

5	4	3	2	9	1	8	7	6
6	9	1	8	4	7	3	2	5
8	2	7	6	3	5	9	1	4
1	7	8	4	6	2	5	9	3
2	3	6	5	1	9	7	4	8
4	5	9	7	8	3	2	6	1
9	1	5	3	7	4	6	8	2
3	8	4	9	2	6	1	5	7
7	6	2	1	5	8	4	3	9

836

7	3	6	4	5	9	8	2	1
5	4	8	3	1	2	9	6	7
1	9	2	8	7	6	3	4	5
8	7	4	6	2	3	1	5	9
6	1	5	7	9	8	2	3	4
9	2	3	1	4	5	7	8	6
3	5	9	2	6	7	4	1	8
4	8	7	5	3	1	6	9	2
2	6	1	9	8	4	5	7	3

837

9	7	1	5	6	3	8	4	2
3	4	5	8	2	1	9	6	7
8	6	2	4	7	9	1	5	3
7	8	9	6	1	5	2	3	4
6	1	3	2	8	4	5	7	9
2	5	4	3	9	7	6	8	1
5	2	7	1	3	6	4	9	8
1	9	6	7	4	8	3	2	5
4	3	8	9	5	2	7	1	6

838

5	1	9	2	4	6	7	8	3
2	8	3	1	5	7	9	4	6
7	4	6	8	3	9	5	2	1
1	9	4	7	6	2	8	3	5
3	5	2	4	1	8	6	7	9
8	6	7	3	9	5	4	1	2
9	3	1	5	8	4	2	6	7
6	2	8	9	7	1	3	5	4
4	7	5	6	2	3	1	9	8

839

7	3	6	1	4	9	8	5	2
9	8	4	7	5	2	1	3	6
2	5	1	3	6	8	4	9	7
6	9	2	4	3	5	7	8	1
8	4	5	9	1	7	6	2	3
1	7	3	8	2	6	5	4	9
4	1	9	5	7	3	2	6	8
3	6	7	2	8	4	9	1	5
5	2	8	6	9	1	3	7	4

840

2	1	7	6	4	3	5	9	8
6	9	8	7	5	2	3	4	1
4	3	5	9	8	1	7	2	6
3	5	6	4	1	9	2	8	7
9	8	1	2	7	6	4	5	3
7	2	4	5	3	8	1	6	9
8	4	3	1	6	5	9	7	2
5	6	2	3	9	7	8	1	4
1	7	9	8	2	4	6	3	5

841

6	5	7	9	8	2	4	3	1
3	4	8	6	7	1	2	5	9
2	1	9	5	3	4	6	7	8
5	2	3	1	6	7	9	8	4
4	9	6	3	5	8	7	1	2
7	8	1	2	4	9	3	6	5
1	3	2	7	9	5	8	4	6
9	6	4	8	1	3	5	2	7
8	7	5	4	2	6	1	9	3

842

8	6	2	7	9	3	4	1	5
9	3	5	1	4	2	8	7	6
1	7	4	6	8	5	3	2	9
7	8	1	9	3	6	2	5	4
2	4	6	5	7	1	9	3	8
5	9	3	4	2	8	7	6	1
3	1	9	2	5	4	6	8	7
6	2	7	8	1	9	5	4	3
4	5	8	3	6	7	1	9	2

843

8	5	9	2	4	6	7	3	1
6	4	2	3	7	1	5	9	8
3	7	1	8	5	9	4	6	2
9	8	6	4	1	7	2	5	3
5	2	7	6	8	3	1	4	9
1	3	4	9	2	5	6	8	7
4	1	5	7	3	8	9	2	6
7	6	8	5	9	2	3	1	4
2	9	3	1	6	4	8	7	5

844

3	6	8	4	2	1	9	7	5
4	2	9	6	7	5	8	3	1
7	1	5	8	9	3	2	6	4
6	4	1	9	5	2	7	8	3
9	5	7	3	8	6	1	4	2
2	8	3	7	1	4	6	5	9
1	7	2	5	4	8	3	9	6
5	9	6	2	3	7	4	1	8
8	3	4	1	6	9	5	2	7

845

4	2	8	6	3	1	7	9	5
5	6	3	2	7	9	8	4	1
9	1	7	5	8	4	3	6	2
6	8	5	4	9	2	1	3	7
3	7	4	8	1	5	6	2	9
2	9	1	7	6	3	4	5	8
1	3	2	9	4	8	5	7	6
8	5	6	3	2	7	9	1	4
7	4	9	1	5	6	2	8	3

846

8	3	2	5	6	9	7	4	1
5	9	7	4	1	2	3	8	6
1	6	4	8	7	3	9	2	5
9	2	6	7	5	1	8	3	4
4	5	1	3	9	8	2	6	7
3	7	8	6	2	4	1	5	9
7	8	3	9	4	6	5	1	2
6	1	9	2	8	5	4	7	3
2	4	5	1	3	7	6	9	8

847

9	4	1	3	5	8	6	2	7
7	5	2	9	1	6	4	8	3
6	3	8	2	4	7	1	5	9
5	8	6	4	7	1	3	9	2
2	9	4	6	3	5	8	7	1
1	7	3	8	2	9	5	6	4
3	6	7	1	8	2	9	4	5
8	1	5	7	9	4	2	3	6
4	2	9	5	6	3	7	1	8

848

5	3	2	8	7	1	6	9	4
7	8	6	4	5	9	3	1	2
1	9	4	3	6	2	5	8	7
6	5	1	2	4	8	9	7	3
2	7	9	1	3	6	8	4	5
3	4	8	5	9	7	2	6	1
9	2	7	6	1	3	4	5	8
8	6	5	7	2	4	1	3	9
4	1	3	9	8	5	7	2	6

849

6	1	4	5	9	7	2	3	8
7	8	5	6	3	2	9	4	1
2	9	3	4	8	1	7	5	6
4	5	6	2	7	8	3	1	9
8	3	2	1	4	9	6	7	5
9	7	1	3	6	5	8	2	4
1	2	7	9	5	6	4	8	3
3	6	8	7	1	4	5	9	2
5	4	9	8	2	3	1	6	7

850

4	5	8	9	7	6	1	3	2
7	6	9	2	1	3	4	8	5
1	3	2	5	4	8	7	9	6
9	4	3	1	6	2	8	5	7
5	2	7	8	3	9	6	1	4
6	8	1	4	5	7	3	2	9
8	7	5	6	2	1	9	4	3
2	9	6	3	8	4	5	7	1
3	1	4	7	9	5	2	6	8

851

3	4	9	7	1	5	2	6	8
5	8	1	6	9	2	7	4	3
6	7	2	3	8	4	9	5	1
2	6	8	1	5	7	4	3	9
4	1	3	8	2	9	6	7	5
7	9	5	4	3	6	8	1	2
9	3	6	5	4	8	1	2	7
8	5	4	2	7	1	3	9	6
1	2	7	9	6	3	5	8	4

852

7	1	2	9	4	8	3	5	6
6	5	4	7	1	3	8	9	2
9	8	3	5	2	6	7	4	1
8	9	6	3	5	7	1	2	4
4	3	5	2	8	1	9	6	7
1	2	7	4	6	9	5	3	8
5	7	8	6	3	4	2	1	9
2	6	1	8	9	5	4	7	3
3	4	9	1	7	2	6	8	5

853

4	3	1	8	5	7	9	6	2
2	9	7	6	3	4	1	5	8
8	5	6	1	9	2	4	7	3
6	1	4	3	2	8	7	9	5
9	7	8	5	1	6	3	2	4
3	2	5	4	7	9	8	1	6
5	8	2	7	4	1	6	3	9
1	4	9	2	6	3	5	8	7
7	6	3	9	8	5	2	4	1

854

2	5	4	6	1	3	8	9	7
1	3	7	9	8	4	2	6	5
9	8	6	7	5	2	3	1	4
5	2	9	1	7	8	6	4	3
8	6	3	2	4	5	1	7	9
7	4	1	3	6	9	5	8	2
4	9	5	8	3	6	7	2	1
3	7	8	4	2	1	9	5	6
6	1	2	5	9	7	4	3	8

855

3	2	7	9	8	6	4	1	5
9	6	4	1	5	3	7	2	8
8	1	5	2	7	4	9	3	6
6	3	1	7	2	8	5	4	9
7	9	8	4	1	5	3	6	2
5	4	2	3	6	9	1	8	7
1	8	9	6	4	7	2	5	3
2	7	6	5	3	1	8	9	4
4	5	3	8	9	2	6	7	1

856

2	7	8	1	9	3	4	6	5
6	5	9	4	8	7	2	1	3
3	1	4	2	5	6	9	7	8
7	9	5	6	2	1	3	8	4
8	3	2	7	4	9	1	5	6
4	6	1	5	3	8	7	9	2
9	4	7	3	6	5	8	2	1
1	2	6	8	7	4	5	3	9
5	8	3	9	1	2	6	4	7

857

6	8	5	2	4	7	1	9	3
2	1	3	8	5	9	6	7	4
9	4	7	3	1	6	2	5	8
5	2	6	7	9	8	3	4	1
8	9	4	1	2	3	7	6	5
7	3	1	4	6	5	8	2	9
1	7	2	9	8	4	5	3	6
3	5	9	6	7	1	4	8	2
4	6	8	5	3	2	9	1	7

858

7	8	4	9	5	3	2	6	1
1	5	2	4	8	6	3	9	7
3	6	9	1	2	7	8	4	5
4	9	3	6	7	5	1	8	2
6	2	7	8	4	1	9	5	3
5	1	8	2	3	9	6	7	4
8	4	1	5	9	2	7	3	6
9	7	6	3	1	4	5	2	8
2	3	5	7	6	8	4	1	9

859

1	4	6	8	7	2	9	5	3
7	2	9	3	5	1	6	8	4
3	5	8	9	6	4	1	7	2
9	3	2	5	1	6	8	4	7
6	1	4	7	2	8	5	3	9
5	8	7	4	9	3	2	1	6
8	9	1	6	3	7	4	2	5
2	7	5	1	4	9	3	6	8
4	6	3	2	8	5	7	9	1

860

4	1	5	9	6	3	7	8	2
3	2	6	7	8	5	1	4	9
8	7	9	2	1	4	3	6	5
2	5	4	1	9	8	6	3	7
1	9	7	3	5	6	8	2	4
6	8	3	4	2	7	9	5	1
5	4	8	6	7	9	2	1	3
7	6	2	5	3	1	4	9	8
9	3	1	8	4	2	5	7	6

861

2	1	5	8	9	4	7	3	6
6	7	4	1	2	3	9	8	5
8	3	9	5	7	6	4	1	2
5	4	3	2	6	9	1	7	8
1	6	7	3	4	8	2	5	9
9	8	2	7	1	5	6	4	3
7	5	1	6	3	2	8	9	4
4	2	8	9	5	1	3	6	7
3	9	6	4	8	7	5	2	1

862

9	7	8	5	2	4	3	1	6
6	1	5	9	8	3	2	7	4
4	2	3	1	6	7	8	9	5
5	3	7	6	4	8	1	2	9
1	4	2	7	3	9	6	5	8
8	9	6	2	1	5	4	3	7
3	6	9	8	5	1	7	4	2
7	8	4	3	9	2	5	6	1
2	5	1	4	7	6	9	8	3

863

5	4	2	6	8	1	3	7	9
7	6	1	9	2	3	8	4	5
8	3	9	7	5	4	2	6	1
2	8	7	4	1	9	6	5	3
9	5	6	2	3	7	4	1	8
3	1	4	5	6	8	9	2	7
1	7	3	8	4	6	5	9	2
6	9	5	3	7	2	1	8	4
4	2	8	1	9	5	7	3	6

864

4	9	3	7	1	2	6	8	5
8	6	2	5	9	4	1	3	7
1	7	5	3	8	6	4	2	9
6	8	7	9	3	1	5	4	2
5	1	4	6	2	8	9	7	3
2	3	9	4	5	7	8	6	1
7	2	8	1	4	5	3	9	6
9	5	6	8	7	3	2	1	4
3	4	1	2	6	9	7	5	8

865

8	2	4	9	3	1	7	5	6
9	6	1	2	5	7	4	8	3
3	5	7	4	6	8	2	9	1
7	1	8	5	4	6	3	2	9
4	9	5	3	1	2	8	6	7
2	3	6	7	8	9	5	1	4
6	7	3	8	9	5	1	4	2
1	8	2	6	7	4	9	3	5
5	4	9	1	2	3	6	7	8

866

4	9	5	8	6	2	7	3	1
7	2	3	9	1	4	6	5	8
6	8	1	3	5	7	4	2	9
2	7	4	5	9	8	3	1	6
8	5	6	1	7	3	9	4	2
3	1	9	4	2	6	8	7	5
9	3	8	2	4	1	5	6	7
1	4	7	6	8	5	2	9	3
5	6	2	7	3	9	1	8	4

867

3	9	7	4	5	8	6	2	1
2	1	6	9	7	3	8	4	5
5	8	4	1	6	2	7	9	3
1	7	9	2	3	6	4	5	8
8	2	3	5	9	4	1	7	6
4	6	5	8	1	7	9	3	2
6	3	2	7	8	9	5	1	4
9	4	1	6	2	5	3	8	7
7	5	8	3	4	1	2	6	9

868

3	9	8	1	6	7	2	4	5
2	4	5	9	8	3	6	1	7
7	1	6	2	4	5	8	3	9
8	5	4	6	3	2	7	9	1
9	2	1	5	7	4	3	8	6
6	3	7	8	1	9	5	2	4
4	6	2	3	5	1	9	7	8
1	8	9	7	2	6	4	5	3
5	7	3	4	9	8	1	6	2

869

7	6	9	8	3	5	2	1	4
4	3	2	9	7	1	6	5	8
5	1	8	4	6	2	7	9	3
8	2	5	1	4	9	3	7	6
1	4	3	6	5	7	9	8	2
6	9	7	3	2	8	5	4	1
9	5	4	2	1	3	8	6	7
2	7	6	5	8	4	1	3	9
3	8	1	7	9	6	4	2	5

870

4	3	9	2	1	6	8	7	5
2	1	5	8	4	7	3	9	6
7	6	8	5	9	3	1	4	2
9	4	1	7	6	8	2	5	3
8	7	3	9	5	2	6	1	4
5	2	6	4	3	1	9	8	7
1	8	7	6	2	5	4	3	9
6	5	4	3	8	9	7	2	1
3	9	2	1	7	4	5	6	8

871

8	6	7	9	5	4	2	3	1
3	2	9	8	1	7	4	6	5
4	5	1	3	2	6	8	9	7
7	1	3	5	4	9	6	8	2
5	9	8	1	6	2	3	7	4
2	4	6	7	3	8	5	1	9
1	3	4	6	7	5	9	2	8
9	7	2	4	8	3	1	5	6
6	8	5	2	9	1	7	4	3

872

5	1	8	7	4	3	9	6	2
7	3	2	9	6	8	1	4	5
4	6	9	5	1	2	7	8	3
9	4	3	6	2	7	5	1	8
8	7	5	1	9	4	3	2	6
6	2	1	3	8	5	4	7	9
1	9	4	2	3	6	8	5	7
2	8	7	4	5	9	6	3	1
3	5	6	8	7	1	2	9	4

873

1	4	8	9	3	5	7	2	6
7	9	2	1	4	6	3	5	8
3	6	5	7	2	8	4	1	9
4	1	3	5	8	7	9	6	2
2	5	6	4	9	1	8	3	7
8	7	9	3	6	2	1	4	5
9	3	7	6	5	4	2	8	1
6	2	1	8	7	3	5	9	4
5	8	4	2	1	9	6	7	3

874

7	9	4	8	2	1	3	5	6
2	1	8	3	6	5	7	9	4
6	3	5	4	9	7	8	1	2
4	7	9	5	1	6	2	3	8
3	6	2	9	8	4	5	7	1
8	5	1	7	3	2	6	4	9
5	8	6	1	4	3	9	2	7
9	4	3	2	7	8	1	6	5
1	2	7	6	5	9	4	8	3

875

3	8	2	7	5	6	4	1	9
7	1	5	4	8	9	6	2	3
9	6	4	3	2	1	7	8	5
2	4	1	9	6	7	3	5	8
5	9	7	8	1	3	2	6	4
8	3	6	2	4	5	1	9	7
4	5	8	1	3	2	9	7	6
1	7	3	6	9	8	5	4	2
6	2	9	5	7	4	8	3	1

876

5	2	7	4	6	9	3	1	8
9	1	4	8	2	3	6	5	7
6	3	8	1	7	5	2	9	4
2	8	5	7	1	4	9	6	3
1	4	9	3	8	6	7	2	5
7	6	3	5	9	2	4	8	1
4	5	6	9	3	8	1	7	2
8	7	2	6	4	1	5	3	9
3	9	1	2	5	7	8	4	6

877

8	2	4	1	5	7	9	6	3
6	5	9	8	4	3	7	1	2
1	7	3	9	2	6	5	8	4
7	3	2	6	1	4	8	5	9
5	4	6	3	9	8	1	2	7
9	1	8	2	7	5	4	3	6
3	6	1	7	8	9	2	4	5
2	9	5	4	6	1	3	7	8
4	8	7	5	3	2	6	9	1

878

7	9	1	2	6	8	4	3	5
3	4	5	1	7	9	2	6	8
6	8	2	4	3	5	9	7	1
9	2	3	8	1	6	5	4	7
5	7	8	9	2	4	6	1	3
1	6	4	7	5	3	8	2	9
4	5	7	6	8	1	3	9	2
2	3	6	5	9	7	1	8	4
8	1	9	3	4	2	7	5	6

879

3	4	1	2	5	6	8	7	9
2	8	9	7	1	4	5	3	6
7	5	6	8	9	3	2	1	4
8	1	4	5	7	9	3	6	2
6	9	2	4	3	1	7	8	5
5	7	3	6	2	8	9	4	1
9	6	7	3	4	5	1	2	8
1	3	8	9	6	2	4	5	7
4	2	5	1	8	7	6	9	3

880

4	6	2	8	5	7	1	3	9
3	1	5	6	9	4	7	8	2
8	9	7	2	1	3	5	6	4
6	5	4	1	3	2	9	7	8
2	3	8	9	7	5	6	4	1
1	7	9	4	6	8	3	2	5
9	4	3	5	8	6	2	1	7
7	2	1	3	4	9	8	5	6
5	8	6	7	2	1	4	9	3

881

5	4	6	9	7	1	8	2	3
8	7	3	6	4	2	5	1	9
1	2	9	3	5	8	6	4	7
2	6	8	4	9	5	3	7	1
4	3	5	8	1	7	2	9	6
7	9	1	2	3	6	4	8	5
6	1	7	5	2	4	9	3	8
3	8	2	7	6	9	1	5	4
9	5	4	1	8	3	7	6	2

882

3	6	5	1	4	8	7	2	9
4	1	7	6	2	9	8	5	3
2	9	8	3	7	5	4	6	1
6	7	9	4	1	3	5	8	2
1	5	4	8	9	2	6	3	7
8	2	3	5	6	7	9	1	4
7	4	6	2	5	1	3	9	8
5	3	2	9	8	4	1	7	6
9	8	1	7	3	6	2	4	5

883

1	2	3	9	5	6	8	7	4
4	6	7	8	1	3	2	9	5
5	8	9	7	4	2	3	6	1
9	5	6	1	3	4	7	2	8
3	7	2	6	8	5	4	1	9
8	4	1	2	7	9	5	3	6
7	9	8	4	2	1	6	5	3
2	1	5	3	6	8	9	4	7
6	3	4	5	9	7	1	8	2

884

7	8	9	5	2	6	1	3	4
5	2	4	7	3	1	6	8	9
6	1	3	8	4	9	2	7	5
1	5	7	9	6	8	4	2	3
4	6	2	3	7	5	9	1	8
9	3	8	4	1	2	5	6	7
2	9	5	1	8	3	7	4	6
3	4	1	6	5	7	8	9	2
8	7	6	2	9	4	3	5	1

885

2	3	8	1	5	6	9	4	7
5	6	4	9	7	8	3	1	2
7	9	1	3	2	4	8	6	5
1	5	2	4	3	9	6	7	8
6	4	3	8	1	7	5	2	9
9	8	7	5	6	2	4	3	1
3	1	9	2	4	5	7	8	6
8	2	6	7	9	3	1	5	4
4	7	5	6	8	1	2	9	3

886

6	2	4	3	5	8	7	9	1
8	7	5	6	1	9	3	4	2
9	1	3	7	2	4	8	6	5
1	6	8	9	3	5	4	2	7
5	4	7	2	8	1	6	3	9
3	9	2	4	7	6	1	5	8
4	8	1	5	6	2	9	7	3
2	3	9	1	4	7	5	8	6
7	5	6	8	9	3	2	1	4

887

1	4	8	5	7	3	9	6	2
2	5	7	8	9	6	1	4	3
6	9	3	2	1	4	7	5	8
3	7	1	9	4	5	2	8	6
9	6	4	7	2	8	3	1	5
5	8	2	6	3	1	4	9	7
8	1	9	3	6	2	5	7	4
7	3	5	4	8	9	6	2	1
4	2	6	1	5	7	8	3	9

888

1	7	2	3	5	8	4	9	6
6	3	5	9	1	4	7	8	2
9	8	4	6	2	7	3	5	1
4	5	6	1	8	9	2	7	3
2	9	7	5	3	6	1	4	8
3	1	8	4	7	2	5	6	9
7	6	3	8	4	1	9	2	5
8	2	1	7	9	5	6	3	4
5	4	9	2	6	3	8	1	7

889

8	4	2	1	5	9	3	6	7
6	9	1	3	7	8	5	2	4
3	5	7	2	6	4	1	9	8
2	6	4	9	8	3	7	1	5
7	3	5	6	4	1	2	8	9
1	8	9	5	2	7	4	3	6
9	2	8	4	3	5	6	7	1
5	7	3	8	1	6	9	4	2
4	1	6	7	9	2	8	5	3

890

6	2	3	5	7	4	1	8	9
9	7	1	6	8	2	3	5	4
8	4	5	3	1	9	7	6	2
1	8	6	9	2	3	4	7	5
3	9	4	7	5	6	2	1	8
2	5	7	8	4	1	9	3	6
5	1	8	4	9	7	6	2	3
4	6	2	1	3	8	5	9	7
7	3	9	2	6	5	8	4	1

891

3	7	5	2	1	9	8	6	4
2	4	6	5	8	3	1	9	7
1	8	9	4	7	6	2	5	3
9	6	3	7	4	8	5	2	1
5	1	7	9	3	2	4	8	6
8	2	4	1	6	5	3	7	9
4	9	1	8	2	7	6	3	5
6	5	2	3	9	4	7	1	8
7	3	8	6	5	1	9	4	2

892

1	3	5	2	8	6	9	7	4
2	8	7	9	4	5	6	3	1
9	4	6	7	3	1	8	5	2
5	6	9	1	2	4	7	8	3
8	7	1	5	6	3	4	2	9
4	2	3	8	7	9	1	6	5
7	5	4	3	1	8	2	9	6
6	9	8	4	5	2	3	1	7
3	1	2	6	9	7	5	4	8

893

4	6	2	8	7	1	5	3	9
9	3	1	6	5	2	8	4	7
5	7	8	3	9	4	6	1	2
7	8	4	9	1	6	3	2	5
1	2	9	7	3	5	4	8	6
6	5	3	2	4	8	9	7	1
2	9	7	5	8	3	1	6	4
3	1	5	4	6	7	2	9	8
8	4	6	1	2	9	7	5	3

894

4	3	7	2	9	1	5	8	6
1	2	8	7	5	6	3	4	9
5	9	6	3	8	4	7	2	1
2	7	1	5	4	9	8	6	3
9	6	5	1	3	8	2	7	4
3	8	4	6	7	2	9	1	5
7	4	2	9	6	3	1	5	8
6	5	9	8	1	7	4	3	2
8	1	3	4	2	5	6	9	7

895

1	9	4	6	8	2	7	3	5
5	6	3	1	4	7	8	9	2
2	7	8	5	3	9	6	1	4
7	1	9	2	5	4	3	6	8
3	2	6	7	9	8	5	4	1
4	8	5	3	6	1	9	2	7
8	5	2	9	1	6	4	7	3
9	3	1	4	7	5	2	8	6
6	4	7	8	2	3	1	5	9

896

8	7	2	6	3	5	1	9	4
5	3	1	4	7	9	8	2	6
4	6	9	2	1	8	7	3	5
9	8	5	3	4	7	2	6	1
3	2	4	1	8	6	5	7	9
7	1	6	5	9	2	4	8	3
2	4	3	8	6	1	9	5	7
1	5	7	9	2	3	6	4	8
6	9	8	7	5	4	3	1	2

897

1	5	6	3	4	2	8	7	9
3	8	9	7	6	5	4	1	2
4	2	7	9	8	1	5	6	3
5	6	8	2	7	9	1	3	4
2	4	3	5	1	8	7	9	6
7	9	1	6	3	4	2	5	8
9	7	4	1	2	6	3	8	5
8	1	5	4	9	3	6	2	7
6	3	2	8	5	7	9	4	1

898

9	3	4	6	7	5	1	8	2
8	1	7	3	4	2	6	5	9
5	2	6	1	9	8	4	7	3
1	8	3	9	6	4	5	2	7
2	7	9	8	5	1	3	6	4
4	6	5	7	2	3	8	9	1
6	4	2	5	3	7	9	1	8
3	9	8	2	1	6	7	4	5
7	5	1	4	8	9	2	3	6

899

6	3	5	2	1	8	9	7	4
1	2	9	7	6	4	3	5	8
8	7	4	9	5	3	2	1	6
4	5	8	1	2	7	6	9	3
9	6	7	8	3	5	4	2	1
3	1	2	4	9	6	5	8	7
2	9	6	3	8	1	7	4	5
7	8	3	5	4	2	1	6	9
5	4	1	6	7	9	8	3	2

900

7	8	5	9	3	2	1	4	6
4	1	6	7	5	8	9	2	3
2	9	3	4	6	1	7	8	5
9	7	8	6	4	3	5	1	2
6	5	2	1	8	9	3	7	4
3	4	1	5	2	7	8	6	9
8	6	9	2	7	5	4	3	1
5	3	4	8	1	6	2	9	7
1	2	7	3	9	4	6	5	8

901

8	4	3	1	2	7	6	5	9
7	9	2	8	5	6	3	4	1
5	1	6	3	4	9	7	2	8
3	8	1	7	9	5	2	6	4
2	6	7	4	8	1	5	9	3
9	5	4	2	6	3	1	8	7
6	7	8	5	3	4	9	1	2
1	2	5	9	7	8	4	3	6
4	3	9	6	1	2	8	7	5

902

1	9	2	3	6	7	5	8	4
5	4	3	8	1	9	2	6	7
6	8	7	2	4	5	1	9	3
9	3	6	7	5	2	8	4	1
4	5	8	9	3	1	6	7	2
7	2	1	4	8	6	9	3	5
2	6	9	1	7	4	3	5	8
3	7	5	6	2	8	4	1	9
8	1	4	5	9	3	7	2	6

903

1	8	6	3	2	7	4	9	5
5	3	4	9	1	8	2	6	7
7	2	9	5	4	6	1	3	8
9	5	3	8	6	2	7	4	1
8	1	7	4	3	9	6	5	2
4	6	2	1	7	5	3	8	9
3	7	8	2	5	4	9	1	6
6	4	5	7	9	1	8	2	3
2	9	1	6	8	3	5	7	4

904

1	8	5	3	6	7	4	9	2
2	3	4	1	9	5	7	8	6
7	6	9	8	2	4	5	1	3
5	4	1	6	7	2	9	3	8
9	7	6	5	8	3	1	2	4
8	2	3	9	4	1	6	7	5
6	9	7	2	5	8	3	4	1
4	1	8	7	3	6	2	5	9
3	5	2	4	1	9	8	6	7

905

6	9	7	3	4	1	2	5	8
5	3	1	2	8	6	9	4	7
2	8	4	5	7	9	3	1	6
3	6	8	7	9	5	1	2	4
1	2	9	4	6	8	7	3	5
4	7	5	1	2	3	8	6	9
9	1	2	8	5	4	6	7	3
8	5	3	6	1	7	4	9	2
7	4	6	9	3	2	5	8	1

906

8	2	9	1	7	4	6	3	5
3	5	6	8	2	9	4	7	1
1	7	4	5	6	3	8	2	9
7	1	8	9	4	2	3	5	6
9	4	3	6	1	5	2	8	7
2	6	5	3	8	7	9	1	4
6	3	7	4	5	8	1	9	2
4	9	2	7	3	1	5	6	8
5	8	1	2	9	6	7	4	3

907

1	9	2	3	5	7	6	4	8
7	6	8	9	4	2	3	5	1
5	4	3	1	8	6	7	9	2
3	7	1	4	6	5	2	8	9
6	8	4	2	9	1	5	7	3
9	2	5	8	7	3	4	1	6
4	1	6	5	2	8	9	3	7
8	5	7	6	3	9	1	2	4
2	3	9	7	1	4	8	6	5

908

7	3	4	1	2	9	6	5	8
9	8	6	5	4	3	2	1	7
5	1	2	7	6	8	4	9	3
6	7	8	4	1	2	9	3	5
3	5	1	6	9	7	8	4	2
4	2	9	8	3	5	7	6	1
1	4	7	3	8	6	5	2	9
8	9	3	2	5	4	1	7	6
2	6	5	9	7	1	3	8	4

909

4	6	3	1	9	5	2	7	8
9	1	7	2	8	4	3	5	6
5	8	2	7	3	6	1	9	4
3	7	1	8	4	9	6	2	5
6	4	5	3	1	2	9	8	7
2	9	8	5	6	7	4	1	3
1	2	4	6	7	8	5	3	9
7	5	6	9	2	3	8	4	1
8	3	9	4	5	1	7	6	2

910

2	3	4	5	9	1	7	6	8
8	9	7	4	6	3	1	5	2
6	1	5	7	8	2	9	4	3
4	6	3	2	5	7	8	9	1
5	8	9	1	3	6	2	7	4
7	2	1	8	4	9	5	3	6
1	5	2	6	7	4	3	8	9
9	4	8	3	1	5	6	2	7
3	7	6	9	2	8	4	1	5

911

2	9	5	8	7	3	6	1	4
8	4	1	9	6	2	5	7	3
7	3	6	4	1	5	2	9	8
4	1	3	2	8	6	9	5	7
9	6	8	5	3	7	1	4	2
5	7	2	1	4	9	3	8	6
1	2	7	6	9	8	4	3	5
3	5	9	7	2	4	8	6	1
6	8	4	3	5	1	7	2	9

912

5	2	9	3	7	8	4	1	6
6	3	1	4	5	9	7	8	2
7	4	8	6	2	1	5	3	9
4	7	3	1	9	2	6	5	8
1	6	2	8	4	5	3	9	7
8	9	5	7	3	6	1	2	4
3	5	4	9	8	7	2	6	1
9	1	7	2	6	3	8	4	5
2	8	6	5	1	4	9	7	3

913

1	4	2	9	3	7	5	6	8
9	7	5	6	8	1	2	4	3
6	8	3	2	4	5	7	9	1
5	1	6	4	7	9	3	8	2
3	9	7	8	6	2	1	5	4
8	2	4	1	5	3	6	7	9
7	5	1	3	9	4	8	2	6
4	3	8	7	2	6	9	1	5
2	6	9	5	1	8	4	3	7

914

3	9	7	8	1	6	2	5	4
5	2	8	3	9	4	1	7	6
1	6	4	2	5	7	3	8	9
2	5	6	1	7	9	4	3	8
4	1	3	5	8	2	9	6	7
8	7	9	6	4	3	5	2	1
6	8	5	4	3	1	7	9	2
9	4	2	7	6	5	8	1	3
7	3	1	9	2	8	6	4	5

915

3	5	6	4	7	9	1	8	2
7	2	9	1	6	8	5	4	3
8	4	1	3	5	2	6	7	9
5	1	8	7	2	3	4	9	6
6	9	7	8	1	4	2	3	5
4	3	2	6	9	5	7	1	8
1	8	3	2	4	6	9	5	7
2	7	5	9	3	1	8	6	4
9	6	4	5	8	7	3	2	1

916

6	3	4	5	8	7	2	1	9
5	9	1	2	3	4	8	7	6
7	8	2	1	9	6	4	3	5
2	1	3	6	7	5	9	8	4
9	5	6	3	4	8	1	2	7
4	7	8	9	1	2	6	5	3
3	6	9	8	5	1	7	4	2
8	2	7	4	6	3	5	9	1
1	4	5	7	2	9	3	6	8

917

2	8	9	3	6	4	7	1	5
7	4	3	5	9	1	2	8	6
1	6	5	7	8	2	9	4	3
4	3	8	2	7	6	1	5	9
6	9	7	1	3	5	8	2	4
5	2	1	8	4	9	6	3	7
9	5	2	4	1	7	3	6	8
8	7	4	6	2	3	5	9	1
3	1	6	9	5	8	4	7	2

918

6	1	8	9	2	7	4	5	3
3	7	9	5	4	1	6	2	8
2	5	4	8	6	3	7	1	9
5	2	6	4	7	9	3	8	1
4	3	1	6	8	5	9	7	2
9	8	7	3	1	2	5	4	6
1	9	3	7	5	8	2	6	4
8	6	5	2	9	4	1	3	7
7	4	2	1	3	6	8	9	5

919

6	1	8	3	5	9	7	2	4
9	7	2	4	8	6	1	3	5
4	5	3	7	1	2	9	6	8
2	8	4	9	3	5	6	7	1
7	3	6	8	4	1	2	5	9
1	9	5	2	6	7	4	8	3
5	4	1	6	2	3	8	9	7
8	2	9	5	7	4	3	1	6
3	6	7	1	9	8	5	4	2

920

7	1	4	6	5	8	2	3	9
2	6	5	7	9	3	8	4	1
8	3	9	2	4	1	5	6	7
1	2	7	4	3	6	9	5	8
6	9	8	5	7	2	3	1	4
5	4	3	1	8	9	7	2	6
9	7	1	3	2	4	6	8	5
3	5	6	8	1	7	4	9	2
4	8	2	9	6	5	1	7	3

921

7	4	1	8	9	3	2	6	5
2	8	9	5	4	6	7	1	3
3	5	6	7	2	1	4	9	8
1	2	8	6	3	9	5	7	4
6	3	5	4	1	7	9	8	2
4	9	7	2	5	8	6	3	1
9	1	2	3	6	4	8	5	7
5	7	3	9	8	2	1	4	6
8	6	4	1	7	5	3	2	9

922

4	3	6	2	9	7	1	8	5
2	9	8	6	1	5	7	4	3
7	5	1	8	4	3	6	9	2
6	2	3	9	7	1	8	5	4
1	7	5	4	3	8	9	2	6
9	8	4	5	6	2	3	7	1
5	1	2	3	8	9	4	6	7
8	6	7	1	2	4	5	3	9
3	4	9	7	5	6	2	1	8

923

6	4	5	2	8	9	1	3	7
1	9	3	6	7	5	4	8	2
2	8	7	1	4	3	6	9	5
5	2	9	8	1	7	3	4	6
7	6	8	5	3	4	2	1	9
3	1	4	9	6	2	7	5	8
8	7	1	3	5	6	9	2	4
4	3	2	7	9	8	5	6	1
9	5	6	4	2	1	8	7	3

924

2	5	1	3	7	9	4	8	6
3	7	8	4	5	6	1	2	9
6	4	9	8	2	1	5	3	7
1	9	3	6	8	4	7	5	2
8	2	5	1	9	7	6	4	3
7	6	4	2	3	5	9	1	8
9	8	6	5	4	2	3	7	1
4	1	2	7	6	3	8	9	5
5	3	7	9	1	8	2	6	4

925

9	2	3	4	7	6	1	5	8
7	4	1	9	8	5	3	2	6
6	5	8	3	2	1	4	9	7
1	9	6	2	5	7	8	4	3
8	3	5	1	6	4	9	7	2
2	7	4	8	3	9	6	1	5
4	6	2	7	9	3	5	8	1
3	8	9	5	1	2	7	6	4
5	1	7	6	4	8	2	3	9

926

2	7	3	4	9	5	8	1	6
6	9	4	3	1	8	7	5	2
1	5	8	7	6	2	9	3	4
9	2	7	1	4	6	5	8	3
3	8	1	5	2	7	6	4	9
5	4	6	8	3	9	1	2	7
7	6	5	2	8	4	3	9	1
4	1	9	6	5	3	2	7	8
8	3	2	9	7	1	4	6	5

927

6	4	3	1	8	7	2	5	9
8	7	2	5	9	4	6	3	1
5	9	1	6	3	2	7	8	4
9	8	5	7	4	6	3	1	2
3	2	6	8	1	5	9	4	7
7	1	4	3	2	9	8	6	5
2	6	9	4	5	8	1	7	3
1	5	8	2	7	3	4	9	6
4	3	7	9	6	1	5	2	8

928

6	2	7	4	3	9	8	5	1
8	1	3	5	7	2	9	4	6
9	4	5	8	6	1	7	2	3
2	9	1	7	4	3	5	6	8
4	7	8	6	1	5	3	9	2
5	3	6	2	9	8	1	7	4
7	8	4	1	5	6	2	3	9
1	5	9	3	2	4	6	8	7
3	6	2	9	8	7	4	1	5

929

8	2	6	4	5	1	9	7	3
9	5	1	2	7	3	4	6	8
3	4	7	6	8	9	5	2	1
1	8	9	5	2	7	3	4	6
4	6	2	3	1	8	7	9	5
7	3	5	9	6	4	1	8	2
2	1	3	7	9	6	8	5	4
6	9	4	8	3	5	2	1	7
5	7	8	1	4	2	6	3	9

930

8	5	7	2	1	4	9	3	6
9	3	4	6	8	5	7	1	2
6	2	1	3	7	9	4	8	5
2	1	5	9	6	7	3	4	8
3	7	6	4	5	8	1	2	9
4	8	9	1	2	3	5	6	7
5	4	3	8	9	2	6	7	1
7	6	2	5	4	1	8	9	3
1	9	8	7	3	6	2	5	4

931

2	6	8	4	5	9	7	3	1
7	5	9	1	3	2	4	6	8
4	3	1	8	6	7	9	5	2
6	4	5	7	8	1	3	2	9
8	9	7	2	4	3	6	1	5
3	1	2	5	9	6	8	4	7
1	8	4	6	7	5	2	9	3
9	2	6	3	1	8	5	7	4
5	7	3	9	2	4	1	8	6

932

9	8	7	1	5	2	6	3	4
1	4	3	6	8	7	9	5	2
5	6	2	4	3	9	1	7	8
2	3	5	7	6	4	8	9	1
4	1	8	2	9	5	7	6	3
7	9	6	8	1	3	4	2	5
6	5	4	9	2	8	3	1	7
3	7	9	5	4	1	2	8	6
8	2	1	3	7	6	5	4	9

933

1	6	3	2	9	7	8	4	5
2	4	5	8	1	6	9	3	7
9	7	8	5	3	4	2	6	1
8	3	2	9	7	1	6	5	4
6	5	1	4	8	2	7	9	3
4	9	7	3	6	5	1	2	8
3	1	4	7	2	9	5	8	6
5	2	6	1	4	8	3	7	9
7	8	9	6	5	3	4	1	2

934

6	7	4	9	3	5	8	1	2
9	1	8	2	7	4	3	5	6
2	3	5	8	6	1	4	9	7
1	2	7	5	9	8	6	4	3
8	5	3	4	2	6	1	7	9
4	9	6	3	1	7	5	2	8
5	4	2	6	8	9	7	3	1
3	6	1	7	4	2	9	8	5
7	8	9	1	5	3	2	6	4

935

7	1	6	9	8	2	4	3	5
5	4	9	3	6	7	8	1	2
8	2	3	4	5	1	6	7	9
1	8	7	2	4	5	3	9	6
3	6	2	7	1	9	5	4	8
9	5	4	8	3	6	1	2	7
6	9	8	1	2	4	7	5	3
2	3	1	5	7	8	9	6	4
4	7	5	6	9	3	2	8	1

936

2	6	3	5	7	8	4	9	1
9	7	4	2	3	1	8	5	6
5	8	1	4	6	9	7	2	3
8	1	6	9	5	3	2	7	4
7	3	9	1	4	2	5	6	8
4	5	2	6	8	7	3	1	9
1	9	5	8	2	4	6	3	7
6	4	7	3	9	5	1	8	2
3	2	8	7	1	6	9	4	5

937

9	7	1	5	6	8	4	2	3
4	8	3	7	2	1	6	9	5
6	5	2	3	4	9	1	8	7
1	4	5	2	3	7	9	6	8
8	3	6	4	9	5	7	1	2
7	2	9	1	8	6	5	3	4
5	9	4	8	1	2	3	7	6
2	1	7	6	5	3	8	4	9
3	6	8	9	7	4	2	5	1

938

2	9	8	3	6	4	5	1	7
6	7	5	1	9	8	3	4	2
1	4	3	2	7	5	9	8	6
4	2	7	8	1	3	6	5	9
3	8	9	5	2	6	4	7	1
5	1	6	9	4	7	8	2	3
9	6	4	7	5	2	1	3	8
7	3	1	4	8	9	2	6	5
8	5	2	6	3	1	7	9	4

939

2	8	3	7	6	5	9	4	1
5	6	9	2	4	1	8	7	3
1	7	4	3	9	8	2	6	5
9	1	6	8	3	2	4	5	7
3	2	5	4	1	7	6	9	8
7	4	8	9	5	6	3	1	2
6	3	1	5	8	9	7	2	4
8	9	7	1	2	4	5	3	6
4	5	2	6	7	3	1	8	9

940

8	7	1	5	9	6	3	2	4
4	5	2	3	7	1	8	9	6
6	3	9	2	4	8	7	5	1
1	4	8	7	5	9	6	3	2
3	2	5	6	1	4	9	8	7
9	6	7	8	2	3	1	4	5
5	1	6	9	8	2	4	7	3
7	9	4	1	3	5	2	6	8
2	8	3	4	6	7	5	1	9

941

8	9	3	7	1	2	4	6	5
5	7	1	4	6	3	2	8	9
4	2	6	9	8	5	7	1	3
6	5	7	2	3	4	8	9	1
3	8	4	1	9	6	5	7	2
9	1	2	8	5	7	6	3	4
2	3	8	5	7	9	1	4	6
1	4	9	6	2	8	3	5	7
7	6	5	3	4	1	9	2	8

942

8	5	7	6	4	1	9	3	2
4	6	3	9	7	2	1	8	5
2	9	1	5	8	3	6	4	7
3	1	4	7	5	9	8	2	6
9	7	2	8	3	6	5	1	4
6	8	5	2	1	4	7	9	3
5	4	9	1	2	7	3	6	8
1	3	8	4	6	5	2	7	9
7	2	6	3	9	8	4	5	1

943

7	5	6	8	4	3	2	9	1
8	3	2	9	1	5	7	6	4
1	9	4	6	2	7	8	3	5
5	2	7	4	3	1	9	8	6
4	8	9	5	6	2	3	1	7
6	1	3	7	8	9	5	4	2
9	4	8	2	5	6	1	7	3
2	7	1	3	9	4	6	5	8
3	6	5	1	7	8	4	2	9

944

1	7	5	2	4	3	9	6	8
9	3	4	1	8	6	5	2	7
8	2	6	5	7	9	4	3	1
2	1	9	8	5	4	6	7	3
7	5	3	6	1	2	8	9	4
4	6	8	9	3	7	2	1	5
3	9	7	4	2	5	1	8	6
5	8	2	7	6	1	3	4	9
6	4	1	3	9	8	7	5	2

945

9	4	5	6	2	8	1	3	7
7	3	8	9	4	1	6	5	2
6	2	1	5	3	7	4	8	9
8	1	6	7	9	2	5	4	3
4	5	7	8	1	3	2	9	6
2	9	3	4	5	6	7	1	8
5	8	2	3	7	4	9	6	1
3	7	9	1	6	5	8	2	4
1	6	4	2	8	9	3	7	5

946

7	4	5	8	2	6	3	1	9
1	3	6	7	9	4	5	8	2
9	8	2	5	3	1	4	6	7
4	2	7	3	6	8	1	9	5
3	9	1	4	7	5	8	2	6
6	5	8	9	1	2	7	4	3
5	1	9	2	4	3	6	7	8
2	6	3	1	8	7	9	5	4
8	7	4	6	5	9	2	3	1

947

8	3	2	5	9	4	1	7	6
6	5	4	1	3	7	2	9	8
9	1	7	6	8	2	3	4	5
4	9	5	2	7	6	8	3	1
7	8	3	9	5	1	6	2	4
2	6	1	3	4	8	7	5	9
1	7	6	4	2	9	5	8	3
5	2	9	8	6	3	4	1	7
3	4	8	7	1	5	9	6	2

948

8	9	6	3	4	5	2	7	1
5	4	2	1	7	9	6	3	8
3	7	1	6	8	2	4	9	5
1	6	4	8	5	7	9	2	3
7	8	3	2	9	1	5	4	6
2	5	9	4	6	3	1	8	7
4	2	5	7	3	6	8	1	9
6	3	8	9	1	4	7	5	2
9	1	7	5	2	8	3	6	4

949

9	3	7	6	1	4	8	5	2
1	6	8	9	5	2	7	4	3
5	2	4	8	7	3	9	6	1
3	5	9	1	4	7	2	8	6
6	8	1	5	2	9	3	7	4
4	7	2	3	8	6	5	1	9
2	1	3	7	6	5	4	9	8
8	4	5	2	9	1	6	3	7
7	9	6	4	3	8	1	2	5

950

7	1	3	6	9	5	4	8	2
4	5	9	2	8	1	7	6	3
6	2	8	3	7	4	5	1	9
1	8	6	5	4	2	9	3	7
5	7	4	9	6	3	1	2	8
3	9	2	8	1	7	6	4	5
2	4	7	1	5	8	3	9	6
8	6	5	4	3	9	2	7	1
9	3	1	7	2	6	8	5	4